COMMENTAIRE
SUR S. MATTHIEU

SOURCES CHRÉTIENNES

Fondateurs : H. de Lubac, s.j., et † J. Daniélou, s.j.
Directeur : C. Mondésert, s.j.

N° 259

SAINT JÉRÔME

COMMENTAIRE
SUR S. MATTHIEU

TOME II
(Livres III-IV)

TEXTE LATIN.

TRADUCTION, NOTES ET INDEX

par

Émile BONNARD

Ancien Élève de l'École Normale Supérieure
Agrégé de l'Université

LES ÉDITIONS DU CERF, 29 Bd de Latour-Maubourg,
PARIS 7ᵉ
1979

La publication de cet ouvrage a été préparée avec le concours de l'Institut des Sources Chrétiennes (E.R.A. 645 du Centre National de la Recherche Scientifique).

AVANT-PROPOS

Au début de ce deuxième volume, nous rappelons notre fidélité au texte du Corpus Christianorum, *series latina* (*CCL*), n⁰ 77 (cf. t. I, p. 51 s.). Nous signalons dans le tableau ci-dessous, les quelques modifications que nous avons faites.

LIVRE III

Chap.	Ligne	Texte adopté	Ligne	Texte CCL
16	56	uocabatur, et... Libiadem	7	uocabatur et... Libiadem,
	57	Iste locus est Caesareae	7	Iste locus est Caesarea
	97	testimonio	46	testimonium
	211	Vade post me, satana. Diabolo dicitur : Vade retro. Petrus audit :	152	Vade post me, satana, diabolo dicitur. Vade retro, Petrus audit.
	270	istiusmodi scandalum sustinere : occisionem... nunc dicis esse uenturam, quod autem...	210	istiusmodi scandalum sustinere, occisionem... nunc dicis esse uenturam. Quod autem...
	275	obicere, praesentem timorem praesenti compensat praemio	213	obicere praesentem timorem, praesenti compensat praemio
17	85	audierant. Humana fragilitas	225	audierant, humana fragilitas
	97	postquam surrexerunt	307	postquam surrexerant
18	81	Si... ita est quis	546	Si... ita est, quis
	224s.	domini... domino... dominus	678s.	Domini... Domino... Dominus
	255	non mihi cura est quid uelit agere, ego ignoui	706	non mihi cura est, quid uelit agere ego ignoui
20	222	quod debilitas tulerat donat misericordia,	1159	quod debilitas tulerat, donat misericordia

LIVRE IV

TEXTE
ET
TRADUCTION

(Matth. 16, 13 - 22, 40)

16   **13. Venit autem Iesus in partes Caesareae Philippi.**
50 Philippus iste est frater Herodis de quo supra diximus,
tetrarcha Itureae et Traconitidis regionum, qui in
honorem Tiberii Caesaris Caesaream Philippi, quae
nunc Paneas dicitur, appellauit et est in prouincia
Phoenicis, imitatus Herodem patrem qui in honorem
55 Augusti Caesaris appellauit Caesaream, quae prius
turris Stratonis uocabatur, et ex nomine filiae eius
Libiadem trans Iordanem extruxit. Iste locus est
Caesareae Philippi ubi Iordanis ad radices oritur Libani
et habet duos fontes, unum nomine Ior et alterum Dan,
60 qui simul mixti Iordanis nomen efficiunt.

16, 51. Cf. Lc 3, 1

1. Ce livre s'ouvre au milieu d'un chapitre et la numérotation des lignes
continue ici celle de la fin du livre II. Les Anciens ne connaissaient pas
nos divisions actuelles de l'Évangile (cf. t. I, p. 345, n. 103).
2. Cf. 14, 4 (t. I, p. 298). Il s'agit d'Hérode Antipas.
3. Paneas, aujourd'hui Banias. Ce nom venait de ce que la ville était
consacrée au dieu Pan. On voit encore aujourd'hui les ruines du temple
dédié à ce dieu. Pour ces renseignements, Jérôme s'appuie sans doute sur
Josèphe, *Ant. Iud.* XVIII, 2, 1. Cf. aussi *Bell. Iud.* II, 167-168.
4. Cette seconde Césarée, dite Césarée du bord de la mer, était un
port construit par Hérode sur le site où un aventurier grec, Straton,
avait élevé une tour. C'était la résidence officielle des procurateurs
romains. Les *Actes* l'appellent seulement Césarée. Paule, l'amie de Jérôme,
était venue la visiter : « Là elle vit la maison de Corneille transformée
en église du Christ, la modeste demeure de Philippe (le diacre)... » (*Ep.*
108, Or. funèbre de Ste Paule (Labourt V, p. 166).
5. Jérôme commet ici une double erreur : 1) en attribuant la fondation
de *Libias* à Philippe ; 2) en reconnaissant dans le nom de cette ville

LIVRE III

(Matth. 16, 13 - 22, 40)

CHAPITRE 16[1]

13. Or Jésus vint dans la région de Césarée de Philippe.
Ce Philippe est le frère de cet Hérode dont nous avons parlé
plus haut[2], tétrarque du pays d'Iturée et de Trachonitide.
En hommage à Tibère César, il donna le nom de Césarée
de Philippe à une ville nommée aujourd'hui Paneas[3], située
dans la province de Phénicie, imitant son père Hérode
qui, en hommage à César Auguste, avait donné le nom de
Césarée[4] à la ville auparavant nommée Tour de Straton,
et fonda, au-delà du Jourdain, la ville de Livias[5], du nom
de la fille de celui-ci. Césarée[6] de Philippe se trouve à l'endroit
où le Jourdain prend sa source, au pied du Liban. Il a deux
sources appelées l'une Jor, l'autre Dan. Elles se mêlent
l'une à l'autre, d'où le nom de Jourdain[7].

---

celui de « la fille » de l'empereur. D'après Josèphe, Philippe appela
Julias l'ancienne *Bethsaïde*, « du nom de la fille de l'empereur » (Auguste) ;
son frère Hérode Antipas appela *Julias* l'ancienne *Betharan*, en Pérée
(« au-delà du Jourdain »), « du nom de l'épouse de l'empereur » (Auguste)
(*Ant. Iud.*, XVIII, ii, 1 ; cf. *Bell. Iud.*, II, ix, 1). C'est cette dernière
ville, et elle seule, qui est désignée habituellement sous le nom de *Livias*.
On peut expliquer le double nom qu'elle porte ainsi par le fait que l'impé-
ratrice *Livie* reçut le nom officiel de *Julie* lors du testament d'Auguste,
en 14 av. J.C. (Cf. PAULY-WISSOWA, art. « Libias »).

6. *Caesarea* (*CCL*) doit être une erreur typographique. Nous avons
choisi *Caesareae* avec RGCE et Bède. Du reste O et K (*Caesariae*) et
B[1] appuient cette leçon.

7. Cette étymologie n'est plus acceptée aujourd'hui. Cf. *Dict. de la
Bible*, article « Jourdain ».

Et interrogabat discipulos suos dicens : Quem dicunt
homines esse filium hominis ? Non dixit : *quem* me
dicunt esse homines, sed *filium hominis,* ne iactanter de
se quaerere uideretur. Et nota quod ubicumque scriptum
65 est in ueteri testamento filius hominis, in hebraeo positum sit filius Adam, illudque quod in psalmo legimus :
Filii hominum usquequo graui corde, in hebraeo dicitur
filii Adam. Pulchre autem interrogat : *Quem dicunt esse*
homines filium hominis ? quia qui de filio hominis lo-
70 quuntur homines sunt ; qui uero diuinitatem eius
intellegunt, non homines sed dii appellantur.

14. At illi dixerunt : Alii Iohannem Baptistam, alii
Heliam, alii uero Hieremiam aut unum ex prophetis.
Miror quosdam interpretes causas errorum inquirere
75 singulorum et disputationem longissimam texere quare
Dominum nostrum Iesum Christum alii Iohannem
putauerint, alii Heliam, alii uero Hieremiam aut unum
ex prophetis, cum sic errare potuerint in Helia et
Hieremia quo modo Herodes errauit in Iohanne dicens :
80 *Quem ego decollaui Iohannem ipse surrexit a mortuis, et*
uirtutes operantur in eo.

15.16. Vos autem quem me esse dicitis ? Respondit Simon Petrus : Tu es Christus filius Dei uiui.
Prudens lector, adtende quod ex consequentibus
85 textuque sermonis apostoli nequaquam homines sed
dii appellentur. Cum enim dixisset : *Quem dicunt*
homines esse filium hominis ? subiecit : *Vos autem*
quem me esse dicitis ? Illis quia homines sunt humana

67. Ps. 4, 3 ‖ 81. Mc 6, 16

---

8. La même idée est reprise plus loin, l. 84 s. Cf. aussi 8, 27 (t. I, p. 164).

Et il demandait à ses disciples : « Au dire des hommes, qui est le Fils de l'homme ? » Il n'a pas dit : « au dire des hommes qui suis-je ? », mais « qui est le Fils de l'homme ? » pour que sa question à son sujet ne semblât pas inspirée par la vanité. Note-le : partout où l'Ancien Testament a employé l'expression « Fils de l'homme », il y a en hébreu « fils d'Adam », et là où nous lisons dans le psaume : « Fils de l'homme, jusques à quand aurez-vous le cœur appesanti ? », l'hébreu dit : « Fils d'Adam ». Le Sauveur pose bien la question : « Au dire des hommes, qui est le Fils de l'homme ? » parce que ceux qui parlent du « Fils de l'homme » sont des hommes, mais ceux qui reconnaissent sa divinité ne s'appellent plus des hommes mais des dieux[8].

14. Ils dirent : « Pour les uns, il est Jean-Baptiste, pour d'autres Élie, pour d'autres Jérémie ou l'un des prophètes. » Certains commentateurs[9], je m'en étonne, essaient d'expliquer chaque erreur, ils enfilent d'interminables raisonnements sur ce qui faisait voir en notre Seigneur Jésus-Christ aux uns Jean, à d'autres Élie, à d'autres Jérémie ou un des prophètes. Or ils ont pu se tromper sur Élie et Jérémie, tout comme Hérode s'est trompé sur Jean lorsqu'il dit : « Ce Jean que j'ai décapité, c'est lui qui est ressuscité des morts et qui fait des miracles. »

15. « Mais vous qui dites-vous que je suis ? » Simon Pierre lui répondit : « Tu es le Christ, le Fils du Dieu vivant. » Lecteur avisé, remarque-le, dans la logique du contexte, (le Seigneur) n'appelle pas du tout les apôtres des hommes mais des dieux, car après ces mots : « Au dire des hommes, qui est le Fils de l'homme ? » il ajoute : « Mais vous, qui dites-vous que je suis ? » Ceux-là, parce qu'ils sont des hommes,

---

9. « Certains commentateurs ». Il s'agit d'ORIGÈNE, *In Matth.* XII, 9 (*GCS* 40, p. 81, 9 s.).

opinantibus, uos qui dii estis quem me esse existimatis ?
90 Petrus ex persona omnium apostolorum profitetur :
Tu es Christus filius Dei uiui. Deum uiuum appellat
ad comparationem horum deorum qui putantur dii
sed mortui sunt, Saturnum, Iouem, Cererem, Liberum,
Herculem et cetera idolorum portenta significans.

95 17. *Respondens Iesus dixit ei : Beatus es Simon
Bar Iona, quia caro et sanguis non reuelauit tibi,
sed Pater meus qui in caelis est.* Testimonio de se apostoli reddit uicem. Petrus dixerat : *Tu es Christus filius
Dei uiui,* mercedem recepit uera confessio : *Beatus es
100 Simon Bar Iona.* Quare ? Quia non reuelauit tibi caro
et sanguis, sed reuelauit Pater. Quod caro et sanguis
reuelare non potuit, Spiritus sancti gratia reuelatum est.
Ergo ex confessione sortitur uocabulum quod reuelationem ex Spiritu sancto habeat, cuius et filius appellandus
105 sit. Siquidem Bar Iona in lingua nostra sonat filius
columbae. Alii simpliciter accipiunt quod Simon,
id est Petrus, filius sit Iohannis iuxta alterius loci
interrogationem : *Simon Iohannis diligis me ?* qui
respondit : *Domine tu scis,* et uolunt scriptorum uitio
110 deprauatum ut pro Bar Iohanna, hoc est filio Iohannis,
Bar Iona scriptum sit, una detracta syllaba. Iohanna
autem interpretatur Domini gratia. Vtrumque autem
nomen mystice intellegi potest quo et columba Spiritum
sanctum et gratia Dei donum significet spiritale. Illud
115 quoque quod ait : *Quia caro et sanguis non reuelauit tibi,*
apostolicae narrationi compara in qua ait : *Continuo non
adquieui carni et sanguini,* carnem ibi et sanguinem
Iudaeos significans, ut hic quoque sub alio sensu

109. Cf. Jn 21, 16 ‖ 117. Gal. 1, 16

---

10. Cf. *De interpr. hebr. nom.,* p. 60, 22 (éd. Lagarde).
11. Cf. *De interpr. hebr. nom.,* p. 65, 1-2.

ont des opinions d'hommes ; mais vous qui êtes des dieux, qui croyez-vous que je suis ? Au nom de tous les apôtres, Pierre fait cette profession de foi : « Tu es le Christ, le Fils du Dieu vivant. » Son Dieu, il le qualifie de vivant, pour le distinguer de ces dieux qui passent pour des dieux, mais qui sont des morts, c'est-à-dire Saturne, Jupiter, Cérès, Liber, Hercule, et toutes les autres idoles monstrueuses.

17. En réponse, Jésus lui déclara : « Heureux es-tu, Simon Barjona, parce que ce n'est ni la chair ni le sang qui te l'ont révélé, mais mon Père qui est dans les cieux. » Jésus paie de retour le témoignage que l'apôtre lui a rendu. Pierre avait dit : « Tu es le Christ, le Fils du Dieu vivant », sa profession de foi sincère reçoit sa récompense : « Heureux es-tu Simon Barjona. » Pourquoi ? Parce que ce n'est ni la chair ni le sang qui te l'ont révélé, mais mon Père. Ce que n'auraient pu te révéler la chair et le sang, la grâce de l'Esprit-Saint l'a révélé. Donc sa profession de foi lui vaut un nom qui indique qu'il reçoit sa révélation du Saint-Esprit, dont il doit aussi être appelé le fils. De fait, *Barjona* signifie dans notre langue « le fils de la colombe[10] ». D'autres comprennent tout simplement que Simon, c'est-à-dire Pierre, est fils de Jean, cela d'après une question posée dans un autre passage : « Simon, fils de Jean, m'aimes-tu ? » Et celui-ci répondit : « Seigneur, tu le sais. » Ils prétendent qu'il y a faute des copistes : au lieu de « Bar Johanna », c'est-à-dire fils de Jean, omettant une syllabe, ils auraient écrit Bar Jona. Johanna signifie grâce du Seigneur[11]. Les deux noms admettent une interprétation mystique : la colombe désigne l'Esprit-Saint, et la grâce de Dieu un don de l'Esprit. Quant à ces paroles : « Parce que ce n'est pas la chair et le sang qui te l'ont révélé », compare-les au récit de l'Apôtre où il dit : « Aussitôt je n'ai point pris conseil de la chair et du sang. » « La chair et le sang », par là il désigne ici les Juifs. Là encore, en des termes autres, il est montré que ce n'est

demonstretur quod ei non per doctrinam Pharisaeorum
120 sed per Dei gratiam Christus Dei filius reuelatus sit.

18. Et ego dico tibi. Quid est quod ait : *Et ego
dico tibi* ? Quia tu mihi dixisti : *Tu es Christus filius
Dei uiui, et ego dico tibi,* non sermone casso et nullum
habente opus, sed *dico tibi* quia meum dixisse fecisse est.

125   Quia tu es Petrus et super hanc petram aedificabo
ecclesiam meam. Sicut ipse lumen apostolis donauit ut
lumen mundi appellarentur, et cetera quae ex Domino
sortiti uocabula sunt, ita et Simoni qui credebat in
petram Christum Petri largitus est nomen, ac secundum
130 metaphoram petrae recte dicitur ei : *Aedificabo ecclesiam meam* super te.

Et portae inferi non praeualebunt aduersus eam.
Ego portas inferi uitia reor atque peccata uel certe
hereticorum doctrinas per quas inlecti homines ducuntur
135 ad tartarum. Nemo itaque putet de morte dici, quod
apostoli condicioni mortis subiecti non fuerint, quorum
martyria uideat coruscare.

19. Et tibi dabo claues regni caelorum, et quodcumque
ligaueris super terram erit ligatum et in caelis, et quod-
140 cumque solueris super terram erit solutum et in caelis.
Istum locum episcopi et presbiteri non intellegentes,
aliquid sibi de Pharisaeorum adsumunt supercilio, ut
uel damnent innocentes uel soluere se noxios arbitrentur,
cum apud Deum non sententia sacerdotum sed reorum
145 uita quaeratur. Legimus in Leuitico de leprosis ubi

---

12. Sur ce point Jérôme reprend l'opinion d'ORIGÈNE, *In Matth.*
XII, 14 (*GCS* 40, p. 98 s.). Origène va plus loin encore : le prêtre ou
l'évêque n'aurait pas le pouvoir de remettre les péchés, s'il n'est pas

point la doctrine des Pharisiens mais la grâce de Dieu qui lui a révélé le Christ fils de Dieu.

18. « Et moi je te dis. » Pourquoi dit-il : « Et moi je te dis » ? Parce que toi, tu m'as dit : « Tu es le Christ, fils du Dieu vivant », moi je te dis également, et ce n'est point une parole vaine, et sans effet, mais je te le dis, car, pour moi, avoir dit, c'est avoir fait.

« Que tu es Pierre et sur cette pierre je bâtirai mon Église. » Aux apôtres, il a donné lui-même la lumière pour qu'ils fussent appelés la lumière du monde ainsi que les autres noms qu'ils ont reçu du Seigneur, de même à Simon qui croyait en la pierre qu'est le Christ, il a accordé le nom de Pierre et, poursuivant sa métaphore de la pierre, il lui dit à bon droit : « Sur toi je bâtirai mon Église. »

« Et les portes de l'enfer ne prévaudront point contre elle. » Par portes de l'enfer, moi j'entends les vices et les péchés, ou du moins les doctrines hérétiques qui séduisent les hommes et les conduisent en Enfer. Que personne ne croie donc qu'il est question de la mort, et que les apôtres ne devaient pas être soumis à la loi de la mort, eux dont on voit resplendir le martyre.

19. « Et je te donnerai les clefs du royaume des cieux et tout ce que tu auras lié sur la terre sera aussi lié dans les cieux, et tout ce que tu auras délié sur la terre sera aussi délié dans les cieux. » Ne comprenant pas ce passage, des évêques et des prêtres prennent un peu de l'orgueil pharisaïque : ils condamnent l'innocence ou croient pouvoir absoudre le crime, alors que Dieu examine non la sentence des prêtres mais la vie des accusés[12]. Nous lisons au Lévitique, au sujet des lépreux,

———

saint, comme Pierre.

iubentur ut ostendant se sacerdotibus et, si lepram
habuerint, tunc a sacerdote inmundi fiant, non quo
sacerdotes leprosos faciant et inmundos, sed quo
habeant notitiam leprosi et non leprosi, et possint
150 discernere qui mundus quiue inmundus sit. Quomodo
ergo ibi leprosum sacerdos inmundum facit, sic et
hic alligat uel soluit episcopus et presbiter non eos qui
insontes sunt uel noxii, sed pro officio suo, cum peccatorum audierit uarietates, scit qui ligandus sit, qui
155 soluendus.

20. Tunc praecepit discipulis suis ut nemini dicerent
quia ipse esset Iesus Christus. Supra mittens discipulos
ad praedicandum, iusserat eis ut adnuntiarent aduentum suum ; hic praecepit ne se dicant esse Iesum
160 Christum. Mihi uidetur aliud esse Christum praedicare,
aliud Iesum Christum. Christus commune dignitatis
est nomen, Iesus proprium uocabulum Saluatoris.
Potest autem fieri ut idcirco ante passionem et resurrectionem se noluerit praedicari ut, completo postea
165 sanguinis sacramento, oportunius apostolis diceret :
Euntes docete omnes gentes, et reliqua. Quod ne quis
putet nostrae esse tantum intellegentiae et non sensus
euangelici, quae sequuntur causas prohibitae tunc
praedicationis exponunt.

170   21. Exinde coepit Iesus ostendere discipulis suis
quia oporteret eum ire Hierosolymam et multa pati
a senioribus et scribis et principibus sacerdotum
et occidi et tertia die resurgere. Est autem sensus : tunc
me praedicate cum ista passus fuero, quia non prodest
175 Christum publice praedicare et eius uulgare in populis

147. Cf. Lév. 14, 2-4 ‖ 159 Cf. Matth. 10, 7 ‖ 166. Matth. 28, 19

qu'ils doivent se montrer aux prêtres : sont-ils lépreux, le prêtre les fait impurs, non que les prêtres rendent lépreux et impurs, mais parce qu'ils reconnaissent le lépreux de qui ne l'est pas, ils savent distinguer celui qui est pur de celui qui est impur. Donc, de la même manière que là un prêtre rend impur un lépreux, de même ici l'évêque ou le prêtre lie ou délie, non point indifféremment innocents ou coupables, mais, en vertu de son ministère, après avoir entendu les divers péchés, il sait qui doit être lié et qui doit être délié.

20. Alors il défendit à ses disciples de dire à personne qu'il était Jésus-Christ. Plus haut, envoyant prêcher ses disciples, il leur avait ordonné d'annoncer sa venue, ici il leur défend de dire qu'il est Jésus-Christ. A mon avis, autre chose est de prêcher le Christ, autre chose de prêcher Jésus-Christ[13] : Christ est un nom commun qui exprime une dignité, Jésus est le nom propre du Sauveur. Peut-être aussi n'a-t-il point voulu être prêché avant sa Passion et sa Résurrection pour qu'ensuite, après l'achèvement du mystère de son sang, il pût dire plus à propos à ses apôtres : « Allez et enseignez tous les peuples » etc. Pour qu'on ne voie pas là seulement une interprétation personnelle, étrangère au sens de l'Évangile, la suite nous explique pourquoi il leur interdit alors de (le) prêcher.

21. Dès lors Jésus commença à faire connaître à ses disciples qu'il lui fallait aller à Jérusalem, y souffrir beaucoup de la part des anciens, des scribes et des princes des prêtres, y être mis à mort et ressusciter le troisième jour. Voici le sens : lorsque j'aurai subi cela, alors prêchez-moi. Inutile en effet de prêcher le Christ en public, de divulguer aux peuples la majesté de celui qu'ils vont voir tout à l'heure

---

13. Là encore Jérôme s'inspire d'Origène (*GCS* 40, p. 106-108).

maiestatem quem post paululum flagellatum uisuri
sint et crucifixum multa pati a senioribus et scribis et
principibus sacerdotum. Et nunc Iesus multa patitur
ab his qui rursum sibi crucifigunt filium Dei et, cum
180 seniores putentur in ecclesia et principes sacerdotum,
simplicem sequentes litteram, occidunt filium Dei qui
totus sentitur in spiritu.

22.23. Et adsumens eum Petrus coepit increpare
illum dicens : Absit a te, Domine, non erit tibi hoc. Qui
185 conuersus dixit Petro : Vade post me, satanas, scandalum
es mihi, quia non sapis ea quae Dei sunt sed ea quae hominum. Saepe diximus nimii ardoris amorisque quam
maximi fuisse Petrum in Dominum Saluatorem. Quia
ergo post confessionem suam qua dixerat : *Tu es Christus*
190 *filius Dei uiui*, et praemium Saluatoris quod audierat :
Beatus es Simon Bar Iona, quia caro et sanguis non
reuelauit tibi, sed Pater meus qui in caelis est, repente
audit a Domino oportere se ire Hierosolymam ibique
multa pati a senioribus et scribis et principibus sacer-
195 dotum et occidi et tertia die resurgere, non uult destrui confessionem suam nec putat fieri posse ut Dei
filius occidatur, adsumitque eum in affectum suum uel
separatim ducit ne praesentibus ceteris condiscipulis
magistrum uideatur arguere, et coepit increpare illum
200 amantis affectu et optans dicere : *Absit a te Domine*,
uel ut melius habetur in graeco : Ἵλεώς σοι κύριε,
hoc est : propitius sis, Domine, *non erit hoc*, non potest
fieri nec recipiunt aures meae ut Dei filius occidendus

179. Cf. Hébr. 6, 6 ‖ 187. Cf. II Cor. 3, 6

---

14. On trouvera peut-être étrange qu'on ait gardé dans le texte latin,
pour le vocatif de *Satanas*, tantôt *Satana*, tantôt *Satanas*. Cette alternance,
dans le commentaire de Jérôme, est due sans doute au fait que le texte
donné par la vieille version latine porte : *Vade retro me, Satanas*, tandis
que celui de la Vulgate est : *Vade post me, Satana*. Jérôme n'est pas le

être flagellé, crucifié, beaucoup souffrir de la part des anciens, des scribes, et des princes des prêtres. Aujourd'hui encore Jésus a beaucoup à souffrir de ceux qui, à nouveau, crucifient pour leur compte le Fils de Dieu. Considérés dans l'Église comme des anciens et des princes des prêtres, cependant, parce qu'ils suivent uniquement la lettre, ils tuent le fils de Dieu qui se comprend tout entier en esprit.

22-23. Et Pierre le tirant à lui se mit à le reprendre en disant : « A Dieu ne plaise, Seigneur, cela ne t'arrivera pas. » Et lui s'étant retourné dit à Pierre : « Va derrière moi, Satan[14], tu m'es un scandale, car tu n'as pas le goût des choses de Dieu, mais des choses humaines. » Nous avons dit souvent l'excès de zèle, l'amour extrême de Pierre à l'égard du Seigneur Sauveur. Donc, après sa profession de foi : « Tu es le Christ, le Fils du Dieu vivant », et la récompense du Sauveur, ce qu'il avait entendu : « Tu es heureux, Simon Barjona, parce que ce n'est ni la chair, ni le sang qui te l'ont révélé, mais mon Père qui est dans les cieux », voici que tout à coup, il entend le Seigneur déclarer qu'il doit aller à Jérusalem, y beaucoup souffrir des anciens, des scribes et des princes des prêtres, y être tué et ressusciter le troisième jour ; aussi ne veut-il pas que sa profession de foi soit réduite à néant, il croit impossible la mort du Fils de Dieu ; il le tire à lui dans son amour, ou bien il l'entraîne à l'écart pour qu'on ne le voie point raisonner son maître en présence des autres disciples, et se met à le reprendre affectueusement, à exprimer son souhait : « A Dieu ne plaise » — ou mieux, comme dans le texte grec, « aie pitié de toi, Seigneur », c'est-à-dire « Sois miséricordieux, Seigneur » —, « cela ne sera pas », il est impossible, mes oreilles se refusent à l'entendre, que le Fils de Dieu doive être tué.

---

seul à mélanger les deux textes. Cf. SABATIER : *Bibliorum Sacrorum latinae versiones antiquae*, III, p. 98.

sit. Ad quem Dominus conuersus ait : *Vade retro*
205 *me, satanas, scandalum es mihi.* Satanas interpretatur
aduersarius siue contrarius. Quia contraria, inquit,
loqueris uoluntati meae, debes aduersarius appellari.
Multi putant quod non Petrus correptus sit, sed aduersarius spiritus qui haec dicere apostolo suggerebat.
210 Sed mihi error apostolicus et de pietatis affectu ueniens
numquam incentiuum uidebitur diaboli. *Vade post
me, satana.* Diabolo dicitur : Vade retro ; Petrus audit :
uade retro me, hoc est sequere sententiam meam,
quia non sapis ea quae Dei sunt sed quae hominum.
215 Meae uoluntatis est et Patris, cuius ueni facere uoluntatem, ut pro hominum salute moriar ; tu tuam tantum
considerans uoluntatem, non uis granum tritici in
terram cadere ut multos fructus adferat. Prudens lector
inquirat quomodo post tantam beatitudinem : *Beatus es
220 Simon Bar Iona,* et : *Tu es Petrus et super hanc petram
aedificabo ecclesiam meam, et portae inferi non praeualebunt aduersus eam, et tibi dabo claues regni caelorum,*
et quod ligaueris uel solueris super terram erit ligatum
uel solutum in caelo, nunc audiat : *Vade retro me,
225 satana, scandalum es mihi,* aut quae sit tam repentina
conuersio ut post tanta praemia satanas appelletur. Sed
consideret qui hoc quaerit, Petro illam benedictionem et
beatitudinem ac potestatem et aedificationem super eum
ecclesiae in futuro promissam, non in praesenti datam.
230 *Aedificabo,* inquit, *ecclesiam meam super te, et portae
inferi non praeualebunt aduersus eam, et dabo tibi claues*

212. Matth. 4, 10 ‖ 216. Cf. Jn 6, 38 ‖ 218. Cf. Jn 12, 24-25

15. *Multi putant* : du moins S. HILAIRE, que Jérôme, dans sa préface,
cite parmi ses sources. Cf. *In Matth.*, XVI, 10 (*PL* 9, 1011 B).
16. Nous avons modifié la ponctuation du *CCL* qui rend la phrase
incompréhensible. *Vade post me* (*Vade retro me,* dans la Vieille Latine)
n'est pas dit au diable, mais à Pierre. Nous coupons donc : *Diabolo dicitur :
Vade retro. Petrus audit : Vade retro me.* C'est le *me* qui distingue Pierre

Et se tournant vers lui, le Seigneur dit : « Va derrière moi,
Satan, tu m'es un scandale. » Satan signifie l'adversaire,
le contraire. Tes paroles vont contre ma volonté, donc tu
dois être appelé mon adversaire. Selon une opinion répandue[15], (Jésus) aurait repris non Pierre, mais l'esprit ennemi
qui suggérait ces paroles à l'apôtre. Mais moi, je ne croirai
jamais que l'erreur de l'apôtre, expression d'un pieux sentiment, fût provoquée par le diable. « Va derrière moi, Satan. »
Au diable il est dit : « Retire-toi », Pierre s'entend dire :
« retire-toi derrière moi[16] », c'est-à-dire « suis ma décision »,
« car tu n'as pas le goût des choses de Dieu, mais des choses
humaines ». Ma volonté et celle du Père — que je suis venu
accomplir — sont que je meure pour le salut des hommes,
mais toi, ne considérant que ta volonté, tu ne veux pas que
le grain de blé tombe en terre pour produire beaucoup de
fruit. Un lecteur attentif pourrait se demander comment
après s'être entendu proclamé si heureux, « Tu es heureux,
Simon Barjona » et « Tu es Pierre et sur cette pierre je bâtirai
mon Église, et les portes de l'Enfer ne prévaudront point
contre elle et je te donnerai les clefs du royaume des cieux »,
et ce que tu auras lié ou délié sur terre sera lié ou délié dans
le ciel, il s'entend dire maintenant : « Va derrière moi, Satan.
Tu m'es un scandale. » Quel est donc le retournement si
soudain qui, après de si grandes récompenses, lui vaut d'être
appelé Satan ? Que celui qui se pose cette question le considère : cette bénédiction, ce bonheur, ce pouvoir, cette Église
fondée sur lui, ce sont promesses pour l'avenir, ce n'est pas
accordé à Pierre pour le présent. « Je bâtirai, dit-il, sur toi
mon Église et les portes de l'enfer ne prévaudront point
contre elle et je te donnerai les clefs du royaume des cieux. »

---

de Satan. Jésus ne rompt pas avec lui, comme il le fait avec Satan. Il
remet Pierre à sa place de disciple. Au contraire, Jésus renvoie Satan
en enfer. Cf. 4, 10 et le commentaire que fait Jérôme du *Vade* (Vieille
Latine : *Vade retro*) de Jésus à Satan (t. I, p. 100, l. 70 s.). Voir aussi
ORIGÈNE, *In Matth.* XII, 22 (*GCS* 40, p. 118, 7 s.).

regni caelorum. Omnia de futuro : quae si statim dedisset
ei, numquam in eo prauae confessionis error inuenisset
locum.

235 **24.** **Tunc Iesus dixit discipulis suis : Si quis uult post me
uenire, abneget se ipsum et tollat crucem suam et sequatur
me, et cetera.** Qui deponit ueterem hominem cum operibus eius denegat semet ipsum dicens : *Viuo autem
iam non ego, uiuit uero in me Christus*, tollitque crucem
240 suam et mundo crucifigitur. Cui autem mundus crucifixus est sequitur Dominum crucifixum.

26. Aut quam dabit homo commutationem pro anima
sua ? Pro Israhel datur commutatio Aegyptus et
Aethiopia et Soene, pro anima humana illa sola est
245 retributio quam psalmista canit : *Quid retribuam
Domino pro omnibus quae retribuit mihi ? Calicem
salutaris accipiam et nomen Domini inuocabo.*

27. **Filius enim hominis uenturus est in gloria Patris sui
cum angelis suis et tunc reddet unicuique secundum opus
250 eius.** Petrus ad praedicationem mortis dominicae
scandalizatus, sententia Domini fuerat increpatus ;
prouocati discipuli ut abnegarent se et tollerent crucem
suam et morientium animo magistrum sequerentur.
Grandis terror audientium et qui possit, principe
255 apostolorum perterrito, etiam aliis metum inicere.
Idcirco tristibus laeta succedunt, et dicit : *Filius
hominis uenturus est in gloria Patris sui cum angelis suis.*
Times mortem, audi gloriam triumphantis ; uereris
crucem, ausculta angelorum ministeria. *Et tunc*, inquit,

238. Cf. Col. 3, 9-10 ‖ 239. Gal. 2, 20 ‖ 241. Cf. Gal. ι, 14 ‖ 2 ι4. Cf. **Is.**
43, 3 ‖ 247. Ps. 115, 12-13

17. C'est le mot *Commutatio* — il se retrouve dans *Is.* 43, 3 — qui

Tout cela concerne l'avenir ; le lui eût-il immédiatement
accordé, jamais l'écart de sa malheureuse déclaration n'aurait
été possible.

24. Alors Jésus dit à ses disciples : « Si quelqu'un veut venir à
ma suite, qu'il se renonce lui-même et qu'il porte sa croix et qu'il
me suive », etc. Qui se dépouille du vieil homme et de ses
œuvres, renonce à soi-même et dit : « Désormais, ce n'est
plus moi qui vis, mais c'est le Christ qui vit en moi », et il
porte sa croix, il est crucifié au monde. Et celui pour qui le
monde a été crucifié, suit le Seigneur crucifié.

26. « Ou que donnera l'homme en échange de son âme ? »
Pour le rachat[17] d'Israël, il donne l'Égypte, l'Éthiopie et
Syène. Pour celui de l'âme humaine, il n'est qu'un seul prix,
que chante le psalmiste : « Que rendrai-je au Seigneur pour
tous ses bienfaits à mon égard ? Je prendrai la coupe du
salut et j'invoquerai le nom du Seigneur. »

27. « Car le Fils de l'homme doit venir dans la gloire de son
Père avec ses anges et alors il rendra à chacun selon ses œuvres. »
Scandalisé à l'annonce de la mort du Seigneur, Pierre s'était
vu blâmé par la sentence du Seigneur ; les disciples étaient
invités à renoncer à eux-mêmes, à porter leur croix, à suivre
leur maître prêts à mourir. En entendant cette parole,
grande est leur terreur ; après avoir épouvanté le chef des
apôtres, elle peut inspirer la crainte, même aux autres disciples. Aussi, aux tristes perspectives, en succèdent de
riantes. « Le Fils de l'homme, dit-il, doit venir dans la gloire
de son Père avec ses anges. » Tu crains la mort, apprends
la gloire du triomphateur ; tu redoutes la croix, écoute :
les anges sont à son service. « Et alors, dit-il, il rendra à

donne toute sa valeur à ce rapprochement. Là encore, Jérôme ne fait
que suivre ORIGÈNE, In Matth. XII, 28 (GCS 40, p. 131, 25).

260 *reddet unicuique secundum opera eius.* Non est distinctio
Iudaei et ethnici, uiri et mulieris, pauperum et diuitum, ubi non personae sed opera considerantur.

28. Amen dico uobis : Sunt quidam de hic adstantibus qui non gustabunt mortem donec uideant filium
265 hominis uenientem in regno suo. Terrorem apostolorum
spe medicari uoluerat promissorum, dicens : *Filius
hominis uenturus est in gloria Patris sui cum angelis suis* ; insuper auctoritate iudicis addita : *Et reddet
unicuique secundum opera sua.* Poterat apostolorum
270 tacita cogitatio istiusmodi scandalum sustinere :
occisionem et mortem nunc dicis esse uenturam ;
quod autem promittis adfuturum te in gloria Patris
cum angelorum ministeriis et iudicis potestate, hoc
in dies erit et in tempora longa differtur. Praeuidens
275 ergo occultorum cognitor quid possint obicere, praesentem timorem praesenti compensat praemio. Quid
enim dicit ? *Sunt quidam de hic adstantibus qui non
gustabunt mortem donec uideant filium hominis uenientem
in regno suo,* ut qualis uenturus est postea, ob incre-
280 dulitatem uestram praesenti tempore demonstretur.

17   1. Et post dies sex adsumens Iesus Petrum et
Iacobum et Iohannem fratrem eius. Quare Petrus et
Iacobus et Iohannes in quibusdam euangeliorum locis
separentur a ceteris aut quid priuilegii habeant extra
5 alios apostolos, crebro diximus. Nunc quaeritur quomodo post dies sex adsumpserit eos et duxerit in montem
excelsum seorsum, cum Lucas euangelista octonarium
numerum ponat. Sed facilis responsio est, quia hic

261. Cf. Rom. 10, 12 ‖ 275. Cf. Dan. 13, 42 ‖ 17, 8. Cf. Lc 9, 28

18. Le sens oblige à modifier la ponctuation du *CCL.*
19. Là encore le sens oblige à modifier la ponctuation du *CCL.*

chacun selon ses œuvres. » Point de distinction entre Juif et Gentil, homme et femme, pauvres et riches, puisque ici on considère non point les personnes, mais les œuvres.

28. « Je vous le dis en vérité, il y en a quelques-uns de ceux qui sont ici qui ne goûteront pas la mort avant qu'ils ne voient le Fils de l'homme venant en son royaume. » Par l'espérance des promesses, il avait voulu guérir la terreur des apôtres en disant : « Le Fils de l'homme doit venir dans la gloire de son Père avec ses anges. » Il ajoute également l'autorité du juge : « Et il rendra à chacun selon ses œuvres. » La pensée secrète des apôtres pouvait se heurter à un obstacle : tu dis que ta passion et ta mort vont venir maintenant[18], mais ta promesse de venir dans la gloire du Père, avec les anges pour te servir, avec le pouvoir du juge, cela est pour plus tard, renvoyé à longtemps. Lui donc qui connaît les pensées secrètes, il prévoit ce qu'ils peuvent objecter, il offre donc à leur terreur présente la compensation d'une récompense présente[19]. Que dit-il en effet ? « Quelques-uns de ceux qui sont ici ne goûteront pas la mort avant d'avoir vu le Fils de l'homme venant en sa royauté », pour montrer dès maintenant, à cause de votre incrédulité, ce qu'il sera quand il viendra plus tard.

CHAPITRE 17

1. « Et six jours après Jésus prit avec lui Pierre, Jacques et Jean, son frère. Pourquoi, en certains endroits de l'Évangile, Pierre, Jacques et Jean sont pris séparément des autres, et quel privilège les distingue des autres apôtres, nous l'avons dit souvent. Une question se pose maintenant : c'est six jours après qu'il les a pris avec lui et amenés à l'écart sur une haute montagne, alors que l'évangéliste Luc donne le chiffre de huit. La réponse est facile : ici il est fait mention

medii ponuntur dies, ibi primus additur et extremus.
10 Non enim dicitur : Post dies octo adsumit Iesus Petrum
et Iacobum et Iohannem, sed die octaua.

Et ducit illos in montem excelsum seorsum. Ducere ad
montana discipulos pars regni est. Ducuntur seorsum
quia *multi uocati, pauci electi.*

15 **2. Et transfiguratus est ante eos.** Qualis futurus est
tempore iudicandi, talis apostolis apparuit. Quod autem
dicit : *transfiguratus est ante eos,* nemo putet pristinam
eum formam et faciem perdidisse uel amisisse corporis
ueritatem et adsumpsisse corpus uel spiritale uel
20 aerium, sed quomodo transformatus sit euangelista
demonstrat dicens :

**Et resplenduit facies eius sicut sol, uestimenta autem
eius facta sunt alba sicut nix.** Vbi splendor faciei ostenditur et candor describitur uestium, non substantia
25 tollitur sed gloria commutatur. *Resplenduit facies
eius sicut sol.* Certe transformatus est Dominus in
eam gloriam qua uenturus est postea in regno suo.
Transformatio splendorem addidit, faciem non sub-
traxit. Esto corpus spiritale fuerit, numquid et uesti-
30 menta mutata sunt quae in tantum fuere candida
ut alius euangelista dixerit : *Qualia fullo super terram
non potest facere* ? Quod autem fullo super terram
potest facere, corporale est et tactui subiacet, non
spiritale et aerium, quod inludat oculis et tantum
35 in fantasmate conspiciatur.

14. Matth. 20, 16 ; 22, 14 ‖ 32. Mc 9, 2

---

20. L'argument de Jérôme demeure valable malgré l'erreur qu'il
commet. En réalité, le texte de Luc ne porte pas *die octaua,* mais ; *factum
est... fere dies octo.* Il se passa environ huit jours.

des six jours intermédiaires, là sont ajoutés le premier et le dernier. En effet, Luc ne dit pas : « Huit jours après, Jésus prit Pierre, Jacques et Jean », mais « le huitième jour[20] ».

Il les mène à l'écart sur une haute montagne. Conduire ses disciples sur les hauteurs fait partie de son pouvoir royal. Ils y sont amenés à l'écart « parce qu'il y a beaucoup d'appelés et peu d'élus ».

2. Et il fut transfiguré devant eux. Tel il sera au temps du jugement, tel il apparut à ses apôtres. Quant à ces paroles : « il fut transfiguré devant eux », que personne ne pense qu'il se soit dépouillé de la forme et du visage qu'il avait auparavant, ni qu'il ait abandonné son corps réel pour en revêtir un spirituel ou aérien. La nature de cette transformation nous est montrée par l'évangéliste en ces termes :

Et son visage resplendit comme le soleil et ses vêtements devinrent blancs comme neige. Lorsqu'on évoque la splendeur du visage, lorsqu'on décrit la blancheur des vêtements, ce n'est pas que la substance disparaisse, c'est qu'elle est transformée par la gloire. « Sa face resplendit comme le soleil. » Assurément, le Seigneur fut transformé en cette gloire où il viendra ensuite dans sa royauté. Sa transformation a ajouté la splendeur, elle n'a pas fait disparaître son visage. Admettons que son corps se soit spiritualisé, est-ce que ses vêtements aussi furent changés, eux qui étaient si blancs que, selon un autre évangéliste, « un foulon ne peut en faire de pareils sur terre ». Mais ce qu'un foulon peut faire sur terre est matériel, tombant sous les sens et non point immatériel, aérien, illusion des yeux, vision purement imaginaire[21].

---

21. *Aerium... in fantasmate* : Jérôme demeure toujours préoccupé de lutter contre ceux qui ne voient dans la chair du Christ qu'une apparence. Cf. 14, 26 (t. I, p. 312).

3. **Et ecce apparuit illis Moyses et Helias cum eo lo-quentes.** Scribis et Pharisaeis temptantibus se et de caelo signa poscentibus dare noluit, sed prauam postulationem confutauit responsione prudenti. Hic uero, ut aposto-40 lorum augeat fidem, dat signum de caelo, Helia inde descendente quo conscenderat et Moyse ab inferis resurgente : quod et Achaz per Esaiam praecipitur, ut petat sibi signum de excelso aut de inferno. Nam quod dictum est : *Apparuit illis Moyses et Helias* 45 *cum eo loquentes,* et in alio refertur euangelio nuntiasse ei quae Hierosolymis passurus esset. Lex ostenditur et prophetae qui et passionem Domini et resurrectionem crebris uocibus nuntiarunt.

4. **Respondens autem Petrus dixit ad Iesum : Domine,** 50 **bonum est nos hic esse.** Quia ad montana conscenderat, non uult ad terrena descendere, sed semper in sublimibus perseuerare.

Si uis, faciam hic tria tabernacula, tibi unum, et **Moysi unum et Heliae unum.** Erras, Petre, sicut et alius 55 euangelista testatur : nescis quid dicas. Noli tria tabernacula quaerere, cum unum sit tabernaculum euangelii in quo lex et prophetae recapitulandae sunt. Si autem quaeris tria tabernacula, nequaquam seruos cum Domino conferas. Sed fac tria tabernacula, immo 60 unum Patri et Filio et Spiritui sancto, ut quorum est una diuinitas unum sit et in pectore tuo taber-naculum.

38. Cf. Matth. 12, 38 ; Mc 8, 11-12 ∥ 43. Cf. Is. 7, 11 ∥ 46. Cf. Lc 9, 31 ∥ 55. Cf. Lc 9, 33

22. « Récapituler » : le terme est pris au vocabulaire de S. Paul (*Éphés.* 1, 10) : ἀνακεφαλαιοῦσθαι, « reprendre depuis le début ». Le Christ

3. **Et voici que leur apparurent Moïse et Élie qui s'entretenaient avec lui.** Quand scribes et Pharisiens voulurent le tenter et lui demandèrent des signes venus du ciel, il refusa de les leur donner, et l'habileté de sa réponse confondit la malignité de leur demande. Ici, au contraire, pour fortifier la foi des apôtres, il donne un signe venu du ciel : Élie descend d'où il était monté et Moïse remonte des enfers. Ainsi, Isaïe invite Achaz à demander pour lui un signe issu d'en haut ou venu de l'enfer. Quant à ces mots : « leur apparurent Moïse et Élie qui s'entretenaient avec lui », dans un autre évangile, il est rapporté qu'ils lui annoncèrent ce qu'il allait souffrir à Jérusalem ; ainsi se manifestent la Loi et les prophètes dont les paroles ont annoncé si fréquemment la Passion du Seigneur et sa Résurrection.

4. **Et Pierre, prenant la parole, dit à Jésus : « Seigneur, nous sommes bien ici. »** Parce qu'il était monté sur les montagnes, il ne veut plus descendre vers les lieux terrestres, mais toujours demeurer sur les hauteurs.

« Si tu veux, nous y dresserons trois tentes, une pour toi, une pour Moïse, une pour Élie. » Tu te trompes, Pierre, et un autre évangéliste en témoigne : tu ne sais ce que tu dis. Ne va pas chercher trois tentes : il n'y en a qu'une, celle de l'Évangile qui doit récapituler[22] la loi et les prophètes. Mais si tu vas chercher trois tentes, ne va pas mettre en parallèle les serviteurs avec le Maître. Dresse donc trois tentes, ou plutôt une, une seule, pour le Père, le Fils et le Saint-Esprit : leur divinité est une, qu'ils n'aient aussi qu'une seule tente, en ton cœur.

---

récapitule toute la création ; de même son Évangile récapitule, c'est-à-dire reprend et accomplit la Loi et les prophètes. Cf. JÉRÔME, *In Eph.* 1 (*PL* 26, 453 B).

5. Adhuc eo loquente, ecce nubes lucida obum-
brauit eos et uox de nube dicens : Hic est filius meus
65 dilectus in quo mihi complacui, ipsum audite. Quia im-
prudenter interrogauerat, propterea responsionem Domini non meretur, sed Pater respondit pro Filio, ut
uerbum Domini compleretur : *Ego testimonium non
dico pro me, sed Pater qui me misit, ipse pro me dicit*
70 *testimonium.* Nubes autem uidetur lucida et obumbrat
eos, ut qui carnale e frondibus aut tentoriis quaerebant
tabernaculum, nubis lucidae operirentur umbraculo.
Vox quoque de caelo Patris loquentis auditur quae
testimonium perhibeat filio et Petrum errore sublato
75 doceat ueritatem, immo per Petrum ceteros apostolos.
Hic est, ait, *filius meus dilectus,* huic fiendum est tabernaculum, huic obtemperandum ; *hic est filius meus,* illi
serui sunt ; Moyses et Helias debent et ipsi uobiscum
in penetralibus cordis sui Domino tabernaculum prae-
80 parare.

6. Et audientes discipuli ceciderunt in faciem suam et
timuerunt ualde. Triplicem ob causam pauore terrentur :
uel quia se errasse cognouerant, uel quia nubis lucida
operuerat eos, aut quia Dei Patris uocem loquentis
85 audierant. Humana fragilitas conspectum maioris gloriae
ferre non sustinet ac toto animo et corpore contre-
miscens ad terram cadit. Quanto quis ampliora quae-
sierit, tanto magis ad inferiora conlabitur, si ignorauerit
mensuram suam.

90   7. Et accessit Iesus et tetigit eos. Quia illi iacebant et
surgere non poterant, ipse clementer accedit et tangit
eos ut tactu timorem fuget et debilitata membra soli-

70. Jn 5, 37 ; 8, 18

5. **Et comme il parlait encore, voici qu'une nuée lumineuse les couvrit et de la nuée sortit une voix disant : « Celui-ci est mon Fils bien-aimé en qui j'ai mis toute mon affection, écoutez-le. »** A cause de sa sottise, la question de Pierre ne mérite pas une réponse du Seigneur. Mais le Père répond pour le Fils afin que soit accomplie la parole du Seigneur : « Ce n'est pas moi qui me rend témoignage, mais le Père qui m'a envoyé. C'est lui-même qui témoigne pour moi. » Une nuée lumineuse apparaît, les couvre. Ainsi ceux qui demandaient une tente matérielle faite de branchages ou de toile étaient ombragés d'une nuée lumineuse. On entend aussi la voix du Père qui parle du haut du ciel pour rendre témoignage au Fils, dissiper l'erreur de Pierre, lui apprendre la vérité, et, par lui, l'apprendre également aux autres apôtres. « Voici, dit-il, mon Fils bien-aimé. » C'est à lui qu'il faut élever une tente, à lui qu'il faut obéir. « Lui est mon Fils », eux ses serviteurs. Tout comme vous, Moïse et Élie doivent aussi préparer une tente au Seigneur au plus intime de leur cœur.

6. **En entendant ces paroles, les disciples tombèrent la face contre terre et éprouvèrent une grande frayeur.** Trois causes à cette peur qui les terrifie : la reconnaissance de leur erreur, la nuée lumineuse qui les avait couverts, la voix de Dieu le Père frappant leurs oreilles. La fragilité humaine ne soutient pas la vue d'une gloire si grande ; tremblant de tout son esprit et de tout son corps, elle tombe à terre. Plus les aspirations ont été élevées, plus l'écroulement est profond quand on a méconnu sa mesure.

7. **Et Jésus s'approcha d'eux et les toucha. Étendus à terre, ils ne pouvaient se relever.** Aussi s'approche-t-il avec bonté, les touche pour chasser leur terreur par cet attouchement et rendre à leurs membres leur vigueur perdue.

dentur. **Dixitque eis : Surgite et nolite timere.** Quos
manu sanauerat, sanat imperio. *Nolite timere.* Primum
95 timor expellitur ut postea doctrina tribuatur.

8. **Leuantes autem oculos suos neminem uiderunt nisi
solum Iesum.** Rationabiliter postquam surrexerunt non
uiderunt nisi solum Iesum ne, si Moyses et Helias per-
seuerassent cum Domino, Patris uox uideretur incerta
100 cui potissimum daret testimonium. Vident ergo Iesum
stantem ablata nube et Moysen et Heliam euanuisse,
quia postquam legis et prophetarum umbra discesserit
quae uelamento suo apostolos texerat, utrumque in
euangelio reperitur.

105 9. **Et descendentibus illis de monte, praecepit Iesus
dicens : Nemini dixeritis uisionem donec filius hominis a
mortuis resurgat.** Futuri regni praemeditatio et gloria
triumphantis demonstrata fuerat in monte. Non ergo
uult hoc in populos praedicari, ne et incredibile esset
110 pro rei magnitudine et post tantam gloriam apud
rudes animos sequens crux scandalum faceret.

10. **Et interrogauerunt eum discipuli dicentes : Quid
ergo scribae dicunt quod Heliam oporteat primum uenire ?**
Nisi causas nouerimus quare interrogauerint discipuli
115 super Heliae nomine, stulta uidetur et extraordinaria
eorum interrogatio. Quid enim pertinet ad ea quae
supra scripta sunt de Heliae aduentu quaerere ?
Traditio Pharisaeorum est iuxta Malachiam prophetam,
qui est nouissimus in duodecim, quod Helias ueniat

---

23. Nous choisissons *surrexerunt*, à cause de *uiderunt*, avec la majorité
des mss.
24. Belle interprétation spirituelle que Jérôme doit à ORIGÈNE, *In*

Et il leur dit : « Levez-vous et n'ayez point peur. »
Après les avoir guéris par sa main, il les guérit par son ordre :
« N'ayez point peur. » Il commence par dissiper leur peur
pour pouvoir donner ensuite son enseignement.

8. **Levant alors les yeux, ils ne virent plus que Jésus seul.**
C'est avec raison qu'après s'être relevés[23], ils ne virent plus
que Jésus seul : si Moïse et Élie étaient restés jusqu'au bout
avec le Seigneur, on aurait pu se demander à qui précisément
la voix du Père rendait témoignage. Une fois la nuée dissipée,
ils voient donc Jésus debout. Moïse et Élie ont disparu,
parce que, lorsque l'ombre de la Loi et des prophètes dont
le voile avait recouvert les apôtres s'est retirée, on retrouve
leur double présence dans l'Évangile[24].

9. **En descendant de la montagne, Jésus leur fit cette recommandation : « Ne parlez à personne de cette vision avant que
le Fils de l'homme ne ressuscite d'entre les morts. »**
La préfiguration de sa royauté future, la gloire du triomphateur avaient été manifestées sur la montagne. Il interdit
donc de révéler cela aux peuples de peur que, à cause de
son caractère prodigieux, la chose ne soit incroyable, et
qu'après une si grande gloire, la croix qui va suivre ne vienne
provoquer le scandale en des esprits grossiers.

10. **Et les disciples l'interrogèrent en disant : « Pourquoi
donc les scribes disent-ils qu'il faut qu'Élie vienne d'abord ? »**
Quand on ne connaît pas les raisons de la question posée par
les disciples au sujet d'Élie, elle semble sotte et déplacée.
Quel rapport entre les faits racontés plus haut et cette
question sur la venue d'Élie ? C'est qu'il y a une tradition
des pharisiens qui s'appuie sur le prophète Malachie — le
dernier des douze —, selon laquelle Élie doit venir, avant la

---

Matth. XII, 43 (*GCS* 40, p. 168, 7 s.).

120 ante aduentum Saluatoris et reducat cor patrum
ad filios et filiorum ad patres et restituat omnia in antiquum statum. Aestimant ergo discipuli transformatio-
nem gloriae hanc esse quam in monte uiderant, et
dicunt : Si iam uenisti in gloria, quomodo praecursor
125 tuus non apparet ? maxime quia Heliam uiderant
recessisse. Quando autem adiciunt : *Scribae dicunt
quod Heliam oporteat primum uenire*, primum dicendo
ostendunt quod nisi Helias uenerit non sit secundum
scripturas Saluatoris aduentus.

130 **11.12.** At ille respondens ait eis : Helias quidem
uenturus est et restituet omnia ; dico autem uobis quia
Helias iam uenit, et reliqua. Ipse qui uenturus est in
secundo Saluatoris aduentu iuxta corporis fidem, nunc
per Iohannem uenit in uirtute et spiritu, sed non
135 cognouerunt eum feceruntque ei quaecumque uoluerunt,
hoc est spreuerunt et decollauerunt eum.

Sic et filius hominis passurus est ab eis. Quaeritur autem, cum Herodes et Herodias Iohannem interfecerint,
quomodo ipsi Iesum quoque crucifixisse dicantur, cum
140 legamus eum a scribis et Pharisaeis interfectum ;
et breuiter respondendum quod et in Iohannis nece
Pharisaeorum factio consenserit, et in occisione Domini
Herodes iunxerit uoluntatem suam, qui inlusum atque
despectum remiserit ad Pilatum ut crucifigeret eum.

145 **15.16.** Domine miserere filio meo quia lunaticus est et
male patitur, nam saepe cadit in ignem et crebro in
aquam ; et obtuli eum discipulis tuis et non potuerunt

118. Cf. Mal. 4, 5-6 ǁ 140 Cf. Matth. 16, 21 ǁ 144. Cf. Lc 23, 11

25. Cf. Origène, *In Matth.* XIII, 1 (*GCS* 40, p. 171, 7 s.).

venue du Sauveur, ramener le cœur des pères aux enfants
et celui des enfants aux pères et tout rétablir en son état
primitif. Donc les disciples estiment que cette transformation
glorieuse est celle dont ils avaient été témoins sur la montagne
et ils disent : si tu es déjà venu dans la gloire, comment se
fait-il donc que ton précurseur n'apparaisse pas, d'autant
plus qu'ils avaient vu Élie disparaître. Lorsqu'ils ajoutent :
« Les scribes disent qu'il faut qu'Élie vienne d'abord »,
en disant « d'abord », ils montrent que sans la venue d'Élie,
l'avènement du Sauveur ne se fait point conformément aux
Écritures[25].

11. 12. Et Jésus leur répondit :« Certes Élie doit venir et il,
rétablira toutes choses. Mais, je vous le dis, Élie est déjà venu »
etc. Celui-là même qui doit venir en sa réalité corporelle
au second avènement du Sauveur est venu maintenant en
vertu et en esprit en la personne de Jean, **mais ils ne l'ont
point reconnu et ils l'ont traité comme ils l'ont voulu,** c'est-
à-dire qu'ils l'ont méprisé et décapité.

12. « Ils feront de même souffrir le Fils de l'homme. »
Une question se pose[26] : puisque c'est Hérode et Hérodias
qui ont fait périr Jean, comment peut-on dire qu'ils ont aussi
crucifié Jésus, alors que nous lisons qu'il a été tué par les
scribes et les Pharisiens ? Il faut y répondre brièvement :
le meurtre de Jean aussi, la secte des Pharisiens y a consenti,
tout comme Hérode a participé volontairement à celui du
Sauveur puisque, après s'être joué de lui, après l'avoir méprisé,
il l'a renvoyé à Pilate pour qu'il le crucifiât.

15.16. « Seigneur, aie pitié de mon fils qui est lunatique et
va très mal, car souvent il tombe dans le feu, et souvent dans
l'eau, et je l'ai présenté à tes disciples qui n'ont pu le guérir. »

26. Cf. ORIGÈNE, *op. cit.*, p. 178, 9.

curare eum. Quam ob causam daemon obseruans lunae
cursum corripiat homines et per creaturas infamare
150 studeat creatorem, supra diximus. Mihi autem uidetur
iuxta tropologiam lunaticus esse qui per horarum
momenta mutatur ad uitia nec persistit in coepto sed
crescit atque decrescit, et nunc in ignem fertur quo
adulterantium corda succensa sunt, nunc in aquas quae
155 non ualent extinguere caritatem. Quod autem dicit :
obtuli eum discipulis tuis et non potuerunt curare eum,
latenter accusat apostolos, cum inpossibilitas curandi
interdum non ad inbecillitatem curantium sed ad eorum
qui curandi sunt fidem referatur, dicente Domino :
160 *Fiat tibi secundum fidem tuam.*

17. Respondens Iesus ait : O generatio incredula et
peruersa quo usque ero uobiscum ? usque quo patiar uos ?
Non quo taedio superatus sit, et mansuetus ac mitis,
qui non aperuit sicut agnus coram tondente os suum, in
165 uerba furoris eruperit, sed quo in similitudinem medici,
si aegrotum uideat contra sua praecepta se gerere, dicat :
Vsque quo accedam ad domum tuam ? quo usque artis
perdam industriam, me aliud iubente et te aliud per-
petrante ? In tantum autem non est iratus homini
170 sed uitio et per unum hominem Iudaeos arguit infidelitatis, ut statim intulerit : Adferte eum huc ad me.

18. Et increpauit eum Iesus, et exiit ab eo daemonium.
Non ille qui patiebatur sed daemon debuerat increpari.
Siue increpauit puerum et exiit ab eo daemon quia
175 propter peccata sua a daemone fuerat oppressus.

---

152. Cf. Sir. 27, 12 ‖ 154. Cf. Os. 7, 4 ‖ 155. Cf. Cant. 8, 7 ‖ 160. Matth.
9, 29

27. Cf. 4, 24 (t. I, p. 102).
28. Le « lunatique change selon les heures », comme la lune, qui croît
et décroît. C'est l'image que Jérôme trouve dans l'Ecclésiaste (*Sir.* 27, 12) :
« Le fou change comme la lune. »

Pourquoi le démon tient compte des phases de la lune pour se saisir des hommes et s'applique à blasphémer le Créateur au moyen des créatures, nous l'avons dit plus haut[27]. Il me semble qu'au sens tropologique, le lunatique[28] est l'homme qui change suivant les heures et tombe dans le vice et ne persiste pas dans ses entreprises. Il croît et décroît[29], tantôt se jette dans le feu qui a enflammé le cœur des adultères, tantôt dans l'eau qui ne peut éteindre la charité. Cette parole : « Je l'ai présenté à tes disciples et ils n'ont pu le guérir » accuse implicitement les apôtres, bien que parfois l'impossibilité de guérir dépende non de l'incapacité des médecins mais de la foi des malades, selon la parole du Seigneur : « Qu'il te soit fait selon ta foi. »

17. Et Jésus répondit : « Ô race incrédule et perverse ! Jusques à quand serai-je avec vous ? Jusques à quand vous souffrirai-je ? » Non qu'il se soit laissé dominer par le dégoût, emporter en paroles furieuses, lui si bon et si doux, qui, semblable à l'agneau devant celui qui le tond, n'a pas ouvert la bouche. Mais il est comme le médecin qui, voyant le malade aller contre ses prescriptions, lui dit : « Jusques à quand viendrai-je chez toi, jusques à quand vais-je perdre mon temps et ma science à te prescrire une chose, et tu en fais une autre ? » Il est si vrai qu'il n'est pas irrité contre l'homme, mais contre le vice, et qu'à travers un seul individu, c'est l'infidélité des juifs qu'il dénonce, qu'il ajoute immédiatement : « Amenez-le moi ici. »

18. Et Jésus le menaça et le démon sortit de l'enfant. Ce n'était pas au patient, mais au démon qu'il aurait dû adresser la menace. A moins qu'il n'ait menacé l'enfant et que le démon n'en soit sorti parce qu'il avait été soumis au démon à cause de ses péchés.

---

29. Cf. ORIGÈNE, *op. cit.*, p. 189, 16.

19.20. Et dixerunt : Quare nos non potuimus eicere illum ? Qui dixit illis : Propter incredulitatem uestram. Hoc est quod in alio loco dicit : *Quaecumque in nomine meo petieritis credentes accipietis.* Ergo quotiens non
180 accipimus, non praestantis est inpossibilitas sed culpa precantium.

Si habueritis fidem ut granum sinapis, dicetis monti huic : Transi hinc, et transibit. Putant aliqui fidem grano sinapis comparatam paruam dici, quo regnum
185 caelorum grano sinapis conferatur, cum apostolus dicat : *Et si totam fidem habuero ita ut montes transferam.* Ergo magna est fides quae grano sinapis coaequatur. Montis translatio non eius significatur quem oculis carnis aspicimus, sed illius qui a Domino translatus fuerat ex
190 lunatico. Quid enim ait ? *Dicetis monti huic : Transi hinc, et transibit.* Ex quo stultitiae coarguendi qui contendunt apostolos omnesque credentes ne paruam quidem habuisse fidem quia nullus eorum montes transtulerit. Neque enim tantum prodest montis
195 de alio in alium locum translatio et uana signorum quaerenda ostentatio quantum in utilitatem omnium iste mons transferendus est qui per prophetam corrumpere dicitur omnem terram.

21. Hoc autem genus non eicitur nisi per orationem et
200 ieiunium. Dum docet quomodo nequissimus daemon possit expelli, omnes instituit ad uitam.

179. Matth. 21, 22 ; Jn 14, 14 ‖ 186. I Cor. 13, 2 ‖ 198. Cf. Jér. 51, 25

---

30. Même exégèse au livre II, en 13, 31 (t. I, p. 280).

19.20. Et les disciples lui dirent : « Pourquoi n'avons-nous pas pu le chasser ? » Et Jésus leur dit : « A cause de votre peu de foi ». C'est ce qu'il dit ailleurs : « Tout ce que vous aurez demandé en mon nom avec foi, vous l'obtiendrez. » Donc, toutes les fois que nous n'obtenons pas, ce n'est point par l'impuissance de qui accorde, mais par la faute de qui demande.

« Si vous avez la foi comme un grain de sénevé, vous direz à cette montagne : Va d'ici là-bas, et elle ira. » Certains pensent que comparer la foi à un grain de sénevé, c'est dire qu'elle est petite, puisque le royaume du ciel est comparé à un grain de sénevé, alors que l'Apôtre dit : « Et si j'avais la plénitude de la foi au point de transporter les montagnes ». Grande est donc la foi qui est égalée à un grain de sénevé[30]. Transporter une montagne, cela ne signifie pas transporter celle que nous voyons de nos yeux de chair, mais celle que le Seigneur avait transportée loin du lunatique. Que dit-il en effet : « Vous direz à cette[31] montagne : Va-t-en d'ici, et elle s'en ira. » Aussi doit-on taxer de sottise ceux qui accusent les apôtres et tous les croyants de n'avoir jamais eu la moindre foi, puisque aucun d'eux n'a transporté des montagnes. En effet, il est moins utile de transporter une montagne d'un lieu dans un autre, et il y a moins lieu de rechercher la vaine ostentation du miracle, que de déplacer, pour l'utilité de tous, cette montagne qui, selon le prophète, corrompt toute la terre.

21. « Quant à cette espèce, elle ne sort que par la prière et le jeûne. » En nous enseignant le moyen de chasser le démon si pervers, il nous donne à tous une règle de vie.

---

31. Jérôme insiste sur *huic*. Après : *transibit*, certaines éditions ont accueilli une glose évidente : *de daemone intellegitur* : « il s'agit du démon ». C'est bien le sens de tout le passage. C'est lui « la montagne qui corrompt toute la terre ».

22.23. Conuersantibus autem eis in Galilea dixit
illis Iesus : Filius hominis tradendus est in manus
hominum, et occident eum, et tertia die resurget. Et con-
205 tristati sunt uehementer. Semper prosperis miscet tristitiam, ut cum repente uenerint non terreant apostolos
sed a praemeditatis ferantur animis. Si enim contristat
eos quod occidendus est, debet laetificare quod dicitur :
die tertio resurrecturus est. Porro quod contristantur, et
210 contristantur uehementer, non de infidelitate uenit,
alioquin et Petrum scierant esse correptum quare non
saperet ea quae Dei sunt sed quae hominum, uerum
quia pro dilectione magistri nihil de eo sinistrum et
humile patiuntur audire.

215   **24.** Et cum uenissent Capharnaum accesserunt qui didragma accipiebant ad Petrum et dixerunt : Magister uester non soluit didragma ? Ait eis : Etiam.
Post Augustum Caesarem Iudea facta tributaria et
omnes censi capite ferebantur. Vnde et Ioseph cum
220 Maria cognata sua professus est in Bethleem. Rursum
quoniam nutritus erat in Nazareth, quod est oppidum
Galileae Capharnaum urbi subiacens, reposcitur tributa ;
et pro signorum magnitudine hi qui exigebant non
audent ipsum repetere, sed discipulum conueniunt,
225 siue malitiose interrogant utrum reddat tributa an
contradicat Caesaris uoluntati, iuxta quod et in alio
loco legimus : *Licet tributa Caesari soluere annon ?*

    25. Et cum intrasset domum praeuenit eum Iesus dicens.
Qui didragma exigebant seorsum conuenerant Petrum ;
230 cumque intrasset domum, antequam Petrus suggerat,
Dominus interrogat, ne scandalizentur discipuli ad

212. Cf. Matth. 16, 23 ǁ 220. Cf. Lc 2, 5 ǁ 227. Mc 12, 14

22.23. Alors qu'ils se trouvaient en Galilée, Jésus leur dit :
« Le Fils de l'homme doit être livré entre les mains des
hommes ; ils le feront mourir, et le troisième jour il ressuscitera. » Et ils furent vivement affligés. Toujours il entremêle
des promesses de bonheur aux prédictions tristes pour que
leur soudaine réalisation ne terrifie pas les apôtres et qu'elles
soient supportées par des âmes préparées. Si la perspective
de sa mort les afflige, l'annonce de sa résurrection, le troisième
jour, doit les réjouir. De plus, leur tristesse, leur tristesse
profonde ne provient pas d'un manque de foi — car par
ailleurs ils avaient su que même Pierre avait été réprimandé
pour avoir le goût, non des choses de Dieu, mais de celles
des hommes —, mais de leur affection pour le Maître : ils
ne peuvent souffrir d'entendre à son sujet rien de mauvais
augure ou d'humiliant.

24. Et quand ils furent venus à Capharnaüm, ceux qui
percevaient les didrachmes s'approchèrent de Pierre et lui
dirent : « Votre Maître ne paie-t-il pas le didrachme ? » Il leur
répondit : « Si ». A partir de César Auguste, la Judée devint
tributaire et tous étaient inscrits sur le registre de l'impôt.
Aussi Joseph et Marie, sa parente, allèrent-ils se déclarer
à Bethléem. De même, ayant été élevé à Nazareth — ville
de Galilée soumise à l'autorité de Capharnaüm —, Jésus
se voit réclamer le tribut. A cause de ses grands miracles,
les collecteurs d'impôt n'osent point le lui demander à
lui-même. Ils s'adressent au disciple. Ou bien c'est par ruse
qu'ils l'interrogent, pour savoir si Jésus paie le tribut ou se
révolte contre l'autorité de César. Ainsi lisons-nous ailleurs :
« Est-il permis de payer le tribut à César ou non ? »

25. Entré dans la maison, Jésus le prévint et dit. Ceux qui
percevaient le didrachme avaient pris Pierre à part. Entré
dans la maison, avant que Pierre ne lui soumette l'affaire,
le Seigneur l'interroge pour empêcher ses disciples de se

postulationem tributi, cum uideant eum nosse quae absente se gesta sunt.

25.26. Quid tibi uidetur Simon ? Reges terrae, a quibus
235 accipiunt tributum uel censum, a filiis suis an ab alienis ?
Et ille dixit : Ab alienis. Dixit illi Iesus : Ergo liberi sunt
filii. Dominus noster et secundum carnem et secundum
spiritum filius regis erat uel ex Dauid stirpe generatus
uel omnipotentis Verbum Patris. Ergo tributa quasi
240 regum filius non debebat, sed qui humilitatem carnis
adsumpserat debuit adimplere omnem iustitiam. Nosque
infelices, qui Christi censemur nomine et nihil dignum
tanta facimus maiestate : ille pro nobis et crucem
sustinuit et tributa reddidit, nos pro illius honore
245 tributa non reddimus et quasi filii regis a uectigalibus
inmunes sumus.

27. Vade ad mare et mitte hamum et eum piscem
qui primus ascenderit tolle et aperto ore eius inue-
nies staterem ; illum sumens da eis pro me et te.
250 Quid primum mirer in hoc loco nescio, utrum praescientiam an magnitudinem Saluatoris : praescientiam quod
nouerat habere piscem in ore staterem et quod primus
ipse capiendus esset, magnitudinem atque uirtutem
si ad uerbum eius statim stater in ore piscis creatus est
255 et quod futurum erat ipse loquendo fecerit. Videtur
autem mihi secundum mysticos intellectus iste esse

241. Cf. Matth. 3, 15

---

32. Les clercs étaient en effet dispensés de tous les « munera » depuis la
reconnaissance de la hiérarchie chrétienne par Constantin. La générosité
de cet empereur fut si grande que « sur plusieurs points ses successeurs
ne pourront s'y tenir ». Une loi de Valentinien Ier, en 370, interdit de
léguer ses biens aux moines et aux clercs (mais non à l'Église). Jérôme
s'en réjouit, manifestant comme ici son regret de voir les clercs trop
préoccupés par l'argent (cf. *Ep.* 52 : au prêtre Népotien, 6, Labourt
II, p. 180 et la note p. 205-206). Il se moque (*Ep.* 22, 16 à Eustochium)
de ces clercs « qui tendent la main, pour bénir croirait-on, si l'on ne

scandaliser à cette demande du tribut, puisqu'ils le voient
au courant de ce qui s'est passé hors de sa présence.

25.26. « Que t'en semble, Simon ? De qui les rois de la
terre perçoivent-ils le tribut ou l'impôt ? De leur fils
ou des étrangers ? » Et Pierre dit : « Des étrangers. » Jésus lui
dit : « Les fils sont donc exempts ». Et selon la chair, et selon
l'esprit, notre Seigneur était fils de roi, comme descendant
de la famille de David et comme Verbe du Père Tout-Puissant.
Fils de rois, il ne devait donc pas le tribut, mais, ayant assumé
l'humilité de la chair, il a dû accomplir toute justice. Malheureux sommes-nous, nous qui sommes recensés sous le nom
du Christ et ne faisons rien de digne de si grande majesté.
Lui, pour nous, il a porté sa croix et payé tribut, et nous,
nous ne payons pas tribut[32] en son honneur, et, comme si
nous étions fils d'un roi, nous sommes dispensés d'impôts.

27. « Va à la mer, jette l'hameçon et, le premier poisson
qui montera, saisis-le, ouvre-lui la bouche, tu y trouveras
un statère, prends-le et donne-le-leur pour toi et pour moi. »
Que faut-il tout d'abord admirer ici ? Je ne sais. La prescience
ou la grandeur du Sauveur ? Sa prescience puisqu'il savait
qu'un poisson avait un statère dans la bouche et qu'il devait
être pris le premier ; sa grandeur, sa puissance miraculeuse
puisque, sur un mot de lui, un statère s'est immédiatement
formé dans la bouche du poisson et puisque sa parole a
réalisé ce qui allait se produire. Au sens mystique[33], ce

---

savait que c'est pour recevoir le salaire de leur visite » (Labourt I, p. 125).
« Ne sont pas à nous les lingots d'or ou d'argent, notre bien est spirituel »,
Ibid., 31 (Labourt I, p. 146).

33. *Mysticos intellectus* : de fait l'épisode est mystérieux et invite
à présenter des interprétations allégoriques. Pour ORIGÈNE (fragment
373 : *GCS* 41, p. 159), c'est notre nature qui a été plongée dans le gouffre
de l'infidélité. Le statère, c'est la profession de foi qui sort de nos lèvres,
grâce à la prédication de Pierre. Ou encore le poisson, c'est l'avare auquel
la prédication arrache l'amour de l'argent. Pour HILAIRE ce « premier »
poisson, c'est le protomartyr Étienne (SC 258, p. 73).

piscis qui primus captus est, qui in profundo maris
erat et in salsis amarisque gurgitibus morabatur,
ut per secundum Adam liberaretur primus Adam,
260 et id quod in ore eius, hoc est in confessione, fuerat
inuentum pro Petro et Domino redderetur. Et pulchre
id ipsum quidem datur pretium, sed diuisum est,
quia pro Petro quasi pro peccatore pretium reddebatur,
Dominus autem noster peccatum non fecerat nec dolus
265 inuentus est in ore eius. Stater dicitur qui duo habet
didragma, ut ostenderetur similitudo carnis, dum
eodem et dominus et seruus pretio liberantur. Sed
et simpliciter intellectum aedificat auditorem, dum
tantae Dominus fuerit paupertatis ut unde tributa
270 pro se et apostolo reddere non habuerit. Quod si quis
obicere uoluerit : Et quomodo Iudas in loculis portabat
pecuniam ? respondebimus rem pauperum in usus suos
conuertere nefas putauit nobisque idem tribuit exemplum.

18   1. In illa hora accesserunt discipuli ad Iesum dicentes :
Quis putas maior est in regno caelorum ? Quod saepe mo-
nui etiam nunc obseruandum est : causae quaerendae
sunt singulorum Domini dictorum atque factorum.
5 Post inuentum staterem, post tributa reddita, quid
sibi uult repentina apostolorum interrogatio ? *In
illa hora accesserunt discipuli ad Iesum dicentes : Quis
putas maior est in regno caelorum ?* Quia uiderant
pro Petro et Domino idem tributum redditum, ex

265. Cf. Is. 53, 9 ; I Pierre 1, 22

34. Jérôme garde toujours le souci de remettre le texte dans son
contexte, « iuxta consequentiam sermonis » (18, 6), cf. aussi 18, 21 : « Tout
se tient dans l'enseignement du Seigneur. »
35. Là encore Jérôme suit Origène (*GCS* 40, p. 214).

poisson qui fut pris le premier, me paraît être celui qui était
au fond de la mer et demeurait dans les gouffres salés et
amers, pour être délivré par le second Adam, lui le premier
Adam, et pour que ce qui avait été trouvé dans sa bouche,
c'est-à-dire dans l'aveu de sa faute, fût remis pour Pierre
et pour le Seigneur. Certes, que soit donné précisément
ce prix, c'est bien, mais il comprit deux parties distinctes :
il était versé pour Pierre comme prix pour un pécheur, mais
notre Seigneur n'avait pas commis de péché et le mensonge
ne s'est point trouvé dans sa bouche. Le texte dit : un statère,
ce qui vaut deux didrachmes pour montrer la similitude
de leur nature charnelle : c'est par la même rançon que
sont rachetés le Maître et l'esclave. Mais même dans son
sens littéral l'épisode édifie le lecteur. Si grande a été la
pauvreté du Seigneur qu'il n'a pas eu de quoi payer le tribut
pour lui et pour son apôtre. Que si l'on veut objecter : mais
alors pourquoi Judas portait-il de l'argent dans sa bourse ?
Nous répondrons que Jésus a pensé qu'il n'avait pas le droit
de détourner pour son usage le bien des pauvres et qu'il
nous en a donné aussi l'exemple.

Chapitre 18

1. A ce moment, les disciples s'approchèrent de Jésus et lui
dirent : « Qui juges-tu le plus grand dans le royaume des
cieux ? » Je l'ai souvent signalé et il faut l'observer maintenant encore : il faut rechercher le motif de chacune des
paroles et des actions de notre Seigneur. Après la découverte
du statère[34], après l'acquittement du tribut, que vient faire
cette brusque question des apôtres ? « A ce moment, les
disciples s'approchèrent de Jésus et lui dirent : Qui juges-tu
le plus grand dans le royaume des cieux ? » Ils avaient vu
payer même tribut pour Pierre et pour le Seigneur[35] et

10 aequalitate pretii arbitrati sunt omnibus apostolis
Petrum esse praelatum, qui in redditione tributi
Domino fuerat comparatus ; ideo interrogant quis
maior sit in regno caelorum. Vidensque Iesus cogitationes eorum et causas erroris intellegens, uult
15 desiderium gloriae humilitatis contentione sanare.

2. Et aduocans Iesus paruulum statuit eum in medio
eorum. Vel simpliciter quemlibet paruulum, ut aetatem
quaereret et similitudinem innocentiae demonstraret, uel
certe paruulum statuit in medio eorum se ipsum, qui
20 non ministrari uenerat sed ministrare, ut eis humilitatis
tribueret exemplum. Alii paruulum interpretantur
Spiritum sanctum quem posuerit in cordibus discipulorum ut superbiam humilitate mutarent.

3. Amen dico uobis : Nisi conuersi fueritis ut efficiamini
25 sicut paruuli, non intrabitis in regnum caelorum.
Non praecipitur apostolis ut aetatem habeant paruulorum, sed ut innocentiam, et quod illi per annos possi-
dent, hi possideant per industriam, ut malitia non
sapientia paruuli sint.

30 4. Quicumque ergo humiliauerit se sicut paruulus iste, hic est maior in regno caelorum. Sicut iste
paruulus, cuius uobis exemplum tribuo, non perseuerat
in iracundia, non laesus meminit, non uidens pulchram
mulierem delectatur, non aliud cogitat et aliud loquitur,
35 sic et uos, nisi talem habueritis innocentiam et animi

18, 20. Cf. Matth. 20, 28 ‖ 29. Cf. I Cor. 14, 20

───────

36. Cf. ORIGÈNE, In Matth. XIII, 18 (GCS 40, p. 226, 24).
37. Jérôme a envisagé deux interprétations : cet enfant, c'est n'importe
quel enfant, ou bien Jésus lui-même. Il reprend ici les deux solutions et

cette égalité de prix leur fit croire que Pierre avait été élevé au-dessus de tous les apôtres, lui qui avait été mis à égalité avec le Seigneur dans l'acquittement du tribut, d'où leur question : qui est le plus grand dans le royaume des cieux ? Jésus, voyant leurs pensées et comprenant la cause de leur erreur, veut guérir leur désir de gloire par une émulation dans l'humilité.

2. **Et Jésus, appelant un petit enfant, le mit au milieu d'eux.** Ou tout bonnement c'est un petit enfant, le premier venu, si c'était l'âge qu'il avait en vue, pour leur présenter un modèle d'innocence, ou alors ce petit enfant qu'il a mis au milieu d'eux, c'est lui-même, venu non pour être servi mais pour servir et ainsi donner un exemple d'humilité. D'autres[36] comprennent que ce petit enfant, c'est le Saint-Esprit qu'il aurait mis dans le cœur de ses disciples pour qu'ils changent leur orgueil en humilité.

3. « **En vérité, je vous le dis, si vous ne vous conver-tissez pas et ne devenez pas comme de petits enfants, vous n'entrerez pas dans le royaume des cieux.** » Il n'est point prescrit aux apôtres d'avoir l'âge des petits enfants, mais leur innocence. Ce que les enfants tiennent de leurs années, qu'ils l'obtiennent par leur effort, pour être tout-petits en malice, non en sagesse.

4. « **Aussi bien quiconque s'abaissera comme ce petit enfant, voilà le plus grand dans le royaume des cieux.** » Ce petit enfant[37] que je vous donne en exemple ne persévère pas dans sa colère, oublie les offenses, ne se complaît pas à la vue d'une belle femme, il ne parle pas autrement qu'il ne pense. De même pour vous, si vous n'avez pas une pareille innocence, une pareille pureté d'âme, vous ne pourrez entrer

---

présente en modèle l'humilité de l'enfant, puis l'humilité de Jésus.

puritatem, regna caelorum non poteritis intrare. Siue
aliter : *Quicumque humiliauerit se sicut paruulus iste,
hic est maior in regno caelorum* : qui imitatus me fuerit
et se in exemplum mei humiliauerit ut tantum se
40 deiciat quantum ego deieci *formam serui accipiens,*
hic intrabit in regnum caelorum.

5. Et qui susceperit unum paruulum talem in nomine
meo me suscipit. Qui talis fuerit ut Christi imitetur
humilitatem et innocentiam, in eo Christus suscipitur.
45 Et prudenter ne, cum delatum fuerit apostolis, se
putent honoratos, adiecit non illos sui merito, sed
magistri honore suscipiendos.

6. Qui autem scandalizauerit unum de pusillis istis.
Nota quod qui scandalizatur paruulus est ; maiores
50 enim scandala non recipiunt.

Expedit ei ut suspendatur mola asinaria in collo
eius et demergatur in profundum maris. Quamquam haec
generalis possit esse sententia aduersum omnes qui
aliquem scandalizant, tamen iuxta consequentiam
55 sermonis etiam contra apostolos dictum intellegi
potest, qui interrogando quis maior esset in regno
caelorum, uidebantur inter se de dignitate contendere et,
si in hoc uitio permansissent, poterant eos quos ad
fidem uocabant, per suum scandalum perdere, dum
60 apostolos uident inter se de honore pugnare. Quod autem
dixit : *Expedit ei ut suspendatur mola asinaria in collo
eius,* secundum ritum prouinciae loquitur, quo maiorum
criminum ista apud ueteres Iudaeos poena fuerit ut in

40. Cf. Phil. 2, 7

---

38. Cf. ORIGÈNE, fr. 375 (*GCS* 41, p. 160, 15) : « Les petits sont facile-

dans le royaume des cieux. Ou bien, dans un autre sens :
« Quiconque s'abaissera comme ce petit enfant, voilà le
plus grand dans le royaume des cieux » : qui m'imitera,
qui se sera humilié à mon exemple pour s'abaisser autant
que je me suis abaissé en, prenant la condition d'esclave,
celui-là entrera dans le royaume des cieux.

5. « Et si quelqu'un reçoit en mon nom un petit
enfant comme celui-ci, c'est moi-même qu'il reçoit. » Celui
qui est comme l'image de l'humilité et de l'innocence du
Christ, en lui c'est le Christ qu'on reçoit. A dessein, de peur
que lorsque les apôtres obtiendront cet honneur, ils n'en
tirent une gloire personnelle, il a ajouté qu'ils devront être
reçus non pour leurs mérites, mais en l'honneur du Maître.

6. « Mais celui qui scandalisera un de ces tout-petits. »
Note-le, c'est le petit qui se scandalise, les plus grands en
sont incapables[38].

« Mieux vaut pour lui qu'on lui suspende au cou une
meule de moulin et qu'on le précipite au fond de la mer. »
Peut-être condamnation générale de tous ceux qui provoquent
le scandale, mais cependant, d'après le contexte, on peut
y voir aussi une critique des apôtres. Leur question : « qui
est le plus grand dans le royaume des cieux ? » laissait
supposer qu'ils se disputaient les honneurs. S'ils avaient
persévéré dans ce défaut, le scandale de leur conduite pouvait
perdre ceux qu'ils appelaient à la foi quand ils verraient les
rivalités ambitieuses des apôtres. Ses paroles : « Mieux vaut
pour lui qu'on lui suspende au cou une meule de moulin »
se réfèrent à un usage du pays. Tel était, chez les anciens
Juifs, le châtiment des grands criminels : on les jetait au

---

ment scandalisables... mais celui qui est grand et parfait en vertu méprise
les scandales. »

profundo ligato saxo demergerentur. Expedit autem
65 ei quia multo melius est pro culpa breuem recipere
poenam quam aeternis seruari cruciatibus. *Non enim
uindicabit Dominus bis in idipsum.*

7. **Vae mundo ab scandalis. Necesse est ut ueniant scandala, uerumtamen uae homini per quem scandalum uenit.**
70 Non quo necesse sit uenire scandala (alioquin absque
culpa essent qui scandalum faciunt) sed cum necesse sit
in isto mundo fieri scandala, unusquisque suo uitio
scandalis patet. Simulque per generalem sententiam
percutitur Iudas qui proditioni animum praeparauerat.

75 **8-9. Si autem manus tua uel pes͏̆ tuus scandalizat te,
abscide eum et proice abs te, et reliqua.** Necesse est quidem
uenire scandala, uae tamen ei est homini qui, quod necesse
est ut in mundo fiat, uitio suo facit ut per se fiat. Igitur omnis truncatur affectus et uniuersa propinquitas amputatur,
80 ne per occasionem pietatis unusquisque credentium
scandalis pateat. Si, inquit, ita est quis tibi coniunctus
ut manus, pes, oculus, et est utilis atque sollicitus et
acutus ad perspiciendum, scandalum autem tibi facit et
propter dissonantiam morum te pertrahit in gehennam,
85 melius est ut propinquitate eius et emolumentis carnalibus careas quam, dum uis lucrifacere cognatos et
necessarios, causam habeas ruinarum. Itaque non
frater, non uxor, non filii, non amici, non omnis affectus
qui nos excludere potest a regno caelorum amori Domini

66. Cf. II Pierre 2, 9 ‖ 67. Cf. Nah. 1, 9

---

39. La citation de Nahum est donnée d'après la vieille version latine.
Dans son *Commentaire sur Nahum*, Jérôme utilise simultanément ce
texte et la forme qu'il prend dans la Vulgate : « Non consurget duplex
tribulatio. » Cette citation lui permet de justifier la sévérité des châtiments
de Dieu dans l'A.T. : Déluge, destruction de Sodome et Gomorrhe etc.

fond de la mer avec une pierre attachée au cou. Cela vaut
mieux pour lui : il vaut bien mieux subir le châtiment rapide
de sa faute que d'être réservé à d'éternels tourments. Le
Seigneur ne sévira pas deux fois contre la même faute[39].

7. « Malheur au monde à cause des scandales. Il est
inévitable qu'il arrive des scandales, mais malheur à l'homme
par qui arrive le scandale. » Non qu'il y ait nécessité que le
scandale arrive, sinon ses auteurs ne seraient point coupables.
Mais, bien que le scandale se produise nécessairement en
ce monde, c'est par sa faute que chacun risque de scandaliser.
Cette condamnation générale frappe également Judas qui
avait préparé son âme à la trahison.

8.9. « Si ta main ou ton pied te scandalise, coupe-le et jette-le
loin de toi », etc. Certes, le scandale arrive inévitablement,
et cependant, malheur à l'homme qui, par sa faute, fait
que ce qui doit inévitablement arriver dans le monde arrive
par lui. Donc toute affection est tranchée, toute parenté
rompue, de peur que les sentiments dont elles sont l'occasion
n'exposent chaque fidèle à donner du scandale. Quelqu'un
est-il aussi lié à toi[40] que ta main, ton pied, ton œil, est-il
pour toi utile, dévoué, clairvoyant et perspicace, s'il est
pour toi un objet de scandale, si sa conduite, en désaccord
avec la tienne, t'entraîne à la géhenne, mieux vaut te priver
de sa parenté et d'avantages temporels que de t'exposer
à la perdition en voulant gagner parents et amis. Par conséquent, ni frère, ni épouse, ni enfants, ni amis[41], ni aucune
affection qui pourrait nous exclure du royaume des cieux

---

sont des punitions de Dieu dans le temps, pour éviter une sanction éternelle : « Qui puniti sunt, postea non puniuntur » (*In Nahum* I, 9, *CCL*
76 A, p. 534).

40. Nous avons dû modifier la ponctuation du CCL.

41. Cette application aux proches et aux parents se trouve déjà dans
ORIGÈNE, *In Matth.* XIII, 25 (*GCS* 40, p. 247).

90 praeponatur. Nouit unusquisque credentium quid sibi
noceat uel in quo sollicitetur animus ac saepe temptetur.
Melius est uitam solitariam ducere quam ob uitae
praesentis necessaria aeternam uitam perdere.

10. **Videte ne contemnatis unum ex pusillis istis.**
95 **Dico enim uobis quia angeli eorum semper uident**
faciem Patris mei qui in caelis est. Supra dixerat per
manum et pedem et oculum omnes propinquitates et
necessitudines quae scandalum facere poterant ampu-
tandas ; austeritatem itaque sententiae subiecto prae-
100 cepto temperat, dicens : *Videte ne contemnatis unum*
ex pusillis istis. Sic, inquit, praecipio seueritatem
ut commixtim clementiam doceam. Quantum in uobis
est nolite contemnere, sed per uestram salutem etiam
illorum quaerite sanitatem. Sin autem perseuerantes
105 in peccatis uideritis et uitiis seruientes, melius est
solos saluos fieri quam perire cum pluribus. *Quia*
angeli eorum in caelis uident semper faciem Patris.
Magna dignitas animarum, ut unaquaeque habeat ab
ortu natiuitatis in custodiam sui angelum delegatum.
110 Vnde legimus in Apocalypsi Iohannis : Angelo Ephesi,
Thyatirae et angelo Philadelphiae et angelis quattuor
reliquarum ecclesiarum scribe haec. Apostolus quoque
praecepit uelari capita in ecclesiis feminarum propter
angelos.

115 12. **Quid uobis uidetur ? Si fuerint alicui centum**
oues, et errauerit una ex eis, nonne relinquit nonaginta
nouem in montibus et uadit quaerere eam quae errauit ?
Consequenter ad clementiam prouocat qui praemiserat
dicens : *Videte ne contemnatis unum ex pusillis istis,*
120 et subiungit parabolam nonaginta nouem ouium

112. Cf. Apoc. i, 11 ; 2, i ; 3, i ‖ 114. Cf. I Cor. 11, 19

ne doit passer avant l'amour du Seigneur. Chaque fidèle
sait ce qui lui est nuisible, ce qui trouble son cœur et le
met souvent en tentations. Mieux vaut une vie solitaire
que la perte de la vie éternelle au profit des besoins de la
vie présente.

10. « Prenez bien garde à ne pas mépriser un de ces
tout-petits, car je vous le dis, leurs anges voient sans cesse
la face de mon Père qui est dans les cieux. » Il l'avait dit plus
haut, dans sa comparaison avec la main, le pied et l'œil,
il faut rompre les parentés et les relations qui peuvent être
occasion de scandale. Aussi la prescription suivante adoucit-
elle la sévérité de sa condamnation : « Prenez garde à ne
pas mépriser un de ces tout-petits. » Je prescris la sévérité,
dit-il, mais en enseignant en même temps la clémence. Autant
qu'il est en vous, ne méprisez pas, mais, tout en faisant
votre salut, cherchez aussi leur guérison. Toutefois, si vous
les voyez persévérer dans le péché, esclaves du vice, mieux
vaut vous sauver seuls que périr plusieurs ensembles. « Parce
que leurs anges dans les cieux voient toujours la face du
Père. » Si grande est la dignité des âmes que chacune, dès
sa naissance, a un ange préposé à sa garde. Aussi lisons-nous
dans l'Apocalypse de Jean : Écris ceci à l'ange d'Éphèse,
de Thyatire, à l'ange de Philadelphie et aux anges des quatre
autres Églises ; et l'Apôtre a prescrit aussi aux femmes de
se voiler la tête dans les églises à cause des anges.

12. « Que vous en semble ? Si un homme à cent brebis
et que l'une d'elle vienne à s'égarer, ne laisse-t-il pas les
quatre-vingt-dix-neuf autres sur les montagnes pour se
mettre à la recherche de celle qui s'est égarée ? » Tout naturellement il appelle à la clémence, lui qui avait dit plus haut :
« Prenez bien garde à ne pas mépriser un de ces tout-petits »,
et il enchaîne la parabole des quatre-vingt-dix-neuf brebis

in montibus relictarum et unius errantis quam pastor
bonus, quia propter nimiam infirmitatem ambulare non
poterat, umeris suis ad gregem reliquum reportaret. Quidam putant istum esse pastorem *qui cum in forma Dei*
125 *esset non rapinam arbitratus est esse se aequalem Deo, sed
exinaniuit se formam serui accipiens, factus oboediens*
Patri *usque ad mortem, mortem autem crucis,* et ob
id ad terrena descenderit ut saluam faceret unam
ouiculam quae perierat, hoc est humanum genus.
130 Alii uero in nonaginta nouem ouibus iustorum putant
numerum intellegi, et in una ouicula peccatorum,
secundum quod in alio loco dixerit : *Non ueni iustos
uocare sed peccatores ; non enim opus habent sani medico
sed hi qui se male habent.* Ista parabola in euangelio
135 secundum Lucam cum aliis duabus parabolis decem
dragmarum et duorum filiorum scripta est.

14. Sic non est uoluntas ante Patrem uestrum qui
in caelis est ut pereat unus de pusillis istis. Refert ad
superius propositum de quo dixerat : *Videte ne contemna-*
140 *tis unum ex pusillis istis,* et docet idcirco parabolam
positam ut pusilli non contemnantur. In eo autem quod
dicit : *Non est uoluntas ante Patrem uestrum ut pereat
unus de pusillis istis,* quotiens aliquis perierit de pusillis,
ostenditur quod non uoluntate Patris perierit.

145 15-17. Si autem peccauerit in te frater tuus, uade et
corripe eum inter te et ipsum, et reliqua. Si peccauerit
in nos frater noster et in qualibet causa nos laeserit,
dimittendi habemus potestatem, immo necessitatem,
qua praecipitur ut debitoribus nostris debita dimitta-

127. Cf. Phil. 2, 6-8 ‖ 134. Lc 5, 32-33 ‖ 136. Cf. Lc 15, 8-32

42. *Alii.* Selon RABAN MAUR (*PL* 107, 1010 A), il s'agissait de Didyme.

laissées dans les montagnes et de l'unique brebis égarée que
sa trop grande faiblesse empêchait de marcher et que le
Bon Pasteur rapporta sur ses épaules vers le reste du troupeau. En ce berger, certains voient celui qui, « bien que de
condition divine, ne retint pas jalousement le rang qui
l'égalait à Dieu, mais s'anéantit, prenant la condition d'esclave
se faisant obéissant au Père jusqu'à la mort, la mort de la
croix ». Il descendit sur terre, précisément pour sauver
l'unique petite brebis perdue, c'est-à-dire le genre humain.
Mais d'autres[42] voient dans les quatre-vingt-dix-neuf brebis
le nombre des justes et dans la seule petite brebis celui des
pécheurs, selon ce que le Seigneur a dit ailleurs : « Je ne
suis pas venu appeler les justes mais les pécheurs : en effet,
ce ne sont pas ceux qui sont bien portants qui ont besoin
du médecin, mais ceux qui se portent mal. » Cette parabole,
dans l'Évangile selon Luc, a été rapportée avec deux autres
celle des dix drachmes et celle des deux fils.

14. « **De même, ce n'est pas la volonté de votre Père qui
est dans les cieux qu'il se perde un seul de ces tout-petits.**»
Il reprend ce qu'il avait dit plus haut : « Veillez à ne pas
mépriser un de ces tout-petits. » Et il nous apprend le but
de cette parabole : qu'on ne méprise pas les tout-petits.
Quant à cette parole : « Ce n'est pas la volonté de votre Père
qu'il se perde un seul de ces tout-petits », elle montre que
toutes les fois que périra un des tout-petits, ce ne sera point
par la volonté du Père.

15-17. « **Et si ton frère a péché contre toi, va et reprends-le
entre toi et lui** », etc. Notre frère a-t-il péché contre nous,
nous a-t-il fait le moindre tort, nous avons la possibilité,
bien plus l'obligation de lui pardonner, puisqu'il nous
est prescrit de pardonner leurs offenses à ceux qui nous ont

Jérôme avait été un mois son disciple, en 386.

150 mus ; sin autem in Deum quis peccauerit, non est
nostri arbitrii. Dicit enim scriptura diuina : *Si peccauerit
homo in hominem, rogabit pro eo sacerdos ; si autem
in Deum peccauerit, quis rogabit pro eo* ? Nos e contrario
in Dei iniuria benigni sumus, in nostris contumeliis
155 exercemus odia. Corripiendus est autem frater seorsum
ne, si semel pudorem ac uerecundiam amiserit, permaneat in peccato. Et, si quidem audierit, lucrifacimus
animam eius et per alterius salutem nobis quoque
adquiritur salus. Sin autem audire noluerit, adhibeatur
160 frater ; quod si nec illum audierit, adhibeatur et tertius
uel corrigendi studio uel conueniendi sub testibus.
Porro si nec illos audire uoluerit, tum multis dicendum
est, ut detestationi eum habeant et qui non potuit
pudore saluari, saluetur obprobriis. Quando autem
165 dicitur : Sit tibi sicut ethnicus et publicanus, ostenditur
maioris esse detestationis qui sub nomine fidelis agat
opera infidelium quam hi qui aperte gentiles sunt.
Publicani enim uocantur secundum tropologiam qui
saeculi sectantur lucra et exigunt uectigalia per nego-
170 tiationes et fraudes ac furta, scelera atque periuria.

18. Amen dico uobis : Quaecumque alligaueritis
super terram erunt ligata et in caelo, et quaecumque
solueritis super terram erunt soluta et in caelo.
Quia dixerat : *Si autem ecclesiam non audierit, sit
175 tibi sicut ethnicus et publicanus*, et poterat contemp-
toris fratris haec occulta esse responsio uel tacita
cogitatio : si me despicis, et ego te despicio, si tu me
condemnas, et mea sententia condemnaberis, potestatem tribuit apostolis ut sciant qui a talibus condem-
180 nantur, humanam sententiam diuina sententia roborari

---

150. Cf. Matth. 6, 12 ∥ 153. I Sam. 2, 25

offensés. Mais a-t-on péché contre Dieu, cela ne dépend pas de nous. En effet, la divine Écriture dit : « Si un homme a péché contre un homme, le prêtre priera pour lui, mais s'il a péché contre Dieu, qui priera pour lui ? » Nous, au contraire, indulgents pour les injures faites à Dieu, nous manifestons de la haine pour les outrages faits à nous-mêmes. Et c'est à part qu'il faut réprimander son frère de peur que si jamais il a perdu toute honte, toute vergogne, il ne demeure dans le péché. Et s'il nous écoute, nous gagnons son âme et, par le salut d'autrui, nous assurons aussi le nôtre. Mais s'il refuse de nous écouter, qu'on fasse venir un frère. S'il refuse d'écouter celui-là aussi, faisons-en venir un troisième, soit pour le remettre sur le droit chemin, soit pour l'admonester devant témoins. Enfin, s'il ne veut pas les écouter non plus, alors il faut le dire à beaucoup pour qu'ils le prennent en horreur, pour que celui que la honte n'a pu sauver soit sauvé par le mépris public. Cette parole : **« Qu'il soit pour toi comme un païen et un publicain »** montre qu'il faut détester plus celui qui, sous le nom de fidèle, fait œuvre d'infidèle que ceux qui sont ouvertement des païens. Au sens tropologique, on appelle publicains ceux qui convoitent les richesses du siècle et extorquent des revenus au moyen de trafics, de fraudes, de vols, de crimes et de parjures.

18. **« En vérité, je vous le dis : tout ce que vous lierez sur la terre sera lié aussi dans le ciel et tout ce que vous délierez sur la terre sera délié aussi dans le ciel. »** Il avait dit : « Et s'il n'écoute pas l'Église, qu'il soit pour toi comme un païen et un publicain », et ce frère méprisant eût pu répondre à part soi, ou penser sans le dire : « Si tu me méprises, je te méprise aussi, si tu me condamnes, ma sentence te condamnera. » Aussi a-t-il donné ce pouvoir à ses apôtres, afin que ceux qui seront condamnés par de tels êtres sachent que cette condamnation des hommes est confirmée par la

et quodcumque ligatum fuerit in terra ligari pariter et
in caelo.

19.20. Iterum dico uobis quia si duo ex uobis consenserint super terram, de omni re quamcumque petie-
185 rint, fiet illis a Patre meo qui in caelis est. Vbi enim sunt
duo uel tres congregati in nomine meo, ibi sum in medio
eorum. Omnis supra sermo nos ad concordiam prouo-
carat. Igitur et praemium pollicetur ut sollicitius festinemus ad pacem, cum se dicat inter duos et tres medium
190 fore, iuxta illud exemplum tyranni qui duos amicos
captos, cum unus ad uisendam matrem reuertisset
et amicum pro se uadem dedisset, sic probare uoluit ut,
uno tento, alterum dimitteret, cumque reuertisset ad
condictam diem, admirans amborum fidem rogauerit ut
195 se haberent tertium. Possumus hoc et spiritaliter intellegere quod ubi spiritus et anima corpusque consenserint
et non inter se bellum diuersarum habuerint uoluntatum,
carne concupiscente aduersus spiritum et spiritu
aduersus carnem, de omni re quam petierint impetrent
200 a Patre, nullique dubium quin bonarum rerum postula-
tio sit ubi corpus ea uult habere quae spiritus.

21.22. Tunc accedens Petrus ad eum dixit : Domine quotiens peccabit in me frater meus et dimittam ei ? usque
septies ? et reliqua. Haeret sibi sermo dominicus et
205 in modum funiculi triplicis rumpi non potest. Supra
dixerat : *Videte ne contemnatis unum ex pusillis istis* ;
et adiecerat : *Si peccauerit in te frater tuus, uade et
corripe eum inter te et ipsum* ; et praemium repromiserat

182. Cf. Matth. 16, 19 ǁ 199. Cf. Gal. 5, 17 ǁ 205. Cf. Eccl. 4, 12

---

43. L'histoire est empruntée à CICÉRON, *De officiis* III, 45.
44. Jérôme doit cette interprétation spirituelle à ORIGÈNE, *In Matth.*

sentence de Dieu et que tout ce qui sera lié sur terre le sera pareillement dans le ciel.

19.20. « Je vous le dis encore, si deux d'entre vous sur la terre s'accordent pour demander quoi que ce soit, cela leur sera accordé par mon Père qui est dans les cieux. Car là où deux ou trois sont assemblés en mon nom, je suis au milieu d'eux. » Tout le propos précédant nous avait exhortés à la concorde. Aussi nous promet-il également une récompense pour que nous nous hâtions plus ardemment vers la paix : si deux ou trois (sont réunis), dit-il, il se trouvera au milieu d'eux. On pense à l'exemple fameux[43] de ce tyran qui avait fait prisonniers deux amis. L'un d'eux était retourné voir sa mère, laissant l'autre en otage. Il voulut les éprouver, gardant l'un, et laissant partir l'autre. Ce dernier revint au jour fixé. Admirant leur mutuelle amitié, le tyran les pria de l'y admettre comme troisième. Nous pouvons interpréter cela également au sens spirituel[44] : lorsque l'esprit, l'âme et le corps sont d'accord, lorsqu'ils ne se font pas la guerre dans l'affrontement de leurs désirs, la chair et ses convoitises s'opposant à l'esprit, l'esprit à la chair, ils obtiennent du Père tout ce qu'ils lui ont demandé. Point de doute : la demande est bonne quand le corps veut ce que veut l'esprit.

21.22. Alors Pierre s'approchant de Jésus dit : « Seigneur, combien de fois pardonnerai-je à mon frère quand il aura péché contre moi ? Jusqu'à sept fois ? » etc. Tout se tient dans l'enseignement du Seigneur. C'est comme une corde triple : impossible de la rompre. Il avait dit plus haut : « Veillez à ne pas mépriser un de ces tout-petits » et il avait ajouté : « Si ton frère a péché contre toi, va et reprends-le entre toi et lui », et en échange, il avait promis une récompense par

---

XIV, 3 (*GCS* 40, p. 278 s.).

dicens : *Si duo ex uobis consenserint super terram, de*
210 *omni re* impetrabunt quam *petierint,* et ego ero *in*
medio eorum. Prouocatus apostolus Petrus interrogat
quotiens fratri in se peccanti dimittere debeat et cum
interrogatione profert sententiam : *usque septies* ?
Cui respondit Iesus : Non usque septies sed septuagies
215 septies, id est quadringentis nonaginta uicibus, ut
totiens peccanti fratri dimitteret in die quotiens ille
peccare non possit.

23. Ideo adsimilatum est regnum caelorum homini
regi qui uoluit rationem ponere cum seruis suis.
220 Familiare est Syris et maxime Palestinis ad omnem
sermonem suum parabolas iungere, ut quod per simplex
praeceptum teneri ab auditoribus non potest, per
similitudinem exemplaque teneatur. Praecepit itaque
Petro sub comparatione regis et domini et serui qui
225 debitor decem milium talentorum a domino rogans
ueniam impetrauerat, ut ipse quoque dimittat conseruis
suis minora peccantibus. Si enim ille rex et dominus
seruo debitori decem milium talentorum tam facile
dimisit, quanto magis serui conseruis suis debent
230 minora dimittere ? Quod ut manifestius fiat dicamus
sub exemplo : Si quis nostrum commiserit adulterium,
homicidium, sacrilegium, maiora crimina decem milium
talentorum, rogantibus dimittuntur si et ipsi dimittant
minora peccantibus ; si autem ob factam contumeliam
235 simus inplacabiles et propter amarius uerbum perpetes
habeamus discordias, nonne nobis uidemur recte redi-
gendi in carcerem et sub exemplo operis nostri hoc
agere ut maiorum nobis delictorum uenia non relaxetur ?

---

45. *Majora crimina* (sous-entendu *criminibus*) *decem millium talentorum.*

ces mots : « Si deux d'entre vous sont d'accord sur terre, en tout ils obtiendront ce qu'ils demandent, et moi je serai au milieu d'eux. » Sur son invite, l'apôtre Pierre lui demande combien de fois il doit pardonner à un frère qui a péché à son égard. Il émet son avis sous une forme interrogative « jusqu'à sept fois ? », et Jésus lui répond : « Non pas jusqu'à sept fois, mais jusqu'à soixante-dix fois sept fois », c'est-à-dire quatre cent quatre-vingt-dix fois : qu'en un jour, il pardonne à son frère plus de péchés qu'il ne pourrait en commettre.

23. « C'est pourquoi le Royaume des cieux est semblable à un roi qui voulut régler ses comptes avec ses serviteurs. » En Syrie et surtout en Palestine, c'est une habitude de toujours mêler des paraboles à la conversation : ainsi, ce que les auditeurs ne pourraient retenir d'un simple enseignement, ils le retiennent grâce à la comparaison et aux exemples. Dans cette parabole du roi, le maître, et du serviteur qui lui devait dix mille talents et par ses supplications avait obtenu le pardon de son maître, le Seigneur a enseigné à Pierre à pardonner lui aussi à ses compagnons d'esclavage moins coupables. En effet, si ce roi et maître a remis si aisément dix mille talents à son serviteur qui les lui devait, combien plus les serviteurs doivent-ils remettre à leurs compagnons des dettes moindres ! Pour que cela soit plus clair, prenons un exemple : quelqu'un d'entre vous a-t-il commis un adultère, un homicide, un sacrilège, fautes de plus de dix mille talents[45], cela lui est pardonné, à sa prière, pourvu qu'il pardonne de son côté à ceux qui ont commis des fautes légères ; mais si pour une offense nous sommes implacables, si, pour un mot trop amer, nous entretenons des discordes perpétuelles, ne nous semble-t-il pas qu'il faut avec justice nous mettre en prison et que l'exemple de notre conduite aboutit à nous faire refuser le pardon pour nos fautes plus graves ?

24. Oblatus est ei unus qui debebat decem milia talenta.
240 Scio quosdam istum qui debebat decem milia talentorum
diabolum interpretari ; cuius uxorem et filios uenun-
dandos perseuerante illo in malitia, insipientiam et
malas cogitationes intellegi uolunt ; sicut enim iusti
uxor dicitur sapientia, sic uxorem iniusti et pecca-
245 toris appellari stultitiam. Sed quomodo ei dimittat
Dominus decem milia talenta et ille nobis conseruis
suis centum denarios non dimiserit, nec ecclesiasticae
interpretationis est nec a prudentibus uiris recipiendae.

35. Sic et pater meus caelestis faciet uobis, si non remi-
250 **seritis unusquisque fratri suo de cordibus uestris.**
Formidulosa sententia si iuxta nostram mentem sententia Dei flectitur atque mutatur. Si parua fratribus non
dimittimus, magna nobis a Deo non dimittentur.
Et quia potest unusquisque dicere : Nihil habeo contra
255 eum, ipse nouit, habet Deum iudicem, non mihi cura
est quid uelit agere, ego ignoui ei, confirmat sententiam
suam, et omnem simulationem fictae pacis euertit
dicens : *Si non remiseritis unusquisque fratri suo de*
cordibus uestris.

19 **3. Et accesserunt ad eum Pharisaei temptantes eum et**
dicentes : Si licet homini dimittere uxorem suam qua-
cumque de causa. De Galilea uenerat ad Iudeam,
idcirco Pharisaeorum scribarumque factio interrogat
5 eum utrum liceat homini dimittere uxorem suam
qualibet causa, ut quasi cornuato eum teneant syllo-

---

46. Cf. ORIGÈNE, *In Matth.* XIV, 10 (*GCS* 40, p. 299, 28-33). Mais
Origène propose l'interprétation sans le développement que détaille
Jérôme. Les dix mille talents sont les hommes que le diable a entraînés à
leur perte.

47. Il faut rattacher : *quid velit agere* à : *non mihi cura est.* En se désin-
téressant de son frère et de ce qu'il va faire, ce chrétien montre qu'il
n'a pas pardonné du fond du cœur.

24. Il rencontre quelqu'un qui lui devait dix mille talents.
Je sais que certains[46] l'interprètent ainsi : celui qui devait
dix mille talents serait le diable, quant à son épouse, ses
enfants destinés à être vendus s'il s'endurcissait dans la
méchanceté, ils veulent y voir la folie et les mauvaises
pensées ; en effet, tout comme la sagesse est appelée l'épouse
du juste, de même la folie s'appelle l'épouse de l'homme
injuste et du pécheur. Mais alors comment se fait-il que le
Seigneur lui remette dix mille talents et que lui ne remette
pas cent deniers à nous ses compagnons d'esclavage ? Ce
n'est ni l'interprétation de l'Église, ni une interprétation
acceptable pour des esprits judicieux.

**35. « Ainsi vous traitera mon Père céleste si chacun
de vous ne pardonne pas à son frère du fond du cœur. »**
Sentence redoutable s'il est vrai que le jugement de Dieu
varie et change selon les dispositions de notre esprit. Si
nous ne pardonnons pas à nos frères leurs petites offenses,
Dieu ne nous pardonnera pas les grandes. Comme chacun
peut dire : « Je n'ai rien contre lui, il le sait lui, c'est Dieu
qui le juge. Peu m'importent ses intentions à mon égard[47],
moi je lui ai pardonné », le Seigneur confirme sa sentence,
fait tomber le masque d'une paix hypocrite par ces mots :
« Si vous ne pardonnez pas chacun à votre frère du fond du
cœur. »

Chapitre 19

**3. Et les Pharisiens s'approchèrent de lui en disant pour
l'éprouver : « Est-il permis à un homme de répudier sa femme
pour un motif quelconque ? »** De Galilée, il était venu en
Judée. Voilà pourquoi la faction des Pharisiens et des scribes
l'interroge : est-il permis à un homme de renvoyer son épouse
pour n'importe quelle raison ? Ils veulent l'enfermer pour

gismo et quodcumque responderit captioni pateat ;
si dixerit dimittendam esse uxorem qualibet ex causa
et ducendas alias, pudicitiae praedicator sibi uidebitur
10 docere contraria ; sin autem responderit non omnem
ob causam debere dimitti, quasi sacrilegii reus tenebitur
et aduersus doctrinam Moysi, ac per Moysen Dei, facere.
Igitur Dominus sic responsionem temperat ut decipulam
transeat, scripturam sanctam adducens in testimonium
15 et naturalem legem primamque Dei sententiam secundae
opponens, quae non uoluntate Dei sed peccantium
necessitate concessa est.

4. Non legistis quia qui fecit ab initio masculum et feminam fecit eos ? Hoc in exordio Geneseos scriptum est.
20 Dicendo autem *masculum et feminam*, ostendit secunda
uitanda coniugia. Non enim ait : masculum et feminas,
quod ex priorum repudio quaerebatur, sed *masculum
et feminam*, ut unius coniugii consortia necterentur.

5. **Propter hoc dimittit homo patrem et matrem**
25 **et adhaerebit uxori suae,** Similiter ait : *adhaerebit uxori
suae*, non uxoribus.

Et erunt duo in carne una. Praemium nuptiarum e duabus unam carnem fieri. Castitas iuncta spiritui unus
efficitur spiritus.

19, 19. Cf. Gen. 1, 27 ‖ 29. Cf. I Cor. 9, 16-17

48. *Cornuatus syllogismus* : syllogisme cornu, ou à deux branches,
qui nous enserre à droite et à gauche. C'est le dilemme. Cf. *Ep.* 59, à
Oceanus, 2 : « A Rome j'ai subi, du fait d'un rhéteur exercé, l'assaut
d'un syllogisme, comme l'on dit, cornu, aménagé de façon que, de quelque
côté que je me fusse tourné, j'étais étroitement coincé » (Labourt III,
p. 192).

ainsi dire dans un dilemme[48]. Quelle que soit sa réponse, on aura prise sur lui. S'il dit qu'il faut renvoyer son épouse pour n'importe quelle raison et en prendre une autre, lui qui prêche la chasteté semblera se contredire. S'il répond qu'on ne doit la renvoyer pour aucune raison, on le tiendra pour un sacrilège qui va[49] contre la doctrine de Moïse et, à travers Moïse, contre celle de Dieu. Le Seigneur fait donc une réponse nuancée pour éviter le piège : il introduit le témoignage de l'Écriture sainte, oppose la loi naturelle qui est la première décision de Dieu à la seconde, concession qui vient non d'un vouloir divin, mais du besoin des pécheurs.

4. « N'avez-vous pas lu que, dès l'origine, le créateur les fit homme et femme ? » Cela est écrit au début de la Genèse. Or en disant « homme et femme », il montre qu'on doit éviter un second mariage. En effet, il ne dit pas « un homme et des femmes », ce qui était requis dans le cas de la répudiation des femmes précédentes, mais « homme et femme », pour qu'ils ne fussent unis qu'une seule fois par le mariage.

5. « A cause de cela l'homme quittera son père et sa mère et s'attachera à sa femme. » Il dit de même : il s'attachera « à sa femme » et non point « à ses femmes. »

« Et ils seront deux en une seule chair. » Le privilège du mariage est de deux chairs n'en faire qu'une. La chasteté, unie à l'Esprit, en fait un seul esprit[50].

---

49. L'infinitif *facere* est rattaché très librement à *reus tenebitur*. La construction est si rude que des éditions ont cru nécessaire d'ajouter après *facere* : *iudicabitur*.

50. Le sens est clair. Jérôme songe à *I Cor.* 6, 17 : *Qui autem adhaeret Domino, unus spiritus est*. Mais la phrase est hardie. Dans sa pensée ce n'est pas la chasteté qui devient un seul esprit, mais cette chair des deux époux qui par la chasteté est unie à l'Esprit-Saint.

30 **6. Quod ergo Deus coniunxit homo non separet.**
Deus coniunxit unam faciendo carnem uiri et feminae,
hanc homo non potest separare nisi forsitan solus Deus.
Homo separat, quando propter desiderium secundae
uxoris primam dimittimus ; Deus separat qui et coniun-
35 xerat, quando ex consensu propter seruitutem Dei,
eo quod tempus in arto sit, sic habemus uxores quasi
non habentes.

**7. Dicunt illi : Quid ergo Moyses mandauit dari
libellum repudii et dimittere ?** Aperiunt calumniam
40 quam parauerant. Et certe Dominus non propriam
sententiam protulerat sed ueteris historiae et mandatorum fuerat recordatus Dei.

**8. Ait illis : Quoniam Moyses ad duritiam cordis uestri
permisit uobis dimittere uxores uestras ; ab initio autem
45 non fuit sic.** Quod dicit istiusmodi est : Numquid
potest Deus sibi esse contrarius ut aliud ante iusserit et
sententiam suam nouo frangat imperio ? Non ita
sentiendum est, sed Moyses cum uideret propter desiderium secundarum coniugum quae uel ditiores uel
50 iuniores uel pulchriores essent, primas uxores interfici
aut malam uitam ducere, maluit indulgere discordiam
quam odia et homicidia perseuerare. Simulque considera
quod non dixit : *Propter duritiam cordis uestri permisit
uobis* Deus, sed *Moyses*, ut iuxta apostolum consilium
55 sit hominis, non imperium Dei.

**9. Dico autem uobis quia quicumque dimiserit uxorem
suam nisi ob fornicationem et aliam duxerit moechatur ; et qui dimissam duxerit moechatur.** Sola for-
nicatio est quae uxoris uincat affectum ; immo cum illa

37. Cf. I Cor. 7, 5.29 ‖ 52. Cf. Deut. 24, 1 s. ‖ 55. Cf. I Cor. 7, 25

6. « Donc ce que Dieu a uni que l'homme ne le sépare pas. »
C'est Dieu qui a uni, en faisant une seule chair de l'homme
et de la femme. Cette chair, l'homme ne peut la séparer.
Dieu seul, le cas échéant, en a le pouvoir. C'est l'homme qui
la sépare, quand le désir de prendre une seconde femme
nous fait renvoyer la première. C'est Dieu qui sépare, lui
qui précisément avait uni, lorsque par consentement mutuel,
pour le service de Dieu, parce que le temps est court, nous
avons nos épouses comme si nous n'en avions pas.

7. Ils lui disent : « Pourquoi donc Moïse a-t-il prescrit
de donner un acte de divorce et de répudier sa femme ? »
Ils découvrent le piège qu'ils avaient tendu. Et certes le
Seigneur n'avait pas donné son propre sentiment, mais
s'était souvenu de l'histoire ancienne et des commandements
de Dieu.

8. Il leur dit : « C'est à cause de la dureté de votre cœur
que Moïse vous a permis de répudier vos femmes ; au commencement, il n'en était pas ainsi. » Voici à quoi revient ce qu'il
dit : Dieu peut-il se contredire, donner un ordre puis casser
son jugement par un autre commandement ? Ne le croyons
pas : seulement Moïse, constatant que, par désir d'avoir une
seconde épouse, plus riche, plus jeune, plus belle, on tuait
la première, ou qu'on lui menait la vie dure, aima mieux
tolérer la séparation plutôt que de voir s'éterniser la haine
et le meurtre. Remarquez-le aussi, il n'a pas dit : « A cause
de la dureté de votre cœur », Dieu « vous l'a permis », mais
« Moïse » si bien que, comme le dit l'Apôtre, c'est la décision
d'un homme, non un commandement de Dieu.

9. « Je vous le dis, celui qui répudie sa femme, sauf pour
adultère, et en épouse une autre, commet un adultère et
celui qui épouse une femme répudiée commet un adultère. »
Seul l'adultère peut vaincre l'amour qu'on doit à sa femme.

60 unam carnem in aliam diuiserit et se fornicatione sepa-
rauerit a marito, non debet teneri ne uirum quoque
sub maledicto faciat, dicente scriptura : *Qui adulteram
tenet stultus et impius est.* Vbicumque est igitur for-
nicatio et fornicationis suspicio, libere uxor dimittitur.
65 Et quia poterat accedere ut aliquis calumniam faceret
innocenti et ob secundam copulam nuptiarum ueteri
crimen impingeret, sic priorem iubetur dimittere uxorem
ut secundam prima uiuente non habeat. Quod enim
dicit tale est : Si non propter libidinem sed propter
70 iniuriam dimittis uxorem, quare expertus infelices
priores nuptias nouarum te inmittis periculo ? Nec
non quia poterat euenire ut iuxta eandem legem
uxor quoque marito daret repudium, eadem cautela
praecipitur ne secundum accipiat uirum. Et quia
75 meretrix et quae semel fuerat adultera obprobrium
non timebat, secundo praecipitur uiro quod si talem
duxerit sub adulterii crimine sit.

**10. Dicunt ei discipuli : Si ita est causa homini cum
uxore, non expedit nubere.** Graue pondus uxorum est, si
80 excepta causa fornicationis eas dimittere non licet. Quid
enim si temulenta fuerit, si iracunda, si malis moribus,
si luxuriosa, si gulosa, si uaga, si iurgatrix et maledica,
tenenda erit istiusmodi ? Volumus nolumus sustinenda.
Cum enim essemus liberi uoluntate nos subiecimus
85 seruituti. Videntes ergo apostoli graue uxorum iugum,

63. Prov. 18, 22

---

51. *Graue uxorum iugum* : Jérôme ne s'est pas privé de développer
tous les ennuis apportés par le mariage. Il croyait ainsi « exalter le bonheur
de la virginité », *Ep.* 59, à Pammachius, 18 (Labourt II, p. 145). Heureu-
sement ce n'était pas son seul argument, mais on le retrouve souvent :
Adv. Helvid., 18-20 (*PL* 23, 202-204) ; *Ep.* 22 à Eustochium, 2 (Labourt

Bien plus, cette chair qui était une, elle l'a divisée en s'unissant à une autre, son adultère l'a séparée de son mari. Donc son mari ne doit pas la garder, de peur qu'elle ne le fasse tomber aussi sous le coup de la malédiction, car l'Écriture dit : « Celui qui garde une adultère est sot et impie. » Donc, partout où il y a adultère ou soupçon d'adultère, on est libre de renvoyer sa femme. Mais comme il pouvait advenir qu'un mari calomniât sa femme innocente et, en vue d'en épouser une autre, accusât faussement sa première femme, il lui est prescrit de la renvoyer, mais à condition de ne pas en avoir une seconde du vivant de la première. Voici le sens de ses paroles : si tu renvoies ta femme non point pour satisfaire une passion mais à cause de l'outrage qu'elle t'a fait, pourquoi, après l'expérience d'une première union malheureuse, t'exposes-tu aux périls d'une seconde ? En vertu de cette même loi, il pouvait arriver qu'une femme donnât également un acte de divorce à son mari, aussi la même prudence lui interdit de prendre un second mari. Et parce que la courtisane, la femme déjà coupable d'adultère, ne craignait pas la réprobation publique, c'est le second mari qui est averti que, s'il épouse une telle femme, il tombe sous le coup d'une accusation d'adultère.

10. Et les disciples lui dirent : « Si telle est la condition de l'homme à l'égard de la femme, il n'est pas avantageux de se marier. » Lourd fardeau que les épouses, s'il n'est point permis de les renvoyer, sauf pour adultère. Quoi donc ! Si elle est adonnée à l'ivrognerie, irascible, de mauvaises mœurs, débauchée, gourmande, coureuse, acariâtre, mauvaise langue, faudra-t-il garder pareille femme ? Bon gré, mal gré, il faudra la supporter. Nous étions libres et volontairement nous nous sommes soumis à la servitude. Les apôtres voient la pesanteur du joug conjugal[51] et ils laissent échapper le

I, p. 112).

proferunt motum animi sui et dicunt : *Si ita est causa homini cum uxore, non expedit nubere.*

11. Qui dixit : Non omnes capiunt uerbum istud sed quibus datum est. Nemo putet sub hoc uerbo uel fatum
90 uel fortunam introduci, quod hi sint uirgines quibus a Deo datum sit aut quos quidam ad hoc casus adduxerit, sed his datum est qui petierunt, qui uoluerunt, qui ut acciperent laborauerunt. Omni enim petenti dabitur et quaerens inueniet et pulsanti aperietur.

95 12. Sunt enim eunuchi qui de utero matris sic nati sunt, et sunt eunuchi qui facti sunt ab hominibus, et sunt eunuchi qui se ipsos castrauerunt propter regnum caelorum. Qui potest capere capiat. Triplex genus est eunuchorum, duorum carnalium et tertii spiritalis.
100 Alii sunt qui de matris utero sic nascuntur, alii uel quos captiuitas facit uel deliciae matronales. Tertii sunt *qui se ipsos castrauerunt propter regnum caelorum* et qui cum possint esse uiri, propter Christum eunuchi fiunt. Istis promittitur praemium, superioribus autem quibus
105 castimoniae necessitas non uoluntas est, nihil omnino debetur. Possumus et aliter dicere : Eunuchi sunt ex matris utero qui frigidioris naturae sunt nec libidinem adpetentes, et alii qui ab hominibus fiunt quos aut philosophi faciunt aut propter idolorum cultum emolliuntur
110 in feminas, uel persuasione heretica simulant castitatem ut mentiantur religionis ueritatem. Sed nullus

94. Cf. Matth. 7, 8

---

52. Dans ce développement sur les trois sortes d'eunuques, Jérôme suit Origène, *In Matth.* XV, 4 (p. 357 s.). Commentant le même passage dans sa lettre 22 à Eustochium, 19, Jérôme a cette belle formule : *Alium eunuchum necessitas faciat, me uoluntas* (Labourt I, p. 128). L'opposition :

cri du cœur en ces termes : « Si telle est la condition de l'homme à l'égard de la femme, il n'est pas avantageux de se marier. »

11. Et il leur dit : « Tous ne comprennent pas cette parole, mais seulement ceux à qui cela a été donné. » Qu'on ne pense pas que, par ces mots, le Seigneur introduise la notion de destin ou de hasard : resteraient vierges ceux auxquels Dieu a accordé de l'être, ceux qu'un hasard a amenés à cet état. Non, c'est un don réservé à qui l'a demandé, voulu, à qui a peiné pour l'obtenir. En effet, tout homme qui demande recevra, qui cherche trouvera, à qui frappe on ouvrira.

12. « Car il y a des eunuques qui sont nés tels dès le sein de leur mère et il y a des eunuques qui ont été faits tels par les hommes et il y a des eunuques qui se sont rendus tels eux-mêmes pour le royaume des cieux. Que celui qui peut saisir saisisse. » Il y a trois sortes d'eunuques[52], deux selon la chair, une troisième selon l'esprit. Les uns naissent ainsi du sein de leur mère. Les autres ont été rendus tels par la captivité ou par le caprice des grandes dames. Quant aux troisièmes : « ils se sont faits eux-mêmes eunuques pour le royaume des cieux. » Pouvant être des hommes, ils se sont faits eunuques pour le Christ : c'est à ceux-là qu'est promise la récompense. Aux autres, pour qui la chasteté est l'effet de la nécessité non de la volonté, il n'est absolument rien dû. Autre interprétation possible : il y a des eunuques nés tels dans le sein de leur mère. Ce sont des natures assez froides, sans penchant pour le plaisir charnel. D'autres sont rendus tels par les hommes, par l'influence des philosophes ou par le culte des idoles qui les amollit, les effémine, ou encore, par l'hérésie qui les persuade de simuler la chasteté pour contrefaire la vérité de notre religion. Mais aucun d'eux

nécessité-volonté semble prise à S. HILAIRE, *In Matth.* 19, 2 (SC 258, p. 90).

eorum consequitur regna caelorum nisi qui se propter
Christum castrauerit. Vnde infert : *Qui potest capere*
capiat, ut unusquisque consideret uires suas utrum
115 possit uirginalia et pudicitiae implere praecepta.
Per se enim castitas blanda est et quemlibet ad se
alliciens. Sed considerandae uires sunt ut *qui potest*
capere capiat. Quasi hortantis uox Domini est et milites
suos ad pudicitiae praemium concitantis : *Qui potest*
120 *capere capiat*, qui potest pugnare pugnet, superet ac
triumphet.

13. Tunc oblati sunt ei paruuli ut manus eis inpo-
neret et oraret ; discipuli autem increpabant eos.
Non quo nollent eis Saluatoris et manu et uoce bene-
125 dici, sed quo necdum habentes plenissimam fidem,
putarent eum in similitudinem hominum offerentium
importunitate lassari.

14. Dimittite paruulos et nolite eos prohibere ad me
uenire ; talium est enim regnum caelorum. Significanter
130 dixit *talium*, non istorum, ut ostenderet non aetatem regnare sed mores, et his qui similem haberent
innocentiam et simplicitatem praemium repromitti,
apostolo quoque in eandem sententiam congruente :
Fratres, nolite pueri effici sensibus, sed malitia paruuli
135 *estote ; sensu autem ut perfecti sitis.*

16. Ecce unus accedens ait illi : Magister bone,
quid boni faciam ut habeam uitam aeternam ?
Iste qui interrogat quomodo uitam consequatur aeter-

135. I Cor. 14, 20

n'obtient le royaume des cieux sauf celui qui s'est châtré pour le Christ. Aussi, ajoute-t-il : « Que celui qui peut saisir saisisse », pour que chacun mesure ses forces pour savoir s'il pourra observer les préceptes de la virginité et de la chasteté. En elle-même, la chasteté est séduisante, attirante pour n'importe qui, mais il faut tenir compte de ses forces « pour que celui qui peut saisir saisisse. » C'est pour ainsi dire la voix du Seigneur qui exhorte et excite ses soldats à remporter la récompense de la chasteté : « Que celui qui peut saisir saisisse. » Que celui qui peut combattre combatte, l'emporte, triomphe.

13. Alors on lui présenta des petits enfants pour qu'il leur imposât les mains et priât pour eux. Mais les disciples les gourmandaient. Non qu'ils ne voulussent point que le Sauveur les bénît de la main et de la voix, mais, n'ayant pas encore la plénitude de la foi, ils pensaient que, comme les autres hommes, il se lassait de l'importunité de ceux qui les lui présentaient.

14. « Laissez ces petits enfants et ne les empêchez pas de venir à moi, car le royaume des cieux est pour ceux qui leur ressemblent. » Il a dit intentionnellement « pour ceux qui leur ressemblent », et non « pour ceux-ci » afin de montrer que ce n'est point l'âge mais la conduite qui détient le royaume, que la récompense est promise à ceux qui partagent cette innocence et cette simplicité. L'Apôtre va aussi dans le même sens : « Frères, ne vous montrez pas enfants en fait de jugement, des petits enfants pour la malice soit, mais pour le jugement montrez-vous des hommes mûrs. »

16. Et voici que quelqu'un lui dit en l'abordant : « Bon Maître, quel bien dois-je faire pour acquérir la vie éternelle ? » Celui qui lui demande le moyen d'obtenir la vie éternelle

nam, et adulescens et diues est et superbus et, iuxta
140 alium euangelistam, non uoto discentis sed temptantis
interrogat.

17. **Quid me interrogas de bono ? Vnus est bonus Deus.**
Quia magistrum uocauerat bonum et non Deum uel
Dei filium confessus erat, discit quamuis sanctum homi-
145 nem comparatione Dei non esse bonum, de quo dicitur :
Confitemini Domino quoniam bonus. Ne quis autem
putet in eo quod bonus Deus dicitur excludi a bonitate
filium Dei, legamus in alio loco : *Pastor bonus ponit
animam pro ouibus suis* ; et in propheta spiritum
150 bonum terramque bonam. Igitur et Saluator non
bonitatis testimonium renuit sed magistri absque
Deo exclusit errorem.

17-19. **Si uis ad uitam ingredi, serua mandata. Dicit
illi : Quae ? Iesus autem dixit : Non homicidium facies, non
155 adulterabis, et reliqua et diliges proximum tuum sicut te ipsum.** Adulescentem istum temptatorem esse et ex eo probare possumus quod dicente sibi Domino : *Si uis ad uitam
uenire, serua mandata,* rursum fraudulenter interrogat
quae sint illa mandata, quasi non ipse legerit aut
160 Dominus possit Deo iubere contraria.

20. **Dicit illi adulescens : Omnia haec custodiui ; quid
adhuc mihi deest ?** Mentitur adulescens. Si enim hoc
quod positum est in mandatis : *Diliges proximum*

146. Ps. 117, 1 ‖ 149. Jn 10, 11 ‖ 150. Cf. Ps. 142, 10 ; Éz. 17, 8

---

53. Jérôme doit confondre avec le scribe qui interroge Jésus sur le
plus grand commandement. Selon Matthieu, il tend un piège à Jésus
(cf. *Matth.* 22, 35), tandis que, dans l'évangile de Marc, Jésus lui déclare
qu'il n'est pas loin du Royaume de Dieu (*Mc* 12, 34).

est jeune, riche, orgueilleux, et, d'après un autre évangéliste[53], ce n'est point par désir de s'instruire, mais pour le tenter qu'il l'interroge.

17. « Pourquoi m'interroges-tu sur ce qui est bon ? Seul Dieu est bon. » Ayant qualifié le Maître de bon sans le proclamer Dieu ou Fils de Dieu, il apprend qu'un homme, quelle que soit sa sainteté, n'est pas bon comparé à Dieu dont il est dit : « Rendez grâces au Seigneur parce qu'il est bon. » Pour qu'on ne croie pas cependant que, lorsqu'on dit que Dieu est bon, le Fils de Dieu ne participe pas à cette bonté, lisons dans un autre passage : « Le Bon Pasteur donne sa vie pour ses brebis. » Chez le prophète, il est dit que l'Esprit est bon, que la terre est bonne. Le Sauveur ne repousse donc pas ce témoignage rendu à sa bonté, mais il a réfuté l'erreur de voir en lui le Maître sans voir le Dieu.

17-19. « Mais si tu veux entrer dans la vie, observe les commandements. » Il lui dit : « Lesquels ? » Et Jésus lui dit : « Tu ne tueras point, tu ne commettras point d'adultère » etc. « et tu aimeras ton prochain comme toi-même ». Que ce jeune homme veuille l'éprouver, nous pouvons en donner la preuve. Le Seigneur lui dit : « Si tu veux entrer dans la vie, garde les commandements. » Alors il lui pose à nouveau une question captieuse : « Quels sont ces commandements ? » comme s'il ne les avait jamais lus lui-même ou comme si le Seigneur pouvait en prescrire de contraires à ceux de Dieu.

20. Le jeune homme lui dit : « J'ai observé tout cela. Que me manque-t-il encore ? » Ce jeune homme ment[54]. En effet, si dans ses œuvres, il avait vraiment réalisé ce qui se trouve dans les commandements : « Tu aimeras ton prochain

---

54. C'est là encore une interprétation propre à Jérôme et qui ne cadre pas avec l'épisode tel qu'il est présenté dans S. Marc.

tuum sicut te ipsum, opere complesset, quomodo postea
165 audiens : *Vade, uende quae habes et da pauperibus,*
tristis recessit quia habebat possessiones multas ?

21. Ait illi Iesus : Si uis perfectus esse, uade, uende quae
habes et da pauperibus et habebis thesaurum in caelo et
ueni, sequere me. In potestate nostra est utrum uelimus
170 esse perfecti. Tamen quicumque perfectus esse uoluerit
debet uendere quae habet et non ex parte uendere
sicut Ananias fecit et Saphira, sed totum uendere et cum
uendiderit dare omne pauperibus et sic sibi praeparare
thesaurum in regno caelorum. Nec hoc ad perfectionem
175 sufficit nisi post contemptas diuitias Saluatorem sequatur, id est relictis malis faciat bona. Facilius enim
sacculus contemnitur quam uoluntas. Multi diuitias
relinquentes Dominum non sequuntur. Sequitur autem
Dominum qui imitator eius est et per uestigia illius
180 graditur. *Qui* enim *dicit se in* Christo credere *debet
quomodo ille ambulauit et ipse ambulare.*

22. Abiit tristis : erat enim habens possessiones multas.
Haec est tristia quae ducit ad mortem causaque tristitiae
redditur quod habuerit possessiones multas, id est
185 spinas et tribulos, quae sementem dominicam suffo-
cauerint.

23. Iesus autem dixit discipulis suis : Amen dico uobis
quia diues difficile intrabit in regna caelorum. Et quomodo Abraham Isaac et Iacob diuites intrauerunt in
190 regna caelorum, et in euangelio Matheus et Zacheus
diuitiis derelictis Domini testimonio praedicantur ?
Sed considerandum quod eo tempore quo intrauerunt
diuites esse desierant. Tamdiu ergo non intrabunt

172. Cf. Act. 5, 1-10 ‖ 181. I Jn 2, 6 ‖ 190. Cf. Matth. 9, 9 ; Lc 19, 8

comme toi-même », pourquoi, après avoir entendu cette parole : « Va et vends ce que tu as et donne-le aux pauvres », s'est-il éloigné tout triste parce qu'il avait beaucoup de biens ?

21. Jésus lui dit : «˙Si tu veux être parfait, va, vends ce que tu as et donne-le aux pauvres et tu auras un trésor dans le ciel, puis viens et suis-moi. » Le désir de la perfection est en notre pouvoir. Cependant qui veut être parfait doit vendre ce qu'il a, et le vendre, non pas en partie comme le firent Ananie et Saphire, mais en totalité, et, après l'avoir vendu, tout donner aux pauvres et se préparer ainsi un trésor dans le royaume des Cieux. Et cela ne suffit pas pour la perfection : il doit encore, après avoir méprisé les richesses, suivre le Sauveur, c'est-à-dire, après avoir renoncé au mal, faire le bien, car il est plus facile de mépriser sa bourse que son plaisir. Beaucoup[55] renoncent aux richesses sans suivre le Seigneur. Suit le Seigneur celui qui l'imite et qui marche sur ses traces. En effet, « celui qui dit croire dans le Christ doit marcher comme celui-ci a marché ».

22. Il s'en alla tout triste, car il avait de grands biens. Voilà la tristesse qui mène à la mort, et on donne la raison de cette tristesse : il avait beaucoup de biens, c'est-à-dire d'épines, de ronces qui ont étouffé la semence du Seigneur.

23. Et Jésus dit à ses disciples : « En vérité, je vous le dis, il est difficile à un riche d'entrer dans le royaume des cieux. » Mais alors comment Abraham, Isaac et Jacob, qui étaient riches, sont-ils entrés dans le royaume des cieux, et comment, dans l'Évangile, Matthieu et Zachée, après avoir abandonné leurs richesses, sont-ils loués par la bouche du Seigneur ? Mais, considérons-le, ils y entrèrent après avoir cessé d'être riches. On n'y entrera donc pas tant qu'on sera riche. Et

---

55. Cf. l'exemple du philosophe Cratès, *infra* 19, 28.

quamdiu diuites fuerint. Et tamen quia difficulter
195 diuitiae contemnuntur non dixit : Impossibile est
diuites intrare in regna caelorum, sed *difficile*. Vbi
difficile ponitur non impossibilitas praetenditur, sed
raritas demonstratur.

**24-26. Et iterum dico uobis : Facilius est camelum per
200 foramen acus transire quam diuitem intrare in regna caelorum.** Hoc dicto ostenditur non difficile esse sed impossibile. Si enim quomodo camelus non potest intrare
per foramen acus, sic diues introire non potest in regna
caelorum, nullus diuitum saluus erit. Sed si legamus
205 Esaiam quomodo cameli Madian et Epha ueniant ad
Hierusalem cum donis atque muneribus et qui prius
curui erant et uitiorum prauitate distorti ingrediantur
portas Hierusalem, uidebimus quomodo et isti cameli
quibus diuites comparantur, cum deposuerint grauem
210 sarcinam peccatorum et totius corporis prauitatem,
intrare possint per angustam et artam uiam quae
ducit ad uitam. Interrogantibus autem discipulis
et admirantibus austeritatem dicti : **Quis ergo saluus
fiet ?** Clementia sua seueritatem sententiae temperauit
215 dicens : **Quae apud homines impossibilia apud Deum pos-
sibilia sunt.**

**27. Tunc respondens Petrus dixit ei : Ecce nos reliqui-
mus omnia et secuti sumus te ; quid ergo erit nobis ?**
Grandis fiducia. Petrus piscator erat, diues non fuerat,
220 cibos manu et arte quaerebat et tamen loquitur confidenter : *reliquimus omnia.* Et quia non sufficit tantum

206. Cf. Is. 60, 6.14

---

56. Cf. le commentaire de Jérôme sur *Matth.* 13, 22 (t. I, p. 272).
57. Déjà dans son *Commentaire sur Isaïe*, 60, 6, Jérôme en avait rappro-
ché le passage de Matthieu (*CCL* 73 A, p. 697 ; *PL* 24, 591). Mêmes

cependant, comme il est difficile de mépriser les richesses, le Seigneur n'a pas dit : « Il est impossible aux riches d'entrer dans le royaume des cieux », mais « il est difficile[56] ». Signaler la difficulté d'une chose, c'est montrer non son impossibilité mais sa rareté.

24-26. « **Et je vous le dis encore : Il est plus facile à un chameau d'entrer par le trou d'une aiguille qu'à un riche d'entrer dans le royaume des cieux.** » Parole qui montre que ce n'est pas difficile mais impossible. En effet, si un riche ne peut pas plus entrer dans le royaume des cieux qu'un chameau ne peut passer par le trou d'une aiguille, aucun riche ne sera sauvé. Mais si nous lisons dans Isaïe[57] comment les chameaux de Madian et d'Épha viennent à Jérusalem chargés de dons et de présents, comment ceux qui auparavant étaient courbés et tordus par la dépravation de leurs vices, franchissent les portes de Jérusalem, nous verrons comment ces chameaux-là aussi, auxquels sont comparés les riches, une fois délivrés du lourd fardeau de leurs péchés et de la difformité de tout leur corps, peuvent franchir la porte resserrée et la voie étroite qui conduit à la vie. Questionné par ses disciples surpris de la sévérité de ses paroles : « **Mais alors qui sera sauvé ?** » en sa clémence il a tempéré la sévérité de la sentence par ces mots : « **Ce qui est impossible aux hommes est possible à Dieu.** »

27. **Alors prenant la parole, Pierre lui dit : « Voici que nous avons tout quitté et nous t'avons suivi, quelle sera donc notre part ?** » Grande est sa confiance : Pierre était un pêcheur, il n'était pas riche et tirait sa nourriture du travail de ses mains, et cependant il dit avec confiance : « Nous avons tout quitté » ; et comme tout quitter ne suffit pas, il ajoute,

---

expressions : *per foramen acus, hoc est per arctam et angustam uiam quae ducit ad uitam.*

relinquere iungit quod perfectum est : *et secuti sumus te.*
Fecimus quod iussisti ; quid igitur nobis dabis praemii ?

28. Iesus autem dixit illis : Amen dico uobis quod uos,
225 qui secuti estis me, in regeneratione, cum sederit filius
hominis in sede maiestatis suae, sedebitis super se-
des duodecim iudicantes duodecim tribus Israhel. Non
dixit : qui reliquistis omnia, hoc enim et Crates fecit
philosophus, et multi alii diuitias contempserunt,
230 sed *qui secuti estis me,* quod proprie apostolorum est
atque credentium. *In regeneratione cum sederit filius
hominis in sede maiestatis suae* quando ex mortuis,
de corruptione resurgent incorrupti, sedebitis et uos in
soliis iudicantium condemnantes duodecim tribus Is-
235 rahel, quia uobis credentibus illi credere noluerunt.

29.30. Et omnis qui reliquit domum uel fratres aut
sorores aut patrem aut matrem aut uxorem aut
filios aut agros propter nomen meum, centuplum recipiet et uitam aeternam possidebit. Multi autem erunt
240 primi nouissimi et nouissimi primi. Locus iste cum illa
sententia congruit in qua Saluator loquitur : *Non ueni
pacem mittere sed gladium ; ueni enim separare hominem
a patre suo et matrem a filia et nurum a socru, et inimici
hominis domestici eius.* Qui ergo propter fidem Christi
245 et praedicationem euangelii omnes affectus contempserint atque diuitias et saeculi uoluptates, isti centuplum
recipient et uitam aeternam possidebunt. Ex occasione

---

233. Cf. I Cor. 15, 52 ‖ 244. Matth. 10, 34-36

58. Cratès, de Thèbes, philosophe cynique, disciple de Diogène, qui
vécut à Athènes au IVe siècle. La plupart des copistes, par ignorance,
ont cru à une erreur et ont corrigé : *Socrates* (GKBPLOC), mais ici encore
Jérôme suit ORIGÈNE, qui rappelle l'exemple de Cratès (*In Matth.* XV, 15 ;
GCS 40, p. 391, 12 s.), qui fit don de sa fortune au peuple de Thèbes,
en déclarant : aujourd'hui Cratès fait de Cratès un homme libre.

59. L'erreur du « millénarisme » — c'est-à-dire la croyance en une
première résurrection *sur terre* avec le Christ, pendant une durée de

ce qui est la perfection : « et nous t'avons suivi. » Nous avons fait ce que tu as ordonné, que nous donneras-tu donc en récompense ?

28. Et Jésus leur dit : « En vérité, je vous le dis, vous qui m'avez suivi, lors de la résurrection, quand le Fils de l'homme siégera sur le trône de sa majesté, vous serez assis sur douze trônes jugeant les douze tribus d'Israël. » Il ne dit pas « vous qui avez tout quitté », cela, le philosophe Cratès[58] l'a fait aussi et bien d'autres ont méprisé les richesses, mais « vous qui m'avez suivi », ce qui est le propre des apôtres et des croyants. « Lors de la résurrection, quand le Fils de l'homme siégera sur le trône de sa majesté » : quand les morts de leur corruption ressusciteront incorruptibles, vous aussi vous siégerez sur le trône des juges condamnant les douze tribus d'Israël, parce que vous, vous avez cru et eux n'ont pas voulu croire.

29.30. « Et quiconque aura quitté sa demeure ou ses frères ou ses sœurs ou son père ou sa mère ou sa femme ou ses fils ou ses champs à cause de mon nom, recevra le centuple et possédera la vie éternelle. Beaucoup de premiers seront derniers et beaucoup de derniers seront premiers. » Ce passage concorde avec cette parole du Sauveur : « Je ne suis pas venu apporter la paix mais le glaive. Car je suis venu séparer l'homme d'avec son père et la mère d'avec sa fille et la bru d'avec sa belle-mère. Et les ennemis de l'homme sont les gens de sa propre maison. » Donc ceux qui pour la foi du Christ et pour la prédication de l'Évangile auront méprisé toute autre affection et les richesses et les plaisirs du siècle, ceux-là recevront le centuple et posséderont la vie éternelle. A l'occasion de cette parole[59],

---

mille ans — fut très répandue pendant les premiers siècles (Barnabé, Justin, Irénée, Tertullien...), mais elle se rattache moins à ce texte qu'à une interprétation trop littérale de l'*Apocalypse*, 20, 5-6. Le millénarisme grossier, dont parle Jérôme, nous est présenté par EUSÈBE (*H. E.* III, 28, 1-6) comme une des caractéristiques de l'hérésie de Cérinthe.

huius sententiae quidam introducunt mille annos
post resurrectionem, dicentes nobis tunc centuplum
250 omnium rerum quas dimisimus et uitam aeternam
esse reddendam, non intellegentes quod, si in ceteris
digna sit repromissio, in uxoribus appareat turpitudo
ut qui unam pro Domino dimiserit centum recipiat
in futuro. Sensus igitur iste est : Qui carnalia pro
255 Saluatore dimiserit, spiritalia recipiet, quae comparatione et merito sui ita erunt quasi si paruo numero
centenarius numerus comparetur. Vnde dicit et apostolus qui unam tantum domum et unius prouinciae
paruos agros dimiserat : *Quasi nihil habentes et omnia*
260 *possidentes.*

20   1.2. Simile est regnum caelorum homini patrifami-
lias qui exiit primo mane conducere operarios in
uineam suam. Conuentione autem facta cum operariis ex denario diurno misit eos in uineam suam.
5 Parabola ista uel similitudo regni caelorum ex his
quae praemissa sunt intellegitur. Scriptum est enim
ante eam : *Multi erunt primi nouissimi et nouissimi*
primi, non tempori deferente Domino sed fidei ;
dicitque patremfamilias primo mane exisse ut conduceret
10 operarios in uineam suam et pretium operis consti-
tuisse denarium. Deinde egressum circa horam ter-
tiam uidisse alios stantes in platea otiosos et illis
nequaquam denarium sed quod iustum est fuisse
pollicitum ; sexta quoque hora et nona fecisse similiter ;
15 undecima autem inuenisse alios stantes qui tota die
otiosi fuerant et misisse eos in uineam ; cum autem sero
factum esset praecepisse procuratori suo ut a nouissimis
inciperet reddere, hoc est ab operariis horae undecimae

260. II Cor. 6, 10

certains imaginent une période de mille ans après la résurrection : alors, disent-ils, nous recevrons le centuple de tout ce que nous avons quitté et la vie éternelle. Ils ne comprennent pas que, si pour les autres biens la promesse est décente, elle est manifestement honteuse en ce qui concerne les épouses : celui qui, pour le Seigneur, aurait renoncé à une seule en recevrait aussi cent dans la vie future. Voici donc le sens : celui qui, pour le Sauveur, aura renoncé aux biens charnels, celui-là recevra les biens spirituels. Valeur comparée, ils seront comme dans le rapport de cent à un petit nombre. D'où la parole de l'Apôtre qui n'avait quitté qu'une seule maison et quelques parcelles de terre d'une seule province « comme n'ayant rien et possédant tout. »

CHAPITRE 20

1.2. « Le royaume des cieux est semblable à un père de famille qui sortit de grand matin afin d'embaucher des ouvriers pour sa vigne. Il convint avec eux d'un denier pour la journée et il les envoya dans sa vigne. » Cette parabole, cette comparaison avec le royaume des cieux s'explique par ce qui précède. Il est écrit plus haut : « Beaucoup de premiers seront derniers et beaucoup de derniers seront premiers », le Seigneur tenant compte non point du temps mais de la foi. Un père de famille, nous dit-il, sortit de grand matin pour embaucher des ouvriers pour sa vigne. Il fixa le salaire de l'ouvrage à un denier. Sorti ensuite vers la troisième heure, il en vit d'autres, qui demeuraient oisifs sur la place. Il ne leur promit nullement un denier, mais un salaire raisonnable. Il en fit de même à la sixième et à la neuvième heure. A la onzième heure, il en trouva d'autres, restés oisifs durant toute la journée, et il les envoya dans sa vigne. Le soir venu, il commanda à son intendant de les rémunérer en commençant par les derniers, c'est-à-dire par les ouvriers de la onzième

usque ad operarios horae primae, omnesque pariter
20 contra nouissimos inuidia concitatos iniquitatem ar-
guisse patrisfamiliae, non quo minus acceperint quam
fuerat constitutum, sed quo plus accipere uoluerint his
in quos se clementia conductoris effuderat. Mihi uidetur
primae horae esse operarios Samuhel et Hieremiam et
25 baptistam Iohannem qui possunt cum psalmista dicere :
Ex utero matris meae Deus meus es tu. Tertiae uero horae
operarii sunt qui a pubertate Deo seruire coeperunt ;
sextae horae qui matura aetate susceperunt iugum
Christi ; nonae qui iam declinante ad senium ; porro
30 undecimae qui ultima senectute : et tamen omnes
pariter accipiunt praemium licet diuersus labor sit.
Sunt qui hanc parabolam aliter disserant. Prima hora
uolunt missum esse in uineam Adam et reliquos patriar-
chas usque ad Noe ; tertia ipsum Noe usque ad Abraham
35 et circumcisionem ei datam ; sexta ab Abraham usque
ad Moysen quando lex data est ; nona ipsum Moysen et
prophetas ; undecima apostolos et gentium populum
quibus omnes inuident. Vnde hoc ipsum intellegens post
horam iam undecimam, cum esset prope solis occasum et
40 ad uesperam, Iohannes euangelista loquitur : *Filioli
mei nouissima hora est.* Et simul considera quod inius-
titiam patrisfamiliae, quam in undecimae horae operariis omnes pariter accusant, in se ipsis non intellegunt.

20, 26. Ps. 21, 11 ‖ 41. I Jn 2, 8

60. Cette application des heures de la parabole aux âges de la vie
est traditionnelle. S. Hilaire en dégage une leçon d'espérance : « Il y
a des ouvriers de la troisième heure, il y en a de la sixième, de la neuvième
et de la onzième heure... Tout âge est libre d'espérer et les ouvriers de
la onzième heure obtiendront la récompense non de leur travail mais
de la miséricorde », *In Ps.* CXXIX (*PL* 9, 724 B). Cf. ORIGÈNE, *In Matth.*
XV, 36 (*GCS* 40, p. 456-458).
   61. Il est également traditionnel d'appliquer les heures de la parabole aux âges de l'histoire du monde. Jérôme lui-même applique la onzième

heure, pour terminer par ceux de la première heure. Tous, également soulevés par la jalousie contre les derniers venus, accusèrent d'injustice le père de famille, non qu'ils eussent reçu moins qu'il n'avait été convenu, mais parce qu'ils voulaient recevoir plus que ceux sur lesquels s'était répandue la générosité du maître. A mon avis, les ouvriers de la première heure[60] sont Samuel, Jérémie et Jean-Baptiste qui peuvent dire avec le psalmiste : « Depuis le sein de ma mère, tu es mon Dieu. » Ouvriers de la troisième heure ceux qui ont commencé à servir Dieu dès l'adolescence, de la sixième ceux qui ont reçu le joug du Christ à l'âge mûr, de la neuvième, ceux qui l'ont fait sur le seuil de la vieillesse, enfin de la onzième ceux qui en étaient à l'extrême vieillesse. Et cependant, malgré cette diversité dans leur travail, tous reçoivent même salaire. Certains commentent cette parabole autrement. Selon eux, furent envoyés à la vigne à la première heure Adam et les autres patriarches jusqu'à Noé ; la troisième heure va de Noé lui-même jusqu'à Abraham et à la circoncision qui lui fut prescrite. La sixième va d'Abraham jusqu'à Moïse quand la Loi fut donnée. La neuvième voit Moïse et les prophètes, la onzième, les apôtres et le peuple des Gentils, objets de l'envie générale[61]. C'est précisément ainsi que le comprenait Jean l'Évangéliste. Aussi, parvenu au-delà de la onzième heure, presque au coucher du soleil, au crépuscule, il dit : « Mes petits enfants, voici la dernière heure. » Remarque-le aussi, l'injustice du père de famille qu'ils s'accordent unanimement à dénoncer à propos des ouvriers de la onzième heure, ils ne voient pas qu'ils en profitent

heure à la venue du Messie : *In Michaeam* IV (*PL* 25, 1186 B), et se réfère à cette même citation de la première Épître de S. Jean. Mais ici il vise S. HILAIRE, *In Matth.* 20, 6 (*PL* 9, 1059 C), qui avait peut-être lui-même emprunté cette exégèse à ORIGÈNE, *In Matth.* XV, 32 (*GCS* 40, p. 446, 23 s.). C'était, du reste, la seule exégèse que Jérôme avait développée, longuement, dans sa lettre 21 au Pape Damase, 40-41 (Labourt I, p. 108 s.).

Si enim iniquus est paterfamilias, non in uno iniquus
45 est sed in omnibus, quia non sic laborauit tertiae horae
operarius quomodo ille qui a prima hora est
missus in uineam ; similiter et sextae horae operarius
minus laborauit a tertiae horae operario et nonae a
sextae horae operario. Omnis itaque retro uocatio
50 gentilibus inuidet et in euangelii torquetur gratia.
Vnde et Saluator concludens parabolam : *Erunt*,
inquit, *primi nouissimi et nouissimi primi*, quod Iudaei
de capite uertantur in caudam et nos de cauda mutemur
in caput.

55 **13. Amice non facio tibi iniuriam.** Legi in cuiusdam
libro amicum istum, qui increpatur a patrefamilias, primae horae operarium, protoplaustum intellegi et
eos qui in illo tempore crediderunt.

Nonne ex denario conuenisti mecum ? Denarius figu-
60 ram regis habet. Recepisti ergo mercedem quam tibi
promiseram, hoc est imaginem et similitudinem meam ;
quid quaeris amplius et non tam ipse plus accipere
quam alium nihil accipere desideras, quasi alterius
consortio minuatur praemii meritum.

65 **14. Tolle quod tuum est et uade.** Iudaeus in lege non
gratia sed opere saluatur. Qui enim fecerit eam uiuet in
ea. Vnde dicitur ad eum :

15.16. An oculus tuus nequam est quia ego bonus sum ?
Id ipsum sonat et illa Lucae parabola ubi maior filius
70 minori inuidet et non uult eum recipi paenitentem et
patrem accusat iniustitiae. Et ut sciamus hunc esse

---

67. Cf. Lév. 18, 5 ‖ 71. Cf. Lc 15, 28-30

62. Ce livre, c'est encore le Commentaire d'Origène ; cf. *In Matth.*

eux-mêmes. Si le père de famille est injuste, il ne l'est pas au profit d'un seul, mais de tous, car l'ouvrier de la troisième heure n'a pas autant travaillé que celui qui a été envoyé à la vigne dès la première heure et, de même, l'ouvrier de la sixième a moins travaillé que celui de la troisième et celui de la neuvième, moins que celui de la sixième. Ainsi tous les élus du passé envient les Gentils, et la grâce de l'Évangile fait leur tourment. Le Sauveur conclut donc sa parabole par ces mots : « Les premiers seront les derniers et les derniers les premiers. » Car, d'en tête qu'ils étaient, les Juifs sont mis en queue, et nous, nous passons de queue en tête.

13. « Ami, je ne te fais point de tort. » J'ai lu dans un livre[62] que cet ami ainsi blâmé par le père de famille, ouvrier de la première heure, désigne le premier homme créé et ceux qui ont cru en ce temps-là.

« N'es-tu pas convenu avec moi d'un denier ? » Le denier porte l'effigie du roi. Tu as donc reçu le salaire promis, c'est-à-dire mon image et ma ressemblance. Que demandes-tu de plus ? Ce que tu veux, ce n'est pas recevoir plus, c'est qu'un autre ne reçoive rien, comme si le fait d'obtenir même récompense qu'autrui en diminuait la valeur.

14. « Prends ce qui te revient et va-t'en. » D'après la Loi, le Juif est sauvé non par la grâce, mais par ses œuvres. Qui l'aura observée y trouvera la vie. D'où ces paroles qui lui sont adressées :

15.16. « Ton œil est-il donc mauvais parce que je suis bon ? » Même sens dans cette parabole de Luc où, jaloux de son cadet, le fils aîné ne veut pas qu'on l'accueille dans son repentir et accuse son père d'injustice. Et, pour que nous

---

XV, 35 (*GCS* 40, p. 455, 24).

sensum quem diximus, titulus parabolae huius finisque
consentiunt : Sic erunt, inquit, nouissimi primi et primi
nouissimi; multi enim sunt uocati pauci autem electi.

75   17-19 Et ascendens Iesus Hierosolymam adsumpsit
duodecim discipulos suos et ait illis : Ecce ascendi-
mus Hierosolymam et filius hominis tradetur principibus seniorum et scribis, et condemnabunt eum
morte et tradent eum gentibus ad deludendum et
80 flagellandum et crucifigendum, et tertia die resurget.
Crebro hoc ipsum discipulis dixerat, sed quia multis
in medio disputatis poterat labi de memoria quod audierant, iturus Hierosolymam et secum ducturus apostolos
ad temptationem eos parat, ne cum uenerit persecutio
85 et crucis ignominia scandalizentur.

20.21. Tunc accessit ad eum mater filiorum Zebedaei
cum filiis suis adorans et petens aliquid ab eo. Qui dixit ei :
Quid uis ? Ait illi : Dic ut sedeant hi duo filii mei unus
ad dexteram et unus ad sinistram in regno tuo.
90 Vnde opinionem regni habet mater filiorum Zebedei ut
cum Dominus dixerit : *Filius hominis tradetur principi-*
bus sacerdotum et scribis, et condemnabunt eum morte et
tradent eum gentibus ad inludendum et flagellandum et
crucifigendum, et ignominiam passionis timentibus
95 discipulis nuntiarit, illa gloriam postulet triumphantis ?
Hac ut reor ex causa quia post omnia dixerat Dominus :
et tertia die resurget, putauit eum mulier post resurrectionem ilico regnaturum, et hoc quod in secundo aduentu promittitur primo esse complendum et auiditate

sachions que le sens que nous avons proposé est le bon, le titre et la conclusion de cette parabole se répondent. « Ainsi, dit-il, les derniers seront les premiers et les premiers les derniers. En effet, il y a beaucoup d'appelés et peu d'élus. »

17-19. Comme Jésus montait à Jérusalem, il prit avec lui les douze disciples et leur dit : « Voici que nous montons à Jérusalem et le Fils de l'homme sera livré aux princes des anciens et aux scribes et ils le condamneront à mort. Ils le livreront aux Gentils pour être bafoué, flagellé et crucifié ; et le troisième jour, il ressuscitera. » C'est précisément ce qu'il avait souvent dit à ses disciples mais, comme on avait discuté de bien d'autres sujets entre temps, ce qu'ils avaient entendu avait pu échapper de leur mémoire. Aussi, sur le point d'aller à Jérusalem et d'y mener avec lui les apôtres, il les prémunit contre la tentation pour qu'ils ne se scandalisent pas, quand viendront la persécution et l'ignominie de la croix.

20.21. Alors s'approcha de lui la mère des fils de Zébédée avec ses fils. Elle se prosterna devant lui pour lui faire une demande. Et il lui dit : « Que veux-tu ? » Elle lui dit : « Ordonne que mes deux fils que voici soient assis l'un à ta droite et l'autre à ta gauche dans ton royaume. » D'où la mère des fils de Zébédée tire-t-elle pareille idée du Royaume ? Le Seigneur vient de dire : « Le Fils de l'homme sera livré aux princes des prêtres et aux scribes et ils le condamneront à mort et ils le livreront aux Gentils pour être bafoué, flagellé et crucifié. » Aux disciples épouvantés, il vient d'annoncer l'ignominie de la passion et voici qu'elle demande pour ses fils la gloire du triomphe. A mon avis, c'est parce que, après tout cela, le Seigneur avait annoncé « qu'il ressusciterait le troisième jour ». Cette femme a pensé qu'il régnerait immédiatement après sa résurrection et que les promesses pour le second avènement allaient être accomplies dès le premier.

100 feminea praesentia cupit inmemor futurorum. Quod autem interrogat Dominus et illa petente respondit :
Quid uis ? non uenit de ignorantia sed ex eius persona
dicitur qui flagellandus et crucifigendus erat quo
modo et in emorrousa : *Quis me tetigit* ? et de Lazaro :
105 *Vbi posuistis eum* ? in ueteri quoque testamento :
Adam ubi es ? et : *Descendens uidebo si iuxta clamorem
suum qui uenit ad me perficiunt, sin autem non est ut
sciam.* Postulat autem mater filiorum Zebedei errore
muliebri et pietatis affectu nesciens quid peteret.
110 Nec mirum si ista arguatur inperitiae, cum de Petro
dicatur quando tria uult facere tabernacula : *nesciens
quid diceret.*

22. Respondens autem Iesus dixit : Nescitis quid petatis.
Mater postulat, et Dominus discipulis loquitur, intelle-
115 gens preces eius ex filiorum descendere uoluntate.

Potestis bibere calicem quem ego bibiturus sum ?
Calicem in scripturis diuinis passionem intellegimus :
Pater, si possibile est, transeat calix iste a me ; et in
psalmo : *Quid retribuam Domino pro omnibus quae
120 retribuit mihi* ? *calicem salutaris accipiam et nomen
Domini inuocabo* ; statimque infert quis iste sit calix :
Pretiosa in conspectu Domini mors sanctorum eius.

**23. Ait illis : Calicem quidem meum bibetis, sedere
autem ad dexteram meam et ad sinistram non est meum
125 dare uobis, sed quibus paratum est a Patre meo.**
Quaeritur quomodo calicem martyrii filii Zebedei,

---

104. Lc 8, 45 ‖ 105. Jn 11, 34 ‖ 106. Gen. 3, 9 ‖ 108. Gen. 18, 21 ‖ 112.
Mc 9, 5 ‖ 118. Matth. 26, 39 ‖ 121. Ps. 115, 12-13 ‖ 122. Ps, 115, 15

Avec une impatience toute féminine, oubliant ces biens à venir, elle en désire d'actuels. Quant à la question que lui pose le Seigneur, à la réponse qu'il fait à son geste d'imploration : « Que veux-tu ? », elle ne provient pas de l'ignorance, mais elle est prononcée par la personne de celui qui devait être flagellé et crucifié. De même à propos de l'hémorroïsse : « Qui m'a touché ? » et de Lazare : « Où l'avez-vous déposé ? » Également, dans l'Ancien Testament : « Adam, où es-tu ? » et « Je descendrai pour voir si leurs œuvres répondent au cri qui est monté contre eux jusqu'à moi, et, si ce n'est pas vrai, pour le savoir. » La demande de la mère des fils de Zébédée est une erreur de femme, due à son amour maternel. Elle ne savait pas ce qu'elle demandait. Rien d'étonnant si elle est taxée d'ignorance, puisqu'il est dit de Pierre, lorsqu'il veut dresser trois tentes, qu'« il ne savait pas ce qu'il disait ».

22. **Mais Jésus reprit la parole et lui dit : « Vous ne savez pas que vous demandez »,** c'est la mère qui demande, et le Seigneur, comprenant que ces prières lui ont été inspirées par ses fils, s'adresse aux disciples.

« Pouvez-vous boire le calice que je dois boire ? » Dans les divines Écritures, par calice, nous entendons la Passion. « Père, s'il est possible que ce calice passe loin de moi », et dans le psaume : « Que rendrai-je au Seigneur pour tous ses bienfaits à mon égard ? Je prendrai le calice du salut et j'invoquerai le nom du Seigneur », et il ajoute aussitôt de quel calice il s'agit : « Précieuse aux yeux du Seigneur est la mort de ses saints. »

23. **Il leur dit : « Certes vous boirez mon calice. Quant à être assis à ma droite et à ma gauche, ce n'est pas à moi de vous l'accorder, mais c'est destiné à ceux auxquels mon Père l'a réservé. »** On se demande comment les fils de Zébédée,

Iacobus uidelicet et Iohannes, biberint, cum scriptura
narret Iacobum tantum apostolum ab Herode capite
truncatum, Iohannes autem propria morte uitam finie-
130 rit. Sed si legamus ecclesiasticas historias, in quibus
fertur quod et ipse propter martyrium sit missus in
feruentis olei doleum, et inde ad suscipiendam coronam
Christi athleta processerit statimque relegatus in
Pathmos insulam sit, uidebimus martyrio animum
135 non defuisse et bibisse Iohannem calicem confessionis,
quem et tres pueri in camino ignis biberunt licet per-
secutor non fuderit sanguinem. Quod autem dicit :
sedere ad dexteram meam et sinistram non est meum dare
uobis, sed quibus paratum est a patre meo, sic intelle-
140 gendum : Regnum caelorum non est dantis sed accipien-
tis ; *non est enim personarum acceptio apud Deum*,
sed quicumque talem se praebuerit ut regno caelorum
dignus fiat, hic accipiet quod non personae sed uitae
paratum est ; si itaque tales estis qui consequamini
145 regnum caelorum quod Pater meus triumphantibus et
uictoribus praeparauit, uos quoque accipietis illud.
Alii de Moyse et Helia dictum uolunt, quos paulo ante in
monte cum eo uiderant loquentes ; sed mihi nequaquam uidetur. Ideo enim sedentium in regno caelorum
150 uocabula non dicuntur ne paucis nominatis ceteri
putarentur exclusi.

129. Cf. Act. 12, 2 ‖ 134. Cf. Apoc. 1, 9 ‖ 141. Act. 10, 34 ‖ 148. Cf.
Matth. 17, 3

---

63. *Ecclesiasticas historias* : Eusèbe ne parle pas du martyre de S.
Jean, mais nous en trouvons le récit dans TERTULLIEN : *De praescript.*
36, 3. ORIGÈNE semble ne pas connaître cette tradition, et pour lui le
martyre de Jean prédit par le Christ est son exil à Patmos, cf. *In Matth.*
XVI, 6 (*GCS* 40, p. 486, 4 s.).

c'est-à-dire Jacques et Jean, ont bu le calice du martyre, puisque seul l'apôtre Jacques, selon le récit de l'Écriture, fut décapité sur l'ordre d'Hérode et que Jean finit d'une mort naturelle. Mais, si nous lisons l'histoire de l'Église[63], où il est rapporté qu'il fut jeté dans une cuve d'huile bouillante pour y être martyrisé lui aussi, qu'athlète du Christ, il en sortit pour recevoir la couronne, qu'il fut aussitôt relégué dans l'île de Patmos, nous verrons que son âme ne se déroba pas au martyre : Jean a bu le calice de la confession comme l'ont bu les trois jeunes gens dans la fournaise ardente, bien que le persécuteur n'ait pas répandu leur sang. Ces mots : « Quant à être assis à ma droite et à ma gauche, ce n'est pas à moi de vous l'accorder, mais c'est destiné à ceux auxquels mon Père l'a réservé », voici comment il faut les comprendre : le royaume des cieux n'appartient pas à celui qui le donne, mais à celui qui le reçoit. « Dieu ne fait pas acception de personnes », mais quiconque se sera montré digne du royaume des cieux recevra ce qui a été réservé non à sa personne mais à sa vie. Si donc vous méritez d'obtenir le royaume des cieux que mon Père a réservé aux triomphateurs et aux victorieux, vous aussi vous le recevrez. D'autres y voient une allusion à Moïse et à Élie[64] que, peu auparavant, les disciples avaient vus converser sur la montagne avec le Christ. Ce n'est pas du tout mon avis. Voilà pourquoi les noms de ceux qui seront assis dans le royaume des cieux ne sont pas donnés ici : s'il en avait nommé un petit nombre, tous les autres pourraient se croire exclus.

---

64. L'évangile (*Matth.* 17, 3) nous dit que Moïse et Élie s'entretenaient avec Jésus sur la montagne de la Transfiguration. De là à se les représenter l'un à la droite, l'autre à la gauche de Jésus, il n'y avait qu'un pas, que les peintres franchiront, mais qu'avait déjà franchi S. HILAIRE : « *medius inter legem et prophetas Christus* » (*PL* 9, 1014 A). Aussi HILAIRE peut-il écrire dans son commentaire sur l'épisode des fils de Zébédée : *Quantum sentire ex ipsis Euangeliis licet, in regno caelorum Moyses et Elias assidebunt* (*PL* 9, 1032 A).

**24. Et audientes decem indignati sunt de duobus fratri-
bus.** Decem apostoli non indignantur matri filiorum
Zebedei nec ad mulierem audaciam referunt postulati,
155 sed ad filios quod ignorantes mensuram suam inmodica
cupiditate exarserint, quibus et Dominus dixerat :
Nescitis quid petatis. Subintellegitur autem uel ex responsione Domini uel ex indignatione apostolorum quod
filii matrem inmiserint ad grandia postulanda.

160 **25. Iesus autem uocauit eos ad se et ait : Scitis quia
principes gentium dominantur eorum, et reliqua.** Humi-
lis magister et mitis nec cupiditatis inmodicae duos
arguit postulantes nec decem reliquos indignationis
increpat et liuoris, sed tale ponit exemplum quo doceat
165 eum maiorem esse qui minor fuerit et illum dominum
fieri qui omnium seruus sit. Frustra igitur aut illi
inmoderata quaesierant aut isti dolent super maiorum
desiderio, cum ad summitatem uirtutum non potentia
sed humilitate ueniatur. Denique sui proponit exemplum
170 ut, si dicta parui penderent, erubescerent ad opera et
dicit :

**28. Sicut filius hominis non uenit ministrari sed minis-
trare.** Nota quod crebro diximus eum qui ministret
filium appellari hominis. **Et dare animam suam
175 redemptionem pro multis,** quando formam serui accepit ut pro mundo sanguinem funderet. Et non dixit
dare animam suam redemptionem pro omnibus, sed *pro
multis,* id est pro his qui credere uoluerint.

**29-31. Et egredientibus illis ab Hiericho secuta est eum
180 turba multa. Et ecce duo caeci sedentes secus uiam audie-**

---

176. Cf. Phil. 2, 17

24. Or les dix autres, ayant entendu cela, s'indignèrent contre les deux frères. Les dix apôtres ne s'indignent pas contre la mère des fils de Zébédée, ils n'attribuent pas à une femme l'audace de la demande, mais à ses fils qui, sans savoir se mesurer, brûlent d'une ambition immodérée. C'est à eux que le Seigneur avait dit aussi : « Vous ignorez ce que vous demandez. » La réponse du Seigneur, l'indignation des apôtres nous laissent deviner que ce sont les fils qui ont poussé leur mère à demander ces grands honneurs.

25. Et Jésus les appela près de lui et leur dit : « Vous savez que les chefs des nations les traitent en maîtres », etc. Humble et doux, le Maître ne reproche pas aux deux solliciteurs la démesure de leur ambition et il ne blâme pas les dix autres pour leur indignation et leur jalousie, il leur propose un exemple choisi pour leur apprendre que le plus grand est celui qui aura été le plus petit et que celui-là devient le maître qui est le serviteur de tous. D'où l'inutilité des demandes exagérées des uns et de l'indignation des autres contre leur trop grande ambition, puisqu'on parvient au sommet de la vertu non par la puissance mais par l'humilité. Enfin il propose son propre exemple : s'ils font peu de cas de ses paroles, que sa conduite les fasse rougir. Il dit :

28. « C'est ainsi que le Fils de l'homme n'est pas venu pour être servi mais pour servir. » Note-le, nous l'avons dit souvent, celui qui sert est appelé le Fils de l'homme. « Et donner sa vie en rançon pour un grand nombre », lorsqu'il a pris la condition d'esclave pour verser son sang pour le monde. Il n'a pas dit « donner sa vie en rançon » pour tous les hommes, mais « pour un grand nombre », c'est-à-dire pour ceux qui voudront croire.

29-31. Et comme ils sortaient de Jéricho, une grande foule le suivit. Et voilà que deux aveugles assis sur le bord du

runt quia Iesus transiret, et clamauerunt dicentes :
Domine miserere nostri fili Dauid. Turba autem increpabat eos ut tacerent. At illi magis clamabant dicentes :
Domine miserere nostri fili Dauid. Multi latrones erant
185 in Hiericho qui egredientes et descendentes de Hierosolimis interficere et uulnerare consueuerant ; idcirco
Dominus uenit Hiericho cum discipulis suis ut liberet
uulneratos et multam turbam secum trahat. Denique
postquam egredi uoluit ab Hiericho, secuta est eum
190 turba multa. Si mansisset Hierosolymis et numquam
ad humilia descendisset, turba usque hodie sederet
in tenebris et in umbra mortis. Sed et duo caeci erant
iuxta uiam. Caecos appellat qui necdum dicere poterant :
In lumine tuo uidebimus lumen. Secus uiam, quia
195 uidebantur quidem legis habere notitiam, sed uiam
quae Christus est ignorabant : quos plerique Pharisaeos
intellegunt et Sadducaeos, alii uero utrumque populum
et ueteris testamenti et noui, quod alter scriptam legem
alter naturalem sequens sine Christo, caecus erat.
200 Hi quia per se uidere non poterant, audierunt praeconia
Saluatoris, et confessi sunt filium Dauid. Sin autem
uterque caecus refertur ad populum Iudaeorum, hoc
quod sequitur : *increpabat eos turba*, super ethnicis
intellegendum quos apostolus monet ne glorientur
205 et superbiant contra radicem suam, sed cum ipsi errore
priorum inserti fuerint ex oleastro in bonam oliuam,
nequaquam debeant inuidere priorum saluti.

Miserere nostri fili Dauid. Increpantur a turbis
et nihilominus non tacent sed crebrius id ipsum inge-

192. Cf. Ps. 106, 14 ; Lc 1, 79 ‖ 194. Ps. 35, 10 ‖ 196. Cf. Jn 14, 6 ‖
205. Cf. Rom. 11, 18

65. Jérôme pense sans doute à la parabole du bon Samaritain (*Lc*
10, 30) : *Homo... incidit in latrones.*
66. *Super* avec abl. au sens de *de*, rare dans la langue classique, est

chemin, entendant dire que Jésus passait, se mirent à crier :
« Seigneur, fils de David, aie pitié de nous ! » Et la foule
les reprenait durement pour les faire taire, mais ils criaient
plus fort : « Seigneur, Fils de David, aie pitié de nous ! »
A Jéricho, il y avait beaucoup de brigands[65] : ils tuaient
ou blessaient souvent les voyageurs qui sortaient et descen-
daient de Jérusalem. Le Seigneur vient donc à Jéricho
avec ses disciples pour délivrer les blessés et entraîner avec
lui une grande foule. Enfin, lorsqu'il voulut sortir de
Jéricho, une foule considérable le suivit : s'il était resté
à Jérusalem, s'il n'avait pas consenti à descendre dans la
plaine, aujourd'hui encore la foule demeurerait dans les
ténèbres et l'ombre de la mort. Mais il y avait aussi le long
du chemin deux aveugles. Il appelle « aveugles » ceux qui
ne pouvaient encore dire : « En ta lumière, nous verrons la
lumière. » « Sur le bord du chemin », parce qu'ils semblaient
certes connaître la Loi, mais la voie qu'est le Christ, ils
l'ignoraient. En eux, la plupart voient les Pharisiens et les
Sadducéens, mais il en est d'autres qui comprennent les
deux peuples, celui de l'Ancien Testament et celui du Nouveau : parce que, suivant l'un la loi écrite, l'autre la loi
naturelle, ils étaient tous deux aveugles sans le Christ.
Incapables de voir par eux-mêmes, ils entendirent célébrer
la gloire du Sauveur et ils confessèrent le Fils de David.
Mais si en l'un et l'autre de ces aveugles, on voit le peuple
juif, la suite : « la foule les réprimandait » doit s'entendre
des[66] Gentils, eux que l'Apôtre avertit de ne point se glorifier,
de ne point s'enorgueillir vis-à-vis de leur propre racine.
Greffés eux-mêmes, par suite de l'erreur de leurs prédécesseurs, de l'olivier sauvage sur l'olivier franc, ils ne doivent
pas jalouser le salut de ces prédécesseurs.

« Fils de David, aie pitié de nous ! » La foule les réprimande.
Ils ne se taisent pas pour autant, mais ils répètent avec

fréquent dans le latin chrétien.

210 minant ut desiderium plenum uerae lucis ostendant.

32. Stetit Iesus et uocauit eos et ait. Caeci
erant, quo pergerent ignorabant, sequi non poterant
Saluatorem. Multae foueae in Hiericho, multae rupes et
praerupta in profundum uergentia ; idcirco Dominus
215 stat ut uenire possint, et uocari iubet ne turbae prohi-
beant, et interrogat quasi ignorans quid uelint, ut
ex responsione caecorum manifesta debilitas pareat et
uirtus ex remedio cognoscatur.

34. Misertus autem eorum Iesus tetigit oculos eorum,
220 et confestim uiderunt et secuti sunt eum. Tangit
oculos et praestat artifex quod natura non dederat,
aut certe quod debilitas tulerat donat misericordia,
statimque *uiderunt et secuti sunt eum*. Qui ante in
Hiericho contracti sedebant et clamare tantum noue-
225 rant, postea sequuntur Iesum non tam pedibus quam
uirtutibus.

21   **1-3.** Et cum adpropinquassent Hierosolymis et uenissent Bethfage ad montem oliueti, tunc Iesus misit
duos discipulos dicens eis : Ite in castellum quod contra uos est ac statim inuenietis asinam alligatam
5 et pullum cum ea ; soluite et adducite mihi et, si quis
uobis aliquid dixerit, dicite : Quia Dominus his opus
habet, et confestim dimittet eos. Egreditur de Hiericho turbis eductis inde quam plurimis, et caecis reddita sanitate
adpropinquat Hierosolymis, magnis ditatus mercibus ;

---

67. Nous modifions la ponctuation du *CCL*.
68. *Magnis ditatus mercibus* : expression obscure. Ces « grands biens »
dont Jésus est chargé, ce sont peut-être simplement ces foules qui l'accom-
pagnent. La traduction latine d'Origène (*GCS* 40, p. 503, 29) écrit : *Iesus...
mercatus multos in ea* (*Iericho*) *fideles*. Ou encore Jérôme pense à toutes
les promesses des prophètes : « Dites à la fille de Sion : Voici que vient
ton Sauveur. Le prix de sa victoire l'accompagne et ses trophées le pré-

insistance la même invocation pour montrer leur profond désir de la vraie lumière.

32. Et Jésus s'arrêta, les appela et leur dit. Aveugles, incapables de se diriger, ils ne pouvaient suivre le Sauveur. A Jéricho, il y a beaucoup de trous, de rochers, de précipices profonds. Aussi, le Seigneur s'arrête-t-il pour qu'ils puissent venir à lui et les fait appeler pour que la foule ne les en empêche. Il les interroge, comme s'il ignorait ce qu'ils veulent. Ainsi la réponse des aveugles montrera leur infirmité et leur guérison manifestera le miracle.

34. Ému de compassion, Jésus leur toucha les yeux, et aussitôt ils virent et le suivirent. Il touche leurs yeux et lui, le Créateur, accorde ce que la nature leur avait refusé, ou du moins, ce que leur infirmité leur avait enlevé, sa miséricorde le leur rend[67]. « Aussitôt ils virent et le suivirent. » Auparavant, ils restaient à Jéricho assis, recroquevillés, ne sachant que crier, désormais ils mettent à la suite de Jésus moins leurs pas que leurs vertus.

CHAPITRE 21

1-3. Comme ils approchaient de Jérusalem et qu'ils étaient arrivés à Bethphagé, près du Mont des Oliviers, alors Jésus envoya deux disciples en leur disant : « Allez au village qui est en face de vous et vous y trouverez aussitôt une ânesse attachée et, avec elle, son ânon ; détachez-la et amenez-les-moi. Et si quelqu'un vous dit quelque chose, dites : Le Seigneur en a besoin et il les renverra aussitôt. » Il sort de Jéricho, entraînant à sa suite des foules considérables. Après avoir guéri les aveugles, il approche de Jérusalem, chargé de biens[68]. Après avoir rendu la santé à ceux qui

---

cèdent » (*Is.* 62, 11), *ecce merces eius cum eo.*

10 salute credentium reddita, ingredi cupit urbem pacis
et locum uisionis Dei et arcem speculatoris. *Cumque
adpropinquasset Hierosolymis et uenisset Bethfage*, ad
domum maxillarum (qui sacerdotum uiculus erat et
confessionis portabat typum et erat situs in monte
15 oliueti, ubi lumen scientiae, ubi laborum et dolorum
requies) *misit duos discipulos suos*, θεωρητικὴν καὶ
πρακτικήν, id est scientiam et opera, ut ingrederentur
castellum, dixitque eis : *Ite in castellum quod contra
uos est.* Contra apostolos enim erat nec iugum doctri-
20 narum uolebat accipere. *Et statim*, inquit, *inuenietis
asinam alligatam et pullum cum ea : soluite et adducite
mihi.* Alligata erat asina multis uinculis peccatorum.
Pullus quoque lasciuus et frenorum inpatiens cum
matre, secundum euangelium Lucae, multos habebat
25 dominos, non uno errori et dogmati subditus ; et
tamen multi domini, qui sibi potestatem inlicitam
uindicabant, uidentes uerum Dominum et seruos
eius uenisse qui ad soluendum missi fuerant, non
audent resistere. Quae sit autem asina et pullus asinae
30 dicimus in subditis.

4.5. **Hoc autem factum est ut impleretur quod dictum est per prophetam dicentem : Dicite filiae Sion :**

21, 24. Cf. Lc 19, 33

---

69. Cf. *De interpr. hebr. nom.*, p. 50, 9 ; 39, 25.

70. « La maison des mâchoires » : cf. *De interpr. hebr. nom.*, p. 60, 24,
mais surtout ORIGÈNE, *In Matth.*, XVI, 17 (*GCS* 40, p. 532, 3 s.).

71. Le Mont des Oliviers, mont de l'huile, qui est source de lumière
et d'apaisement. « Le Mont des Oliviers, c'est l'Église » (ORIGÈNE, *ibid.*,
p. 532, 28).

72. « L'opposition entre πρακτικός et θεωρητικός est aristotélicienne »
(A. GUILLAUMONT, Introduction au *Traité pratique* d'ÉVAGRE LE PON-
TIQUE, *SC* 170, p. 40). Chez les auteurs chrétiens, la θεωρία recouvre
la vie contemplative, et la πρᾶξις l'action conforme aux vérités contem-
plées. L'opposition entre θεωρητική et πρακτική (sous-entendu φιλοσοφία)

croyaient, il veut entrer dans la ville de la paix, le lieu de la vision de Dieu, la citadelle du veilleur[69]. « Approchant de Jérusalem et arrivé à Bethphagé », la « maison des mâchoires[70] », — village sacerdotal, figure de la profession de foi et situé au Mont des Oliviers[71], là où se trouvent la lumière de la science, l'apaisement des fatigues et des douleurs —, « il envoya deux de ses disciples », *théôrêtikên kai praktikên*[72], c'est-à-dire la science et la pratique, pour entrer dans le village, et leur dit : « Allez au village qui est en face de vous. » En effet, il se dressait en face[73] des disciples et ne voulait pas recevoir le joug de leurs enseignements. « Et, dit-il, vous trouverez aussitôt une ânesse attachée et un ânon avec elle, détachez-la et amenez-les-moi. » L'ânesse avait été attachée par les nombreux liens du péché et, avec sa mère, l'ânon folâtre, rebelle à la bride[74], avait, selon l'Évangile de Luc, de nombreux maîtres. Il n'était pas soumis à une seule erreur, à une seule doctrine. Et cependant, ses nombreux maîtres qui s'arrogeaient sur lui un pouvoir illégitime[75], à la vue du vrai maître, à la venue de ses serviteurs envoyés pour le détacher, n'osent s'y opposer. Qui sont l'ânesse et le petit de l'ânesse, nous le disons plus bas.

4.5. Cela s'est passé pour que s'accomplît la parole du prophète : « Dites à la fille de Sion : voici que ton roi vient à toi

---

est courante chez Origène, comme chez les autres Pères grecs (cf. A. M. MALINGREY, *Philosophia*, Paris 1961, p. 355 s.). Jérôme traduit par *scientia* et *opera*. Ces deux mots recouvrent donc toute la vie spirituelle. Jérôme y revient à propos des deux talents (cf. *infra*, sur *Matth.* 25, 14-15 et 17).

73. *Contra* : Jérôme tire cette exégèse, qui nous paraît un peu verbale, du Commentaire de FORTUNATIEN, évêque d'Aquilée, qu'il a cité parmi ses sources (Préf., l. 96). Cf. *Comm. in Evangelia* II, dans *CCL* 9, p. 368, 50.

74. « Folâtre et rebelle à la bride » commente les paroles de Zacharie : le petit d'un animal soumis au joug. La mère est attachée ; lui ne connaît pas encore la bride. Fortunatien oppose déjà l'ânesse : *sub vinculo legis*, et le petit ânon : *novellus*, symbole du croyant : « Si vieux soit-on, quand on croit, on devient tout neuf » (*op. cit.*, p. 368, 17).

75. Nous modifions la ponctuation du *CCL*.

Ecce rex tuus uenit tibi mansuetus, sedens super asinam
et pullum filium subiugalis. Hoc in propheta Zacharia
35 scriptum est, de quo plenius, si uitae spatium fuerit,
in suo dicetur loco. Nunc stringendum breuiter quod
secundum litteram in paruo itineris spatio super
utrumque animal sedere non quiuerit. Aut enim asinae
sedit, et pullus absque sessore fuit, aut si pullo (quod
40 magis competit) abusus est ad sedendum, asina ducta
est libera. Ergo cum historia uel inpossibilitatem habeat
uel turpitudinem, ad altiora transmittimur ut asina
ista, quae subiugalis fuit et edomita et iugum legis
traxerit, synagoga intellegatur, pullus asinae lasciuus
45 et liber gentium populus quibus sederit Iesus, missis
ad eos duobus discipulis suis, uno in circumcisionem et
altero in gentes.

6.7. Euntes autem discipuli fecerunt sicut praecepit eis
Iesus, et adduxerunt asinam et pullum, et inposuerunt
50 super eos uestimenta sua, et eum desuper sedere fecerunt.
Pullus iste et asina, quibus apostoli sternunt uestimenta
sua ut Iesus mollius sedeat, ante aduentum Saluatoris
nudi erant, multisque sibi in eos dominatum uindicanti-
bus, absque operimento frigebant ; postquam uero
55 apostolicas suscepere uestes, pulchriores facti, Dominum
habuere sessorem. Vestis autem apostolica uel doctrina
uirtutum uel edissertio scripturarum intellegi potest
siue ecclesiasticorum dogmatum uarietates, quibus nisi
anima instructa fuerit et ornata sessorem habere
60 Dominum non meretur.

35. Cf. Zach. 9, 9

---

76. Cf. *In Zach.* II, 9, 9-10.
77. *Non quieverit (CCL)* est une grave erreur et ne peut se comprendre
avec *sedere*. Il faut adopter : *quiverit* avec O et C. Le terme se retrouve
dans notre commentaire en 24, 19.
78. L'application a été préparée plus haut (l. 22 s.), et S. Jérôme

plein de mansuétude, assis sur une ânesse et sur le petit d'une bête de somme. » Cela est écrit dans le prophète Zacharie. J'en parlerai plus longuement, à sa place, si je vis assez longtemps[76]. Qu'il nous suffise de dire pour l'instant qu'il est littéralement impossible[77], vu la brièveté du parcours, que Jésus se soit assis sur les deux animaux. Ou bien il s'est assis sur l'ânesse, et l'ânon resta sans cavalier ; ou bien, s'il s'est assis sur l'ânon, ce qui est plus convenable, l'ânesse a été conduite libre de charge. Le récit comportant soit une impossibilité, soit une inconvenance, nous sommes renvoyés à une interprétation plus profonde : cette ânesse, cette bête de somme domptée, qui avait porté le joug de la Loi, comprenons qu'il s'agit de la Synagogue[78], son petit ânon folâtre et libre, c'est le peuple des Gentils. Sur eux, Jésus s'est assis, après avoir envoyé deux de ses disciples[79], l'un vers les Circoncis, l'autre vers les Gentils.

6.7. **Les disciples allèrent et firent comme Jésus le leur avait prescrit. Ils amenèrent l'ânesse et l'ânon, mirent sur eux leurs vêtements et le firent asseoir dessus.** Cet ânon, cette ânesse sur lesquels les apôtres étendent leurs vêtements pour faire à Jésus un siège plus doux, étaient nus[80] avant la venue du Sauveur. Beaucoup s'en arrogeaient la possession mais, faute de couverture, ils avaient froid. Après qu'ils eurent reçu les vêtements des apôtres, devenus plus beaux, ils eurent pour cavalier le Seigneur. Par vêtement des apôtres, on peut comprendre l'enseignement des vertus ou l'explication des Écritures ou les divers dogmes de l'Église : sans cet appareil, sans cette parure, l'âme est indigne de porter le Seigneur.

---

suit ici ORIGÈNE, *In Matth.* XVI, 15 (*GCS* 40, p. 523, 23 s.) : *ligata erat peccatis, quae fuit synagoga...*

79. Cf. ORIGÈNE. Pour lui déjà, ce sont Pierre et Paul : *Petrus in circumsionem, Paulus ad gentes* (*ibid.* 533, 18-23).

80. Cf. ORIGÈNE, *ibid.* 536, 6.

**8. Plurima autem turba strauerunt uestimenta sua in
uia.** Videte differentiam uniuscuiusque personae. Apostoli uestimenta sua super asinum ponunt, turba quae
uilior est substernit pedibus asini, necubi offendat in
65 lapidem, ne calcet spinam, ne labatur in foueam.

**Alii autem caedebant ramos de arboribus et sternebant
in uia.** De arboribus frugiferis quibus mons oliueti
consitus est, caedebant ramos sternebantque in uia ut
praua recta facerent et aequarent inaequalia, quo
70 rectius atque securius in corde credentium Christus
daemonum atque uitiorum uictor incederet.

**9. Turbae autem quae praecedebant et quae sequeban-
tur clamabant dicentes : Osanna filio Dauid, benedictus
qui uenturus est in nomine Domini, osanna in excelsis.**
75 Quia manifesta est historia, spiritalem sequamur
ordinem disserendi. Turbae quae egressae fuerant
de Hiericho et secutae Saluatorem ac discipulos eius,
postquam pullum asinae solutum uiderunt qui ante
ligatus fuerat et apostolorum uestibus exornatum et
80 sedentem super eum Dominum Iesum, subposuerunt
uestimenta sua et strauerunt uiam ramis arborum ;
cumque opere cuncta fecissent, uocis quoque tribuunt
testimonium et praecedentes ac sequentes non breui et
silenti confessione sed clamore plenissimo resonant :
85 *Osanna filio Dauid, benedictus qui uenturus est in
nomine Domini.* Quod autem dicit : *Turbae quae praecedebant et quae sequebantur,* utrumque ostendit populum,
et qui ante euangelium et qui post euangelium Domino

69. Cf. Is. 40, 4

───────────

81. Il faut joindre *nec* et *ubi* en *necubi* = *ne alicubi.*
82. C'est l'entrée du Messie annoncé par les prophètes, cf. plus haut,
n. 68.

8. Alors une foule très nombreuse étendit ses vêtements sur le chemin. Voyez la différence entre les divers personnages. Les apôtres déposent leurs vêtements sur l'âne ; la foule, qui leur est inférieure, les étend sous les pieds de l'âne de peur qu'il ne[81] heurte quelque pierre, ne marche sur une épine ou ne tombe dans un trou.

D'autres coupaient des branches aux arbres et en jonchaient la route. Ils coupaient des branches aux arbres fruitiers qui poussent sur le Mont des Oliviers, en jonchaient le chemin pour redresser ce qui était tortueux, aplanir ce qui était raboteux[82], afin que, vainqueur des démons et des vices, le Christ avançât plus directement, plus sûrement dans le cœur des croyants.

9. Les foules qui précédaient et celles qui suivaient criaient : « Hosanna au fils de David. Béni soit celui qui va venir au nom du Seigneur. Hosanna au plus haut des cieux. » Puisque le sens historique est évident, suivons dans notre commentaire l'ordre spirituel. Les foules venues de Jéricho et qui avaient suivi le Sauveur et ses disciples, à la vue du petit de l'ânesse, auparavant attaché, maintenant délié et orné des vêtements des apôtres, à la vue du Seigneur Jésus monté sur lui, étendirent sous lui leurs vêtements et jonchèrent le chemin de rameaux. Après avoir fait tout cela de leurs mains elles apportent aussi le témoignage de leur voix. Ceux qui précèdent et ceux qui suivent ne se bornent pas à une profession de foi brève et silencieuse, leur clameur immense fait retentir le cri : « Hosanna au fils de David, béni soit celui qui va venir au nom du Seigneur. » Quant au sens de ces mots : « les foules qui précédaient et celles qui suivaient », cela montre que les deux peuples[83], celui qui crut au Seigneur avant l'Évangile et celui qui ne crut qu'après,

---

83. *Utrumque populum* : Cf. ORIGÈNE, *ibid.*, p. 538, 19-25.

crediderunt, consona Iesum confessionis uoce laudare
90 et, secundum superioris parabolae exemplum, diuersarum horarum operarios unum fidei accipere praemium.
Porro quod sequitur : *Osanna filio Dauid*, quid significet
et ante annos plurimos in breui epistula ad Damasum
tunc Romanae urbis episcopum dixisse me memini et
95 nunc perstringam breuiter. In centesimo septimo
decimo psalmo, qui manifeste de aduentu Saluatoris
scriptus est, inter cetera hoc quoque legimus : *Lapidem
quem reprobauerunt aedificantes hic factus est in caput
anguli, a Domino factum est istud, hoc est mirabile in*
100 *oculis nostris, haec est dies quam fecit Dominus, exultemus
et laetemur in ea* ; statimque iungitur : *O Domine saluum
me fac, o Domine bene prosperare, benedictus qui uenturus est in nomine Domini, benediximus uobis de
domo Domini*, et cetera. Pro eo quod in LXX habetur
105 interpretibus : *O Domine saluum me fac*, in hebraeo
legimus : Anna Adonai osi anna, quod manifestius
interpretatus est Symmachus dicens : Obsecro, Domine,
saluum me fac, obsecro. Nemo ergo putet ex duobus
uerbis, graeco uidelicet et hebreo, sermonem esse
110 compositum sed totum hebraicum et significare quod
aduentus Christi salus mundi sit. Vnde et sequitur :
Benedictus qui uenturus est in nomine Domini, Saluatore
quoque id ipsum in euangelio comprobante : *Ego
ueni in nomine Patris mei, et non me recepistis, alius
115 ueniet in nomine suo, et recipietis eum.* Necnon quod
iungitur : *Osanna* (id est salus) *in excelsis*, perspicue
ostenditur quod aduentus Christi non tantum hominum
salus sed totius mundi sit, terrena iungens caelestibus,
ut omne genu ei flectat caelestium et terrestrium et infer-
120 *norum.*

---

101. Ps. 117, 22-24 ‖ 104. Ps. 117, 25-26 ‖ 115. Jn 5, 43 ‖ 120. Phil.
2, 10

louent et proclament Jésus d'une même voix, et qu'à l'exemple de la précédente parabole, les ouvriers venus à des heures différentes reçoivent une même récompense, la foi. Quant au sens de ce qui suit : « Hosanna au Fils de David », je me souviens de l'avoir exposé, il y a bon nombre d'années, dans une courte lettre à Damase[84], alors évêque de Rome. Je vais maintenant le résumer brièvement. Dans le psaume 117, manifestement écrit au sujet de la venue du Sauveur, nous lisons entre autres : « La pierre rejetée par les bâtisseurs est devenue pierre angulaire. C'est le Seigneur qui a fait cela, une merveille à nos yeux. Voici le jour que le Seigneur a fait. Réjouissons-nous et exultons en ce jour. » Et suit immédiatement : « Seigneur, sauve-moi. Seigneur donne-nous la prospérité. Béni, celui qui va venir au nom du Seigneur : nous vous bénissons de la maison du Seigneur », etc. A la place du texte des Septante : *O Domine salvum me fac* (Seigneur, sauve-moi), nous lisons en hébreu : *Anna Adonai osi anna*, ce que Symmaque a plus clairement traduit par : « Je t'en conjure, Seigneur, sauve-moi, je t'en conjure. » Que personne n'aille donc croire que cette expression soit formée de deux mots, l'un grec, l'autre hébreu. Elle est tout entière hébraïque. Elle signifie que la venue du Christ est le salut du monde. D'où la suite : « Béni celui qui va venir au nom du Seigneur. » Interprétation confirmée par le Sauveur dans l'Évangile : « Je suis venu au nom de mon Père et vous ne m'avez pas reçu. Un autre viendra en son propre nom et vous le recevrez. » Quant à la suite : « Hosanna », c'est-à-dire salut, « au plus haut des cieux », il y est montré clairement que l'avènement du Christ n'est pas seulement le salut des hommes, mais celui du monde entier, car il unit la terre au ciel « pour que tout fléchisse le genou devant lui parmi les créatures du ciel, de la terre et des enfers. »

---

84. Il s'agit de la lettre 20 (Labourt I, p. 79 s.). Cf. aussi Origène, *In Matth.* XVI, 19 (*GCS* 40, p. 541, 14 s.).

10. Et cum intrasset Hierosolymam commota est
uniuersa ciuitas dicens : Quis est hic ? Introeunte Iesu
cum turba, tota Hierosolymorum ciuitas commouetur,
mirans frequentiam, nesciens ueritatem et dicens :
125 Quis est hic ? Quod quidem et in alio loco dicentes
angelos legimus : *Quis est iste rex gloriae* ? Aliis autem uel
ambigentibus uel interrogantibus, uilis plebicula confitetur, a minoribus incipiens ut ad maiora perueniat, et
dicit :

130 11. Hic est Iesus propheta a Nazareth Galileae.
Propheta, quem et Moyses similem sui dixerat esse
uenturum et qui proprie apud Graecos cum arthro
scribitur. *A Nazareth* autem *Galileae*, quia ibi edu-
catus fuerat ut flos campi nutriretur in flore uirtutum.

135 12.13. Et intrauit Iesus in templum Dei, et eiciebat
omnes uendentes et ementes in templo, et mensas nummulariorum et cathedras columbas uendentium subuertit,
et dicit eis : Scriptum est : Domus mea domus orationis
uocabitur, uos autem fecistis eam speluncam latronum.
140 Comitatus Iesus turba credentium, quae uestimenta sua
ut inlaeso pede pullus incederet strauerat, ingreditur
templum et eicit omnes qui uendebant et emebant
in templo mensasque nummulariorum subuertit, et
cathedras uendentium columbas dissipauit dixitque eis,
145 de scripturis sanctis testimonium proferens, quod
domus Patris eius orationis domus esse deberet, non
spelunca latronum uel domus negotiationis, sicut
in alio euangelista scriptum est. Et hoc primum scien-

132. Cf. Deut. 18, 15 ‖ 134. Cf. Cant. 2, 1 ‖ 145. Cf. Is. 56, 7 ; Jér.
7, 11 ‖ 148. Cf. Jn 2, 16

85. Même rapprochement dans ORIGÈNE, *In Matth.* XVI, 19 (p. 539,
17 s.).

**10. Et quand il fut entré dans Jérusalem, toute la cité
fut en rumeur et l'on disait : « Qui est-ce ? »** A l'entrée de
Jésus et de toute cette foule, la cité de Jérusalem tout entière
est en rumeur. Elle s'étonne de l'affluence, elle ignore la
vérité et dit : « Qui est-ce ? » C'est ce que nous lisons également
ailleurs[85], les anges disent : « Quel est ce roi de gloire ? »
Tandis que les uns hésitent, que les autres interrogent, c'est
la populace qui proclame Jésus, partant d'affirmations plus
modestes pour aboutir à de plus élevées[86]. Elle dit :

11. « C'est Jésus, le prophète de Nazareth en Galilée. »
Le prophète, celui dont Moïse avait prédit qu'il viendrait
semblable à lui, sens que précise en grec l'article ; de Nazareth
en Galilée, car c'est là qu'il avait été élevé afin que la fleur
des champs fût nourrie dans la fleur des vertus[87].

**12.13. Et Jésus entra dans le temple de Dieu et il en chassait
tous ceux qui vendaient et achetaient dans le Temple et il
culbuta les tables des changeurs ainsi que les sièges des vendeurs
de colombes, et il leur dit : « Il est écrit : Ma maison sera
appelée une maison de prière et vous, vous en avez fait un
repaire de brigands. »** Accompagné de la foule des croyants
qui avaient étendu leurs vêtements pour que l'ânon avançât
sans se blesser le pied, Jésus entre dans le Temple, expulse
tous ceux qui y achetaient ou vendaient, culbute les tables
des changeurs, bouscule les sièges de ceux qui vendaient des
colombes et leur dit en invoquant le témoignage de la sainte
Écriture que la Maison de son Père devait être une maison
de prière, non un repaire de brigands, ou une maison de
trafic selon l'expression d'un autre évangéliste. A ce sujet,

---

86. Jérôme veut sans doute dire qu'il y a progrès dans la profession
de foi : ils confessent d'abord Jésus, puis le prophète, enfin le Nazaréen,
fleur des vertus.

87. *Nazareth, flos munditiae* : cf. *De interpr. hebr. nom.*, p. 62, 24.
Mais allusion aussi à *Cant.* 2, 1 : *Ego flos campi et lilium conuallium.*

dum quod iuxta mandata legis, augustissimo in toto
150 orbe templo Domini et de cunctis paene regionibus
Iudaeorum illuc populo confluente, innumerabiles immo-
labantur hostiae, maxime festis diebus, taurorum, arie-
tum, hircorum, pauperibus ne absque sacrificio essent
pullos columbarum et turtures offerentibus : accidebat
155 plerumque ut qui de longe uenerant non haberent uictimas. Excogitauerunt igitur sacerdotes quomodo praedam de populo facerent, et omnia animalia quibus opus
erat ad sacrificia uendebant, ut et uenderent non
habentibus et ipsi rursum empta susciperent. Hanc
160 stropham eorum crebra uenientium inopia dissipabat,
qui indigebant sumptibus et non solum hostias non
habebant, sed nec unde emerent quidem aues et uilia
munuscula. Posuerunt itaque et nummularios qui
mutuam sub cautione darent pecuniam, sed quia erat
165 lege praeceptum ut nemo usuras acciperet, et prodesse
non poterat pecunia fenerata quae commodi nihil
haberet et interdum sortem perderet, excogitauerunt et
aliam technam ut pro nummulariis collybistas facerent,
cuius uerbi proprietatem latina lingua non exprimit.
170 Collyba dicuntur apud eos quae nos appellamus trage-
mata uel uilia munuscula, uerbi gratia frixi ciceris
uuarumque passarum et poma diuersi generis. Igitur
quia usuras accipere non poterant collybistae qui
pecuniam fenerati erant, pro usuris accipiebant uarias
175 species, ut quod in nummo non licebat, in his rebus exi-
gerent quae nummis coemuntur, quasi non hoc ipsum
Hiezechiel praecauerit dicens : *Vsuram et superabundan-*
tiam non accipietis. Istiusmodi Dominus cernens in
domo Patris negotiationem seu latrocinium, ardore spi-
180 ritus concitatus iuxta quod scriptum est in sexagesimo
octauo psalmo : *Zelus domus tuae comedit me,* fecit

voici ce qu'il faut tout d'abord savoir : conformément aux prescriptions de la Loi, dans le temple du Seigneur, le plus auguste de tout l'univers, où le peuple juif accourait de presque toutes les contrées, on immolait d'innombrables victimes, surtout aux jours de fêtes : taureaux, béliers, boucs ; pour ne pas rester sans offrir des sacrifices, les pauvres offraient de petites colombes et des tourterelles. Il arrivait souvent que ceux qui étaient venus de loin n'avaient point de victimes (à leur disposition). Les prêtres imaginèrent donc un moyen d'exploiter le peuple. Tous les animaux nécessaires aux sacrifices, ils les vendaient, si bien que, à la fois, ils vendaient à ceux qui n'en avaient pas, et ils recouvraient eux-mêmes ce qu'on leur avait acheté. Mais la misère fréquente de ceux qui arrivaient rendait vaine cette astuce : ils manquaient d'argent ; non seulement ils ne disposaient pas de victimes, mais même pas de quoi acheter des oiseaux et les plus modestes offrandes. Donc, ils placèrent également des banquiers qui prêtaient de l'argent sous caution. Mais la Loi interdisait l'usure : aucun avantage à un prêt qui ne rapportait rien, où on pouvait parfois perdre le capital. Ils imaginèrent donc une autre combinaison. Ils remplacèrent les changeurs par des colly-bistes, terme qui n'a pas son équivalent en latin. Par « colly-ba », ils désignent ce que nous appelons « épices » ou menus cadeaux, par exemple pois chiches grillés, raisins secs, fruits divers. Ainsi ne pouvant recevoir d'intérêt, les collybistes qui avaient prêté de l'argent, recevaient à la place d'intérêts des cadeaux variés, si bien que ce qu'il leur était interdit de recevoir en argent, ils l'extorquaient sous forme de choses qu'on achète à prix d'argent, comme si Ézéchiel n'avait pas d'avance mis en garde contre cela aussi, disant : « Vous ne recevrez pas d'intérêt ni de surplus. » A la vue d'un trafic ou plutôt d'un brigandage pareil dans la maison de son Père, le Seigneur, transporté d'ardeur, selon les paroles du psaume 68 : « Le zèle de ta maison me dévore », se fit

sibi flagellum de funiculis et tantam hominum multitudinem eiecit de templo dicens : *Scriptum est : Domus*
mea domus orationis uocabitur, uos autem fecistis eam
185 *speluncam latronum.* Latro est enim, et templum Dei
in latronum conuertit specum, qui lucra de religione
sectatur, cultusque eius non tam cultus Dei quam
negotiationis occasio est. Hoc iuxta historiam. Ceterum
secundum mysticos intellectus cotidie Iesus ingreditur
190 templum Patris et eicit omnes tam episcopos et presbiteros et diaconos quam laicos et uniuersam turbam de
ecclesia sua et unius criminis habet uendentes pariter
et ementes ; scriptum est enim : *Gratis accepistis,*
gratis date. Mensas quoque nummulariorum subuertit.
195 Obserua propter auaritiam sacerdotum altaria Dei
nummulariorum mensas appellari. Cathedrasque uendentium columbas euertit qui uendunt gratiam Spiritus
sancti et omnia faciunt ut subiectos populos deuorent,
de quibus dicitur : *Qui deuorant populum meum sicut*
200 *escam panis.* Iuxta simplicem intellegentiam columbae
non erant in cathedris sed in caueis, nisi forte columbarum institores sedebant in cathedris, quod penitus
absurdum est, quia in cathedris magistrorum magis
dignitas indicatur, quae ad nihilum redigitur cum
205 mixta fuerit lucris. Quod de ecclesiis diximus, unusquisque et de se intellegat. Dicit enim apostolus Paulus :
Vos estis templum Dei, et Spiritus sanctus habitat in
uobis. Non sit in domo pectoris nostri negotiatio,
non uendentium ementiumque commercia, non dono-
210 rum cupiditas, ne ingrediatur Iesus iratus et rigidus, et
non aliter mundet templum suum nisi flagello adhibito,

194. Matth. 10, 8 ‖ 200. Ps. 13, 4 ‖ 208. I Cor. 3, 16

---

88. Même application aux évêques, aux prêtres, aux diacres (pré-
posés aux tables : *Act.* 6, 2) dans ORIGÈNE, *In Matth.* XVI, 22 (*GCS*
40, p. 549, 27 ; 552, 29 s.).

un fouet avec des cordes et chassa du Temple cette foule si considérable en disant : « Il est écrit : Ma maison sera nommée maison de la prière et vous en avez fait un repaire de brigands. » Car c'est un brigand et il fait du temple de Dieu un repaire de brigands, celui qui veut tirer profit de la religion, celui dont le culte est moins un culte envers Dieu qu'une occasion de trafic. Voilà pour le sens historique. Voici pour le sens mystique. Chaque jour Jésus entre dans le temple de son Père et chasse de son Église tout le monde, aussi bien évêques, prêtres, diacres[88], que laïcs et toute la foule et il accuse d'une même faute ceux qui vendent comme ceux qui achètent. Il est écrit, en effet : « Vous avez reçu gratuitement, donnez gratuitement. » Il culbute aussi les tables des changeurs. Observe-le : la cupidité des prêtres fait donner aux autels de Dieu le nom de tables de changeurs. Il renverse les sièges des vendeurs de colombes, eux qui vendent la grâce de l'Esprit-Saint et font tout pour dévorer les peuples qui leur sont soumis. C'est eux dont il est dit : « Ils dévorent mon peuple comme une bouchée de pain. » Il est bien évident que les colombes n'étaient pas sur des chaires mais dans des cages, à moins peut-être que les vendeurs de colombes ne fussent assis sur des chaires, situation profondément absurde parce que, par les chaires, c'est la dignité des maîtres qui est soulignée et que celle-ci est réduite à néant lorsque le lucre s'y mêle. Ce que nous avons dit des églises, que chacun se l'applique également[89]. L'Apôtre dit : « Vous êtes le temple de Dieu et l'Esprit-Saint habite en vous. » Qu'il n'y ait point de négoce dans la maison de notre cœur, point de trafic de vendeurs et d'acheteurs, point de désir de cadeaux, de peur que Jésus ne pénètre en nous irrité, inflexible, et qu'il ne purifie pas son temple autrement

---

89. ORIGÈNE aussi passe des églises (p. 554, 31) à la nature raisonnable qui est le temple de Dieu (p. 555, 10 s.).

ut de spelunca latronum et domo negotiationis domum
faciat orationis.

14. Et accesserunt ad eum caeci et claudi in templo, et
215 **sanauit eos.** Nisi mensas nummulariorum subuertisset
cathedrasque columbas uendentium, caeci et claudi
lucem pristinam et concitum gradum non meruissent
recipere.

15.16. Videntes autem principes sacerdotum et scribae
220 **mirabilia quae fecit et pueros clamantes in templo et**
dicentes : Osanna filio Dauid, indignati sunt et dixerunt
ei : Audis quid isti dicant ? Plerique arbitrantur
maximum esse signorum quod Lazarus suscitatus est,
quod caecus ex utero lumen acceperit, quod ad Iordanen
225 uox audita sit Patris, quod transfiguratus in monte
gloriam ostenderit triumphantis. Mihi inter omnia signa
quae fecit, hoc uidetur esse mirabilius quod unus homo
et illo tempore contemptibilis et in tantum uilis ut
postea crucifigeretur, scribis et Pharisaeis contra
230 se saeuientibus et uidentibus lucra sua destrui, potuerit
ad unius flagelli uerbera tantam eicere multitudinem
mensasque subuertere et cathedras confringere et
alia facere quae infinitus non fecisset exercitus. Igneum
enim quiddam atque sidereum radiabat ex oculis eius et
235 diuinitatis maiestas lucebat in facie. Cumque manum
non audeant inicere sacerdotes, tamen opera calumniantur et testimonium populi atque puerorum qui
clamabant : *Osanna filio Dauid,* uertunt in calumniam,
quod uidelicet hoc non dicatur nisi soli filio Dei. Videant
240 ergo episcopi et quamlibet sancti homines cum quanto

223. Cf. Jn 11, 43 ‖ 224. Cf. Jn 9, 7 ‖ 225. Cf. Matth. 3, 17 ‖ 226. Cf.
Matth. 17, 2

90. Jérôme fait allusion à un usage liturgique : on accueillait les évêques

qu'avec le fouet, pour faire d'un repaire de brigands, d'une maison de trafic, la demeure de la prière.

14. **Et des aveugles et des boiteux vinrent à lui dans le temple et il les guérit.** S'il n'avait renversé les tables des changeurs et les sièges des vendeurs de colombes, aveugles et boiteux n'eussent pas mérité de recouvrer la lumière de jadis et l'agilité de la marche.

15.16. **Mais les princes des prêtres et les scribes, voyant les merveilles qu'il avait faites et les enfants qui criaient dans le Temple : « Hosanna au Fils de David », s'indignèrent et ils lui dirent : « Entends-tu ce qu'ils disent ? »** La plupart des gens estiment que les plus grands de ses miracles ont été la résurrection de Lazare, la vue rendue à l'aveugle-né, la voix du Père entendue au bord du Jourdain, sa transfiguration sur la montagne où il montra sa gloire triomphale. Pour moi, de tous les miracles qu'il a accomplis, voici, semble-t-il, le plus étonnant. C'est qu'un seul homme, alors méprisable, si peu considéré qu'on le crucifiera ensuite, ait pu, à coups de fouet seulement, au milieu des scribes et des Pharisiens déchaînés contre lui et voyant la ruine de leurs profits, chasser si grande foule, renverser les tables, briser les sièges, faire ce que n'eût pu faire une armée sans nombre. C'est que ses yeux jetaient comme des flammes et des éclairs, et la majesté divine brillait sur son visage. Les prêtres n'osent porter la main sur lui, mais ils calomnient sa conduite, et l'hommage qui s'élève de la bouche du peuple et des enfants : « Hosanna au fils de David », ils lui en font reproche sous prétexte que cela ne devrait se dire qu'au fils de Dieu ! Que les évêques[90], que tous les personnages,

---

en chantant le psaume 117. On en trouve un témoignage dans l'*Itinéraire* du Pseudo-ANTONIN DE PLAISANCE (*CCL* 175, p. 149 et 172) : *Occurrentes mulieres cum infantibus... lingua aegyptiaca psallentes antiphonam : benedicti uos a Domino et benedictus aduentus uester. Osanna in excelsis.*

periculo dici ista sibi patiantur, si Domino, cui uere
hoc dicebatur, quia necdum erat solida credentium
fides, pro crimine impingitur.

16. Iesus autem dicit illis : Vtique ; numquam legistis
245 quia ex ore infantium et lactantium perfecisti laudem ?
Quam moderate sententia temperata et responsio
in utrumque uergens et calumniae non patens. Non dixit
quod scribae audire cupiebant : Bene faciunt pueri ut
mihi testimonium perhibeant ; nec rursum : Errant,
250 pueri sunt, debetis aetati ignoscere ; sed profert exemplum de octauo psalmo ut, tacente Domino, testimonium scripturarum puerorum dicta firmaret.

17. Et relictis illis, abiit foras extra ciuitatem in
Bethaniam, ibique mansit. Reliquit incredulos et urbem
255 egressus contradicentium iuit Bethaniam, quod interpretatur domus oboedientiae, iam tunc uocationem
gentium praefigurans, ibique mansit quia in Israhel
permanere non potuit. Hoc quoque intellegendum est
quod tantae fuerit paupertatis et ita nulli adulatus sit,
260 ut in urbe maxima nullum hospitem, nullam inuenerit
mansionem, sed in agro paruulo apud Lazarum soro-
resque eius habitaret ; eorum quippe uicus Bethania
est.

18-20. Mane autem reuertens in ciuitatem esuriit, et
265 uidens fici arborem unam secus uiam, uenit ad eam et nihil
inuenit in ea nisi folia tantum. Et ait illi : Numquam
ex te fructus nascatur in sempiternum. Et arefacta

244. Cf. Ps. 8, 3

91. *Perficisti* (*CCL*) ne peut être qu'une erreur de copiste. Nous avons
rétabli : *perfecisti* avec O K.

quelle que soit leur sainteté, voient donc à quel péril ils s'exposent à se laisser appliquer ces termes puisque, vu le peu de solidité de la foi des croyants d'alors, on en fait un crime au Seigneur auquel ils s'appliquaient en vérité.

16. Et Jésus leur dit : « Oui. N'avez-vous jamais lu : C'est de la bouche des enfants, de ceux qui sont encore à la mamelle que tu as tiré[91] une louange ? » Avec quelle mesure dose-t-il ses mots, et sa réponse peut être interprétée dans les deux sens et ne laisse pas prise à la calomnie. Il n'a pas dit, ce que les scribes désiraient entendre : ces enfants ont raison de me rendre témoignage ; ni au contraire : ils se trompent, ce sont des enfants, vous devez pardonner à leur âge ; mais il tire un exemple du psaume 8 pour que, malgré le silence du Seigneur, le témoignage de l'Écriture confirme les paroles des enfants.

17. Il les laissa, sortit de la ville et s'en alla à Béthanie où il resta la nuit. Il laissa les incrédules, sortit de la ville de ses contradicteurs, et alla à Béthanie, ce qui signifie la maison de l'obéissance[92], préfigurant déjà la vocation des Gentils. Il y resta parce qu'il ne put demeurer en Israël. Voici ce qu'on doit également comprendre. Il était si pauvre, et si loin de flatter personne que, dans une si grande ville, il ne put trouver ni hôte, ni demeure et qu'il habitait dans une toute petite propriété chez Lazare et ses sœurs ; Béthanie est précisément leur village.

18-20. Le matin en revenant dans la ville, il eut faim. Il vit un figuier près du chemin, s'en approcha, mais n'y trouva que des feuilles et il lui dit : « Que jamais plus de toi ne naisse de fruit. » Et aussitôt le figuier sécha. A cette vue,

---

92. Cf. *De interpr. hebr. nom.*, p. 60, 27. L'utilisation de l'étymologie se trouve déjà dans ORIGÈNE, *In Matth.* XVI, 26 (*GCS* 40, p. 560, 32 s.).

est continuo ficulnea. Et uidentes discipuli mirati
sunt, dicentes : Quomodo continuo aruit ? Discussis
270 noctis tenebris matutina luce radiante et uicina meridie,
in qua Dominus passione sua inlustraturus erat orbem,
cum in ciuitatem reuerteretur esuriit, uel ueritatem humanae carnis ostendens uel esuriens salutem
credentium et aestuans ad incredulitatem Israhelis.
275 Cumque uidisset arborem unam, quam intellegimus
synagogam et conciliabulum Iudaeorum, iuxta uiam
(habebat enim legem et iuxta uiam erat quia non
credebat in Via) uenit ad eam, stantem scilicet et immo-
bilem et non habentem euangelii pedes, nihilque inuenit
280 in illa nisi folia tantum, promissionum strepitum,
traditiones Pharisaicas, iactationem legis, ornamenta
uerborum absque ullis fructibus ueritatis. Vnde et
alius euangelista dicit : *Nondum enim erat tempus*,
siue quod tempus nondum uenerat saluationis Israhel eo
285 quod necdum gentilium populus subintrasset, siue
quod praeterisset tempus fidei quia ad illum primum
ueniens et spretus transisset ad nationes. *Et ait illi* :
Numquam ex te fructus nascatur, uel *in sempiternum*,
uel *in saeculum* : utrumque enim αἰών graecus sermo
290 significat. *Et arefacta est ficulnea*, quia esuriente Domino
cibos quos ille cupierat non habebat. Sic autem aruerunt
folia ut truncus ipse remaneret et fractis ramis uireret
radix, quae in nouissimo tempore, si credere uoluerint,
uirgulta fidei pullulet, impleaturque scriptura dicens :
295 *Est arbori spes*. Iuxta litteram autem Dominus passurus
in populis et baiulaturus scandalum crucis debuit

279. Cf. Rom. 10, 15 ; Nah. 1, 15 ‖ 283. Mc 11, 13 ‖ 295. Job 14, 7

93. *Iuxta uiam*. Cohérence des explications : cf. *secus uiam, supra*,
chap. 20, l. 194.

les disciples furent étonnés et dirent : « Comment ce figuier est-il devenu sec à l'instant ? » Les ténèbres de la nuit dissipées par les rayons de la clarté matinale, aux environs de midi, cette heure où il allait, par sa Passion, illuminer le monde, le Seigneur, retournant dans la ville, eut faim, soit qu'il montrât la réalité de son incarnation, soit qu'il eût faim du salut des croyants, et soif en face de l'incrédulité d'Israël. Il vit un arbre — nous y voyons la synagogue et l'assemblée des Juifs — à côté du chemin[93]. En effet, la synagogue possédait la Loi, mais elle était à côté du chemin parce qu'elle ne croyait pas en celui qui était le Chemin. Il s'approcha d'elle, qui se dressait, immobile, sans avoir de pieds pour annoncer l'Évangile, et il n'y trouva que des feuilles, le bruissement des promesses, les traditions pharisaïques, la suffisance de la Loi, l'éclat des belles paroles, sans aucun fruit de vérité. D'où la parole d'un autre évangéliste : « Car ce n'était pas encore le moment », soit que le temps du salut d'Israël ne fût point encore venu parce que le peuple des Gentils n'avait pas encore fait son entrée, soit que le temps de croire fût dépassé, parce que le Seigneur, venu tout d'abord au peuple juif, mais méprisé, avait passé aux Gentils. « Et il lui dit : Que jamais un fruit ne naisse de toi dans l'éternité » ou « dans le siècle », tels sont en effet les deux sens du mot grec *aiôn*, et le figuier fut desséché parce qu'il n'offrait pas à la faim du Seigneur la nourriture désirée. Mais si les feuilles se desséchèrent, le tronc lui-même demeurait, et si les rameaux étaient brisés, la racine vivait[94], capable, si elle accepte de croire dans les derniers temps, de pousser des surgeons de foi, pour qu'ainsi soit accomplie la parole de l'Écriture : « L'arbre n'est point sans espérance. » Et voici le sens littéral : avant de subir la passion au milieu des peuples et de porter le scandale de la croix, le Seigneur

---

94. Dans ce passage, Jérôme utilise le chapitre XI de l'*Épître aux Romains*. Paul y laisse entrevoir la conversion d'Israël à la fin des temps.

discipulorum animos signi anticipatione firmare. Vnde
et discipuli mirantur dicentes : *Quomodo continuo aruit* ?
Potuit ergo Saluator eadem uirtute etiam inimicos
300 siccare suos nisi eorum per paenitentiam exspectasset
salutem.

21. Respondens autem Iesus ait eis : Amen dico
uobis : Si habueritis fidem et non haesitaueritis, non
solum de ficulnea facietis sed et si monti dixeritis :
305 Tolle et iacta te in mare, fiet. Latrant contra nos
gentilium canes in suis uoluminibus quos ad impietatis
propriae memoriam reliquerunt, adserentes apostolos
non habuisse fidem quia montes transferre non potuerint. Quibus nos respondebimus multa facta esse
310 signa a Domino, iuxta Iohannis euangelistae testimonium, quae si scripta essent mundus capere non
posset, non quo mundus uolumina capere non potuerit quae potest quamuis multiplicia sint unum armario-
lum uel unum capere scrinium, sed quo magnitudinem
315 signorum pro miraculis et incredulitate ferre non
possit. Igitur et haec credimus fecisse apostolos, sed
ideo scripta non esse ne infidelibus contradicendi
maior daretur occasio. Alioquin interrogemus eos
utrum credant his signis quae scripta narrantur annon,
320 et cum incredulos uiderimus, consequenter probabimus
nec maioribus eos credituros fuisse qui minoribus non
crediderint. Hoc aduersum illos. Ceterum nos, ut ante
iam diximus, montem diabolum intellegamus superbien-
tem et iactantem se contra creatorem suum, qui a
325 propheta mons corruptus appellatur, et cum animam

312. Cf. Jn 21, 25 ‖ 325. Cf. Jér. 51, 25

95. *Canes* : il s'agit de Porphyre et de l'empereur Julien l'Apostat ;
cf. *supra*, chap. 17, l. 191 : *stultitiae coarguendi (sunt).*

dut par avance affermir l'esprit de ses disciples par un
miracle. D'où leur étonnement : « Comment s'est-il immédiatement desséché ? » En vertu de cette même puissance miraculeuse, le Sauveur aurait pu dessécher également ses ennemis, s'il n'avait attendu leur salut par les voies de la pénitence.

21. Jésus leur répondit : « En vérité, je vous le dis, si vous
avez la foi, si vous n'hésitez pas, non seulement vous ferez
ce que j'ai fait du figuier, mais même si vous dites à cette montagne : Ote-toi de là et jette-toi dans la mer, cela se fera. »
Ils aboient contre nous les chiens[95] des Gentils dans les
livres qu'ils ont laissés en témoignage de leur impiété personnelle, eux qui prétendent que les apôtres n'avaient pas
la foi, puisqu'ils n'ont pu transporter les montagnes. Nous
leur répondrons que, selon le témoignage de Jean l'Évangéliste, le Seigneur accomplit beaucoup de signes et que, si
on les avait transcrits, le monde n'aurait pu les contenir,
non qu'il ne pût contenir ces volumes, quel qu'en fût le
nombre, qu'une seule petite armoire ou un seul coffre peut
contenir, mais parce que le monde, vu son incrédulité devant
les miracles, ne peut pas accepter la grandeur de ces signes.
Nous croyons donc que les apôtres aussi en ont fait de tels,
mais que cela n'a pas été écrit pour ne pas offrir aux incroyants
une occasion de plus de nous critiquer. D'ailleurs, demandons-
leur s'ils croient ou non aux miracles que nous racontent
les écrits, nous les trouverons incrédules et par conséquent
nous conclurons qu'ils n'auraient également pas cru à des
miracles plus grands, eux qui n'ont pas cru aux moindres.
Voilà pour leur répondre. Mais, comme nous l'avons déjà
dit[96], en cette montagne, voyons le diable orgueilleusement
dressé contre son Créateur, lui que le prophète appelle
montagne de corruption : lorsqu'il a pris possession de l'âme

---

96. Cf. *supra*, 17, 20.

hominis possederit et in ea fuerit radicatus, ab apostolis
et his qui similes apostolorum sunt transferri potest
in mare, hoc est in loca salsa et fluctuantia et amara
quae nullam habent dulcedinem Dei. Id ipsum et
330 in psalmis legitur : *Non timebimus dum turbabitur
terra et transferentur montes in cor maris.*

23. Et cum uenisset in templum, accesserunt ad eum
docentem principes sacerdotum et seniores populi,
dicentes : In qua potestate haec facis et quis tibi dedit
335 hanc potestatem ? Diuersis uerbis eandem quam supra
calumniam struunt quando dixerunt : *In beelzebub
principe daemoniorum eicit hic daemonia.* Quando enim
dicunt : *In qua potestate haec facis,* de Dei dubitant
potestate et subintellegi uolunt diaboli esse quod
340 faciat ; addentes quoque : *quis tibi dedit hanc potestatem,* manifestissime Dei filium negant quem putant
non suis sed alienis uiribus signa facere.

24.25. Respondens Iesus dixit illis : Interrogabo uos
et ego unum sermonem, quem si dixeritis mihi, et
345 ego uobis dicam in qua potestate haec facio. Baptismum Iohannis unde erat, de caelo an ex hominibus ?
et reliqua. Hoc est quod uulgo dicitur : Malo arboris
nodo malus clauus aut cuneus infigendus est. Poterat
Dominus aperta responsione temptatorum calumniam
350 confutare, sed prudenter interrogat, ut suo ipsi uel
silentio uel sententia condemnentur. Si enim respon-
dissent baptisma Iohannis esse de caelo, ut ipsi sapientes in malitia pertractarunt, consequens erat
responsio : Quare ergo non estis baptizati a Iohanne ?
355 Si dicere uoluissent humana deceptione compositum

---

331. Ps. 45, 3 ‖ 337. Lc 11, 15. Cf. Matth. 12, 24

d'un homme, qu'il s'y est enraciné, les apôtres et ceux qui leur ressemblent peuvent le précipiter dans la mer, c'est-à-dire, dans les lieux salés, agités, amers, privés de toute douceur de Dieu. La même pensée se lit dans les psaumes : « Nous serons sans crainte lorsque la terre sera bouleversée et que les montagnes seront précipitées au sein de la mer. »

23. Et quand il fut venu dans le Temple, alors qu'il enseignait, les princes des prêtres et les anciens du peuple vinrent le trouver. Ils lui dirent : en vertu de quel pouvoir fais-tu cela et qui t'a donné ce pouvoir ? Ils échafaudent, mais en d'autres termes, la même calomnie que plus haut lorsqu'ils disaient : « C'est par Béelzébub, prince des démons, qu'il chasse les démons. » Et lorsqu'ils disent : « En vertu de quel pouvoir fais-tu cela ? », ils doutent qu'il le fasse par la puissance de Dieu et veulent suggérer que c'est par celle du diable. En ajoutant : « Qui t'a donné ce pouvoir ? », ils nient formellement qu'il est fils de Dieu, puisqu'ils attribuent ses miracles non à sa propre puissance mais à celle d'autrui.

24.25 Jésus leur répondit en ces termes : « Moi aussi je vous poserai une simple question et si vous m'y répondez, moi aussi je vous dirai en vertu de quel pouvoir je fais cela. Le baptême de Jean, d'où venait-il ? Du ciel ou des hommes ? » etc. C'est le dicton populaire : « Dans un mauvais nœud d'arbre, il faut enfoncer un clou ou un coin mauvais. » Le Seigneur pouvait, par une réponse directe, confondre la calomnie de ceux qui l'éprouvaient, mais il leur pose une question habile pour qu'ils se condamnent eux-mêmes, soit par leur silence, soit par leur réponse. En effet, s'ils avaient répondu que le baptême de Jean venait du ciel — et ils l'ont bien compris, car ils étaient eux-mêmes intelligents en leur malice —, la réponse allait de soi : pourquoi donc n'avez-vous pas été baptisés par Jean ? Eussent-ils voulu dire que ce baptême était l'œuvre d'une duperie

et nihil habuisse diuinum, seditionem populi formida-
bant. Omnes enim congregatae multitudines Iohannis
receperant baptisma et sic eum habebant ut prophetam. Respondit itaque impiissima factio et humilitatis
360 uerbo quo nescire se diceret usa est ad insidias coap-
tandas.

27. Ait illis et ipse : Nec ego dico uobis in qua potestate
haec facio. Illi in eo quod se nescire responderant
mentiti sunt ; consequens ergo erat iuxta responsionem
365 eorum Dominum quoque dicere : Nec ego scio, sed
mentiri ueritas non potest ; et ait : Nec ego dico uobis. Ex
quo ostendit et illos scire sed respondere nolle et se
nosse et ideo non dicere, quia illi quod sciant taceant,
et statim infert parabolam qua et illos impietatis
370 arguat et ad gentes regnum Dei doceat transferendum.

28-32. Quid autem uobis uidetur ? Homo habebat duos filios et accedens ad primum dixit : Vade
hodie operare in uineam meam. Ille autem respondens ait : Nolo, postea uero paenitentia motus abiit.
375 Accedens autem ad alterum dixit similiter. At ille
respondens ait : Eo domine, et non iuit. Hi sunt
duo filii qui et in Lucae parabola describuntur, frugi et
luxuriosus et de quibus Zacharias propheta loquitur :
Adsumpsi mihi duas uirgas, unam uocaui decorem
380 et alteram uocaui funiculum et paui gregem. Primo
dicitur gentilium populo per naturalis legis notitiam :
Vade et operare in uineam meam, hoc est : quod tibi
non uis fieri alteri ne feceris. Qui superbe respondit :
Nolo, postea uero in aduentu Saluatoris acta paenitentia,
385 operatus est in uinea Dei et sermonis contumaciam
labore correxit. Secundus autem filius populus Iudaeo-

377. Cf. Lc 15, 11-32 ‖ 380. Zach. 11, 7

humaine, et n'avait rien de divin, ils redoutaient alors une sédition populaire, car toutes les foules rassemblées avaient reçu le baptême de Jean et le considéraient comme un prophète. Alors, pour bien disposer ses pièges, cette secte si impie tint le langage de l'humilité et dit qu'elle ne savait pas.

27. Et il leur dit à son tour : « Et moi non plus je ne vous dis pas en vertu de quel pouvoir je fais cela. » En disant qu'ils ne savaient pas, ils ont menti. Il était donc logique, vu leur réponse, que le Seigneur à son tour déclare : « Moi non plus je ne sais pas. » Mais la Vérité ne saurait mentir et il dit : « Moi non plus je ne vous le dis pas. » Par là il montre et qu'eux savent, mais ne veulent pas répondre, et que lui le sait, mais ne veut point parler parce qu'ils taisent ce qu'ils savent. Aussitôt, il introduit une parabole qui les convainc d'impiété et enseigne que le royaume de Dieu doit passer aux Gentils.

28-32. « Mais dites-moi votre avis : Un homme avait deux fils. S'adressant au premier, il lui dit : Va aujourd'hui travailler à ma vigne. — Je ne veux pas, répondit-il. Mais ensuite, pris de remords, il y alla. S'adressant à l'autre, le père parla de même et celui-ci répondit : J'y vais, Seigneur, et il n'y alla point. » Ce sont les deux fils évoqués dans la parabole de Luc, l'un bien rangé, l'autre débauché, ceux dont parle le prophète Zacharie : « Je pris deux houlettes, je nommai l'une la beauté et je nommai l'autre le cordeau et je fis paître le troupeau. » Il est dit tout d'abord au peuple des Gentils par la connaissance de la loi naturelle : « Va travailler dans ma vigne », c'est-à-dire ne fais pas à autrui ce que tu ne voudrais pas qu'on te fît ; et il répondit avec orgueil : je ne veux pas, mais ensuite, après la venue du Sauveur, il fit pénitence, travailla dans la vigne de Dieu et, par son labeur, racheta ses paroles de révolte. Le second

rum est qui respondit Moysi : *Omnia quaecumque dixerit
Dominus faciemus,* et non iuit in uineam, quia interfecto
patrisfamiliae filio se putauit heredem. Alii uero non
390 putant gentilium et Iudaeorum esse parabolam sed
simpliciter peccatorum et iustorum, ipso quoque Domino
propositionem suam postea disserente : **Amen dico uobis
quia publicani et meretrices praecedunt uos in regno
Dei** ; eo quod illi qui per mala opera Deo se seruire
395 negauerant, postea paenitentiae baptismum acceperint
a Iohanne ; Pharisaei autem qui iustitiam praeferebant
et legem se Dei facere iactabant, Iohannis contempto
baptismate, Dei praecepta non fecerint. Vnde dicit :
**Venit enim ad uos Iohannes in uia iustitiae, et non
400 credidistis ei : publicani autem et meretrices crediderunt.**
Porro quod sequitur : **Quis ex duobus fecit uoluntatem
patris ?** et illi dicunt : **nouissimus,** sciendum est
in ueris exemplaribus non haberi nouissimum sed
primum, ut proprio iudicio condemnentur. Si autem
405 nouissimum uoluerimus legere, manifesta est inter-
pretatio : ut dicamus intellegere quidem ueritatem
Iudaeos sed tergiuersari et nolle dicere quod sentiunt,
sicut et baptismum Iohannis scientes esse de caelo
dicere noluerunt.

410 **33.** Aliam parabolam audite : **Homo erat paterfamilias qui plantauit uineam et saepem circumdedit et fodit in ea torcular et aedificauit turrem et locauit eam agricolis et peregre profectus est.** Hoc est

388. Ex. 24, 3

97. Effectivement toute une série de manuscrits (dont le *Vaticanus*)
ont inversé l'ordre des deux fils, pour mettre en premier lieu le fils qui
représente le peuple juif, c'est-à-dire celui qui dit : « j'y vais », et n'y
va pas ; et ensuite le fils qui représente les Gentils. Dès lors, pour eux,
c'est bien le dernier qui a fait la volonté du Père. Mais d'autres manuscrits
ont mélangé les deux présentations. Ils gardent l'ordre de la majorité
des témoins et placent en premier celui qui dit non et va pourtant tra-

fils est le peuple juif qui répondit à Moïse : « Tout ce que Dieu nous dira, nous le ferons », mais il n'est pas allé à la vigne car, après avoir tué le fils du père de famille, il s'est cru l'héritier. D'autres pensent que cette parole s'applique, non aux Gentils et aux Juifs, mais tout simplement aux pécheurs et aux justes, le Seigneur commentant lui-même dans la suite ce qu'il a voulu dire : « Je vous le dis en vérité, publicains et courtisanes vous devancent dans le royaume de Dieu », puisque ceux-là qui, par leur mauvaise conduite, avaient refusé de servir Dieu, ont reçu de Jean le baptême de la pénitence, tandis que les Pharisiens, qui faisaient profession de justice et se vantaient de suivre la loi de Dieu, en méprisant le baptême de Jean, n'ont pas accompli les ordres de Dieu. D'où ces paroles : « En effet, Jean est venu à vous dans la voie de la justice et vous n'avez pas cru en lui, tandis que les publicains et les courtisanes ont cru en lui. » Pour la suite : « Lequel des deux fit la volonté du père ? » et ceux-ci disent : « le dernier », sachons que les exemplaires authentiques portent non pas le dernier mais le premier[97], si bien qu'ils se condamnent eux-mêmes par leur propre jugement. Si nous voulons lire « le dernier », l'interprétation est évidente : disons que les Juifs comprennent bien la vérité, mais ils tergiversent et ne veulent pas dire le fond de leur pensée, tout comme, sachant pourtant que le baptême de Jean venait du ciel, ils n'ont pas voulu non plus l'avouer.

33. « Écoutez une autre parabole : Il y avait un propriétaire qui planta une vigne, l'entoura d'une clôture, y creusa un pressoir et bâtit une tour. Il loua la vigne à des cultivateurs et partit pour l'étranger. » Voici, sous la forme d'un

---

vailler. Mais à la question de Jésus, les Juifs répondent : « le dernier », c'est-à-dire celui qui a dit oui et n'est pas allé à la vigne. Ce texte peut souligner la mauvaise foi des Juifs, comme le note Jérôme, mais il n'est peut-être que le résultat d'une erreur des copistes. En tout cas, c'est le texte que lisait S. HILAIRE (PL 9, 1039 s.).

quod Dominus sumptum de prouerbio significauit :
415 *Durum est aduersum stimulum calces mittere*. Principes
sacerdotum et seniores populi qui interrogauerunt
Dominum : *In qua potestate haec facis, et quis tibi dedit
hanc potestatem* ? et uoluerant in uerbo capere sapientiam, sua arte superantur, et audiunt in parabolis
420 quod aperta facie non merebantur audire. Homo iste
paterfamilias ipse est qui habebat duos filios et qui
in alia parabola conduxit operarios in uineam suam,
qui plantauit uineam de qua et Esaias plenissime per
canticum loquitur, ad extremum inferens : *Vinea*
425 *Domini sabaoth domus est Israhel* ; et in psalmo : *Vineam,*
inquit, *de Aegypto transtulisti, eiecisti gentes et plantasti*
eam. Et saepem circumdedit ei, uel murum urbis uel
angelorum auxilia. *Et fodit in ea torcular*, aut altare aut
illa torcularia quorum et tres psalmi titulo praenotantur,
430 octauus et octogesimus et octogesimus tertius. *Et*
aedificauit turrem, haud dubium quin templum de
quo dicitur per Micheam : *Et tu turris nebulosa filiae*
Sion. Et locauit eam agricolis, quos alibi uineae operarios
appellauit, qui conducti fuerant hora prima, tertia,
435 sexta et nona et undecima. *Et peregre profectus est*,
non loci mutatione, nam Deus unde abesse potest, quo
complentur omnia, et qui dicit per Hieremiam : *Ego*
Deus adpropinquans et non de longinquo, dicit Dominus ?
sed abire uidetur a uinea, ut uinitoribus liberum ope-
440 randi arbitrium derelinquat.

---

415. Act. 9, 5 ‖ 421. Cf. Lc 15, 11 ‖ 422. Cf. Matth. 20, 2 ‖ 425. Is.
5, 7 ‖ 427. Ps. 79, 9 ‖ 430. Cf. Ps. 8, 1 ; 80, 1 ; 83, 1 ‖ 433. Mich. 4, 8
‖ 435. Cf. Matth. 20, 1.3.5.6 ‖ 438. Jér. 23, 23

---

98. Le texte du *CCL* et la majorité des manuscrits portent : *saepe*

proverbe ce qu'a voulu dire le Seigneur : « Il est dur de regimber contre l'aiguillon. » Les princes des prêtres et les anciens du peuple qui avaient demandé au Seigneur : « En vertu de quel pouvoir fais-tu cela ? Qui t'a donné cette puissance ? » avaient voulu prendre en défaut la Sagesse dans ses propres paroles, mais ils sont victimes de leurs propres artifices. Ils entendent en parabole ce qu'ils ne méritaient pas d'entendre en langage clair. Ce propriétaire est le même qui avait deux fils, le même qui, dans une autre parabole, embaucha des ouvriers pour aller dans sa vigne, le même qui planta une vigne, cette vigne dont parle très longuement Isaïe dans un cantique qui se termine ainsi : « La vigne du Seigneur des armées, c'est la maison d'Israël. » De même dans le psaume : « Tu as transporté d'Égypte une vigne, tu as chassé les nations et tu l'as plantée. » « Et il l'entoura d'une clôture[98] », c'est-à-dire soit du mur de la ville, soit de la garde des anges, « et il y creusa un pressoir », (c'est-à-dire) un autel ou un de ces pressoirs dont le nom est mentionné au début de trois psaumes : huit, quatre-vingt, quatre-vingt-trois. « Et il éleva une tour. » Certainement le temple dont il est dit par Michée : « Et toi, tour de la fille de Sion, qui te perds dans les nuées. » « Et il la loua à des cultivateurs » qu'il a appelés ailleurs ouvriers de sa vigne, embauchés à la première heure, à la troisième, à la sixième, à la neuvième, à la onzième, « et il partit pour l'étranger » sans changer de lieu, car d'où Dieu peut-il être absent, lui qui emplit tout et dit dans Jérémie : « Ne serais-je un Dieu que de près, de loin ne serais-je plus un Dieu ? dit le Seigneur », mais s'il semble s'en aller loin de la vigne, c'est pour laisser aux vignerons la liberté de travailler.

---

circumdedit ei. Nous avons préféré : *saepem...* (G C L), à cause de l'apposition à l'accusatif : *uel murum urbis uel angelorum auxilia.* C'est du reste le texte donné par Jérôme quinze lignes plus haut.

34.35. Cum autem tempus fructuum adpropinquasset misit seruos suos ad agricolas ut acciperent fructus eius, et agricolae adprehensis seruis eius alium ceciderunt, alium occiderunt, alium uero lapidauerunt. 445 Dederat eis legem et in hac eos uinea operari iusserat ut fructum legis in operibus exhiberent. Postea misit ad eos seruos, quos illi adprehensos uel ceciderunt ut Hieremiam, uel occiderunt ut Esaiam, uel lapidauerunt ut Nabuthan et Zachariam quem interfecerunt inter 450 templum et altare. Legamus epistulam Pauli ad Hebraeos, et ex ea plenissime discimus qui seruorum Domini quanta perpessi sint.

37.36. Nouissime autem misit ad eos filium suum, dicens : Verebuntur filium meum. In eo quod supra 455 legimus : Iterum misit alios seruos plures prioribus, et fecerunt illis similiter, patientiam ostendit patrisfamilias quod frequentius miserit ut malos colonos ad paenitentiam prouocaret, illi autem thesaurizauerunt sibi iram in die irae. Porro quod iungitur : *Verebuntur* 460 *filium meum,* non de ignorantia uenit. Quid enim nesciat paterfamilias, qui hoc loco Deus pater intellegitur ? Sed semper ambigere dicitur Deus ut libera uoluntas homini reseruetur. Interrogemus Arrium et Eunomium. Ecce pater dicitur ignorare, et sententiam 465 temperat, et quantum in uobis est probatur esse mentitus. Quicquid pro patre responderint, hoc intellegant pro filio, qui se dicit ignorare consummationis diem.

---

448. Cf. Jér. 37, 14 ‖ 448. Cf. III Rois 21, 13 ‖ 450. Cf. Matth. 23, 35 ; II Chr. 24, 22 ‖ 452. Cf. Hébr. 11, 34-37 ‖ 459. Cf. Rom. 2, 5 ‖ 468. Cf. Matth. 24, 36

---

99. Arius et son disciple Eunomius, évêque de Cyzique, s'appuyaient

34.35. « A l'approche de la saison des vendanges, il envoya aux cultivateurs ses serviteurs pour en percevoir les fruits. Et les cultivateurs s'étant saisis de ses serviteurs battirent l'un, tuèrent l'autre, et, quant au troisième, ils le lapidèrent. » Il leur avait donné la Loi et leur avait ordonné de travailler à cette vigne pour produire dans leurs œuvres le fruit de la loi. Plus tard, il leur envoya des serviteurs et ils les saisirent, les battirent tel Jérémie, les tuèrent comme Isaïe ou les lapidèrent comme Naboth et Zacharie qu'ils tuèrent entre le temple et l'autel. Lisons l'épître de Paul aux Hébreux : nous y apprenons abondamment quels sont les serviteurs du Seigneur qui ont été persécutés et tout ce qu'ils ont subi.

36.37. « A la fin, il leur envoya son fils. Il disait : Ils respecteront mon fils. » Ce que nous venons de lire : « Il envoya encore d'autres serviteurs plus nombreux que les premiers et ils les traitèrent de la même manière » montre la patience du propriétaire : il a envoyé à plusieurs reprises des serviteurs pour appeler au repentir les mauvais fermiers, mais ceux-ci ont amassé sur eux-mêmes les trésors de la colère pour le jour de la colère. La suite, « ils respecteront mon fils », ne provient pas d'une ignorance de l'avenir. Que pourrait en effet ignorer le propriétaire, lui qui représente ici Dieu le Père. Mais toujours, quand on dit que Dieu hésite, c'est pour conserver à l'homme son libre arbitre. Interrogeons Arius et Eunomius[99]. Voyez : on dit que le Père ignore, et il retarde sa décision. D'après vous, il est évident qu'il a menti. Tout ce qu'ils répondront au sujet du Père, qu'ils l'appliquent[100] au Fils qui déclare ignorer le jour de la fin du monde.

sur *Matth.* 24, 36, où Jésus déclare ignorer le jour de la Parousie, pour nier l'égalité divine du Père et du Fils. Cf. plus loin en 24, 36.

100. Nous avons choisi *intellegant* avec les mss GOCKEL et avec Bède. La leçon est meilleure que *intellegent* (*CCL*) et mieux attestée.

39. **Adprehensum eum eiecerunt extra uineam et occi-**
470 **derunt.** Et apostolus loquitur quod extra portam
Dominus crucifixus sit. Possumus autem et aliter
intellegere quod eiectus sit extra uineam et ibi occisus
ut, suscipientibus se gentibus, aliis uinea locaretur.

40. **Cum ergo uenerit dominus uineae, quid faciet colo-**
475 **nis illis ?** et reliqua. Interrogat eos Dominus, non quod
ignoret quid responsuri sint, sed ut propria responsione
damnentur. Locata est autem nobis uinea, et locata ea
conditione, ut reddamus Domino fructum temporibus
suis et sciamus unoquoque tempore quid oporteat nos
480 uel loqui uel facere.

42. **Dicit illis Iesus : Numquam legistis in scrip-**
turis : Lapidem quem reprobauerunt aedificantes,
hic factus est in caput anguli ; a Domino factum
est istud, hoc est mirabile in oculis nostris. Variis pa-
485 rabolis diuersisque sermonibus res eaedem contexuntur.
Quos enim supra operarios et uinitores et agricolas
appellarat, nunc aedificatores, id est caementarios, uocat. Vnde dicit et apostolus : *Dei agricultura, Dei aedi-*
ficatio estis. Hi ergo caementarii quomodo uinitores
490 accipiunt uineam, sic acceperunt lapidem, quem uel in
fundamentis ponant iuxta architectum Paulum, uel in
angulo ut duos parietes, id est populum utrumque,
consociet : qui, reprobatus ab eis, factus est in caput
anguli ; et hoc a Domino factum est, non humanis
495 uiribus sed Dei potentia. De hoc lapide adiutorii

471. Cf. Hébr. 13, 12 ‖ 482. Ps. 117, 22 ‖ 489. I Cor. 3, 9 ‖ 491. Cf.
I Cor. 3, 10 ‖ 495. Cf. I Sam. 7, 12

101. Jérôme revient souvent sur ce sujet. Il veut montrer que les
questions du Christ ne sont pas le signe d'une ignorance de sa part.
Cf. Introd., chap. III, note 21 (tome I, p. 23).

39. Ils se saisirent de lui, le jetèrent hors de la vigne et le tuèrent. » L'Apôtre dit aussi que Jésus fut crucifié hors de la porte. Nous pouvons comprendre autrement : il a été jeté hors de la vigne et c'est là qu'on l'a tué pour que les Gentils le recueillent et que la vigne soit louée à d'autres.

40. « Lors donc que le maître de la vigne viendra, que fera-t-il à ces fermiers ? » etc. Le Seigneur les interroge, non qu'il ne sache pas[101] ce qu'ils vont répondre, mais pour qu'ils soient condamnés par leur propre réponse. C'est à nous que la vigne a été louée, mais elle nous l'a été à condition que nous en rendions les fruits au Seigneur en leur saison et que nous sachions à chaque moment ce qu'il faut dire ou faire.

42. Jésus leur dit : « N'avez-vous jamais lu dans les Écritures : La pierre rejetée par les bâtisseurs est devenue pierre angulaire. C'est le Seigneur qui a fait cela, une merveille à nos yeux ? » Sous des paraboles variées et en des termes différents, ce sont les mêmes thèmes qui sont développés. Ceux qu'il venait de désigner sous le nom d'ouvriers, de vignerons, de cultivateurs, il les appelle maintenant bâtisseurs, c'est-à-dire maçons. D'où également ces paroles de l'Apôtre : « Le champ de Dieu, l'édifice de Dieu, c'est vous. » Donc de même que les vignerons reçoivent une vigne, de même ces maçons ont reçu la pierre qu'ils devaient placer soit dans les fondations selon l'architecte Paul[102], soit à l'angle pour relier les deux murs, c'est-à-dire les deux peuples, et cette pierre qu'ils ont rejetée est devenue pierre angulaire. C'est le Seigneur qui a fait cela, non des forces humaines, mais la toute-puissance de Dieu. Voici ce qu'avec foi, sur

---

102. Jérôme avait déjà présenté Paul comme un architecte qui a placé la pierre angulaire, qui est le Christ. Cf. *Ep.* 49 à Pammachius, 2 : « sur le fondement du Christ, qu'a placé l'architecte Paul, l'un construit en or... un autre... en bois ou paille » (Labourt II, p. 121), cf. *I Cor.* 3, 10 s.

Petrus quoque loquitur confidenter : *Iste lapis qui
reprobatus est a uobis aedificantibus, qui factus est
in caput anguli* ; et Esaias : *Ecce*, ait, *inmittam in
fundamenta Sion lapidem electum, pretiosum, angularem,*
500 *et qui crediderit in eum non confundetur.*

43. Ideo dico uobis quia auferetur a uobis regnum
Dei et dabitur genti facienti fructus eius. Aliquotiens dixi regnum Dei scripturas sanctas intellegi, quas Dominus
abstulit a Iudaeis et nobis tradidit ut faciamus fructus
505 earum. Ista est uinea quae traditur agricolis et uinitoribus, in qua qui operati non fuerint, nomen tantum
habentes scripturarum, fructus uineae perdituri sunt.

44. Qui ceciderit super lapidem istum confringe-
tur, super quem uero ceciderit conteret eum. Aliud est
510 offendere Christum per mala opera, aliud negare.
Qui peccator est et tamen in illo credit, cadit quidem
super lapidem et confringitur, sed non omnino conte-
ritur ; reseruatur enim per patientiam ad salutem ;
super quem uero ille ceciderit, hoc est cui lapis ipse
515 inruerit et qui Christum penitus negarit, sic conteret
eum ut ne testa quidem remaneat in qua hauriatur
aquae pusillum.

45.46. Et cum audissent principes sacerdotum et Pharisaei parabolas eius, cognouerunt quod de ipsis dice-
520 ret et quaerentes eum tenere, timuerunt turbas, quoniam
sicut prophetam eum habebant. Quamuis duro corde

498. Act. 4, 11 ; cf. I Pierre 2, 7 ‖ 500. Is. 28, 16 ‖ 517. Cf. Is. 30, 14

---

103. C'est une pensée chère à Jérôme. Cf. *In Matth.* 12, 28 (t. I, p. 248,
l. 176 s.) : *Est et tertium regnum scripturae sanctae* ; *Ep.* 53 à Paulin, 10 :
« Vivre au milieu de ces textes..., ne crois-tu pas que c'est déjà, dès ici-
bas, habiter le royaume céleste ? » (Labourt III, p. 23).

cette « pierre du secours », nous dit également Pierre : « Cette pierre que vous avez rejetée, vous qui bâtissez, il en a fait, lui, la pierre angulaire. » Et Isaïe : « Voici, dit-il, que je poserai dans les fondations de Sion, une pierre choisie, précieuse, angulaire ; et qui croira en elle ne sera point confondu. »

43. « C'est pourquoi je vous le dis, le Royaume de Dieu vous sera ôté et il sera donné à une nation qui en portera les fruits. » Je l'ai dit : par royaume de Dieu, il faut parfois comprendre les saintes Écritures[103]. Le Seigneur les a enlevées aux Juifs et nous les a remises pour que nous en produisions les fruits. C'est la vigne confiée aux cultivateurs et aux vignerons. Ceux qui n'y auront pas travaillé — ceux qui des Écritures n'auront gardé que le nom — perdront les fruits de la vigne.

44. « Et celui qui tombera sur cette pierre s'y brisera et celui sur qui elle tombera, elle l'écrasera. » Autre chose est d'offenser le Christ par de mauvaises actions, autre chose de le renier. Celui qui pèche, mais qui croit cependant en lui, tombe certes sur cette pierre et s'y brise, mais il n'est pas entièrement écrasé, il est réservé pour être sauvé à travers sa patience[104]. Mais celui sur qui elle tombe, c'est-à-dire sur lequel la pierre s'est jetée d'elle-même, celui qui aura complètement renié le Christ, elle l'écrasera si bien qu'il n'en restera même pas un tesson dans lequel puiser un peu d'eau.

45.46. En entendant ces paraboles, les princes des prêtres et les Pharisiens comprirent qu'il les visait. Ils cherchaient à l'arrêter, mais ils eurent peur des foules parce qu'elles le tenaient pour un prophète. » Quels que fussent la dureté de leur cœur,

---

104. *Per patientiam.* Certains ont lu : *per paenitentiam* (C), excellente leçon, malheureusement peu attestée. Pourtant c'est celle que nous trouvons plus haut, en 21, 18-20 (l. 300 s.), dans un passage parallèle : *nisi eorum per paenitentiam expectasset salutem.*

essent et propter incredulitatem et impietatem in
filium Dei hebetes, tamen apertas propositiones negare
non poterant et intellegebant contra se omnes Domini
525 sententias dirigi. Vnde uolebant quidem eum interficere,
sed timebant *turbas* quia *sicut prophetam habebant eum.*
Semper turba mobilis est, nec in proposita uoluntate
persistens, atque in morem fluctuum diuersorumque
uentorum huc illucque trahitur. Quem nunc quasi
530 prophetam uenerantur et colunt, postea contra eum
clamant : *Crucifige, crucifige* talem.

22   1-3. **Et respondens Iesus dixit in parabolis eis,
dicens : Simile factum est regnum caelorum homini
regi qui fecit nuptias filio suo et misit seruum suum
uocare inuitatos ad nuptias, et noluerunt uenire.**
5 Pharisaei, intellegentes de se dici parabolas, quaerebant
eum tenere et occidere. Hanc eorum sciens Dominus
uoluntatem, nihilominus increpat saeuientes nec timore
superatur quominus arguat peccatores. Rex iste qui
fecit nuptias filio suo Deus omnipotens est. Facit
10 autem nuptias Domino nostro Iesu Christo et ecclesiae,
quae tam ex Iudaeis quam ex gentibus congregata est,
mittitque seruum suum uocare inuitatos ad nuptias,
haud dubium quin Moysen per quem legem inuitatis
dedit. Si autem seruos legerimus, ut pleraque habent

531. Jn 19, 6.15

---

105. *Crucifige talem* : ce texte ne se trouve pas tel quel dans l'Évangile.
Mais on le trouve fréquemment dans Jérôme, cf. *In Jonam* I, 3, etc.
Voir *SC* 43, la note 4 de Dom Antin, à la page 60. Il y voit une citation
de mémoire, mais le texte avec *talem* se retrouve chez Ambroise et chez
Apponius.

106. C'est une des préoccupations de Jérôme de souligner le courage de
Jésus. Cf. *infra* 26, 2.

107. Jérôme semble bien avoir choisi : *seruum suum* (cf. l. 3, 12 et 22) ;

leur aveuglement à l'égard du Fils de Dieu, dus à leur incrédulité et à leur impiété, ils ne pouvaient nier les conclusions
évidentes : et ils comprenaient que toutes ces condamnations
du Seigneur les visaient. Aussi voulaient-ils le tuer, mais
ils avaient « peur des foules, parce qu'elles le tenaient pour
un prophète ». La foule est toujours versatile, inconstante
dans ses résolutions : comme les flots et les vents divers,
elle se laisse entraîner de-ci de-là ; maintenant elle vénère,
honore comme un prophète celui contre lequel elle crie plus
tard : « Crucifiez, crucifiez cet homme[105]. »

CHAPITRE 22

1-3. Jésus reprit la parole et leur parla en paraboles :
Il en va du royaume des cieux comme d'un homme, d'un
roi qui fit un festin de noces pour son fils ; il envoya son serviteur convier les invités aux noces, mais eux ne voulurent pas
venir. » Comprenant que ces paraboles les visaient, les
Pharisiens cherchaient à l'arrêter et à le faire périr. Le Seigneur connaît leur projet. Et néanmoins il les prend à parti
alors qu'ils se déchaînent contre lui. Il ne se laisse pas dominer par la peur[106] de confondre les pécheurs. Ce roi qui fit
un festin de noces pour son fils, c'est le Dieu tout-puissant,
les noces qu'il fête sont celles de notre Seigneur Jésus-Christ
et de l'Église où sont rassemblés aussi bien des Juifs que
des Gentils. Il envoie son serviteur appeler les invités aux
noces ; il s'agit certainement de Moïse, par qui il donna la
Loi aux invités. Mais si nous lisons « ses serviteurs[107] »,

---

mais il reconnaît que la plupart des exemplaires donnent le pluriel :
seruos suos. C'est effectivement la bonne leçon. Si Jérôme a trouvé :
seruum dans certains exemplaires de *Matthieu*, l'erreur est due à une
contamination avec le même récit dans *Luc* 14, 17. ORIGÈNE commente
le pluriel (*In Matth.* XVII, 15 ; *GCS* 40, p. 628, 23) et il y voit les prophètes.

15 exemplaria, ad prophetas referendum est, quod inuitati
per eos uenire contempserint.

4. Iterum misit alios seruos dicens : Dicite inuitatis : Ecce prandium meum paraui, tauri mei et altilia occisa et omnia parata, uenite ad nuptias. Serui qui
20 secundo missi sunt melius est ut prophetae intellegantur
quam apostoli, ita tamen si supra seruus scriptus
fuerit ; sin autem seruos ibidem legas, hic secundi
serui apostoli intellegendi sunt. Prandium paratum
et tauri et altilia occisa uel per metaphoram opes
25 regiae describuntur, ut ex carnalibus intellegantur
spiritalia, uel certe dogmatum magnitudo et doctrina
Dei lege plenissima sentiri potest.

5.6. Et abierunt, alius in uillam suam, alius ad
negotiationem ; alii uero tenuerunt seruos eius et contu-
30 melia adfectos occiderunt. Inter eos qui non recipiunt euangelii ueritatem multa diuersitas est. Minoris
enim criminis sunt qui occupati aliis rebus uenire
noluerint his qui contempto inuitantis affectu uerterunt
humanitatem in crudelitatem et tentos seruos regis
35 uel contumeliis adfecerunt uel occiderunt. In hac parabola sponsi siletur occisio, et per seruorum mortes
contemptus ostenditur nuptiarum.

7. Rex autem cum audisset, iratus est. De quo supra
dixerat : Simile factum est regnum caelorum homini
40 regi, quando inuitabat ad nuptias et agebat opera
clementiae, hominis nomen adpositum est ; nunc quando
ad ultionem uenit homo siletur et rex tantum dicitur.

leçon de la plupart des manuscrits, il faut appliquer cela aux prophètes, dont les invités ont méprisé l'invitation.

4. « Il envoya encore d'autres serviteurs en disant : Dites aux invités : voici que j'ai préparé mon festin ; mes bœufs et mes bêtes grasses ont été tués, tout est prêt, venez aux noces. » Dans ces serviteurs qui furent envoyés en second lieu, mieux vaut voir les prophètes que les apôtres, à condition toutefois que plus haut le texte porte « son serviteur ». Avec, pour ce même passage, la leçon « ses serviteurs », dans ces serviteurs envoyés pour la seconde fois, il faut comprendre alors les apôtres. Ce repas tout prêt, ces bœufs, ces bêtes grasses tuées, c'est, par métaphore, l'évocation des richesses du roi, images charnelles pour nous donner une idée des biens spirituels, mais assurément on peut y voir aussi la grandeur des dogmes et une doctrine toute remplie de la loi de Dieu.

5.6. « Ils s'en allèrent, qui dans sa ferme, qui à son commerce. Les autres se saisirent des serviteurs, les maltraitèrent et les tuèrent. » Entre ceux qui rejettent la vérité de l'Évangile, il existe bien des différences. Ceux qui ont refusé de venir parce qu'ils avaient d'autres occupations sont moins coupables que ceux qui ont méprisé l'affection de celui qui invitait et ont répondu à l'amabilité par la cruauté, arrêté les serviteurs du roi, les ont maltraités ou tués. Dans cette parabole, il n'est point question du meurtre de l'époux, c'est la mort des serviteurs qui témoigne le mépris qu'on fait des noces.

7. « A cette nouvelle, le roi fut rempli de colère. » Plus haut, on disait de lui : « Il en va du royaume des cieux comme d'un homme, d'un roi. » Quand il invitait aux noces et agissait avec mansuétude, on ajoutait « un homme ». Maintenant qu'il en est venu à la vengeance, on tait cette qualité d'homme, on dit seulement qu'il est un roi.

Et missis exercitibus suis, perdidit homicidas
illos et ciuitatem illorum succendit. Exercitus seu ul-
45 tores angelos de quibus in psalmis scribitur : *Inmissionem*
per angelos pessimos, seu Romanos intellegamus sub duce
Vespasiano et Tito qui, occisis Iudeae populis, praeua-
ricatricem succenderint ciuitatem.

8.9. Tunc ait seruis suis : Nuptiae quidem paratae sunt,
50 sed qui inuitati erant non fuerunt digni ; ite ergo ad exitus
uiarum et quoscumque inueneritis uocate ad nuptias.
Gentilium populus non erat in uiis sed in exitibus
uiarum. Quaeritur autem quomodo in his, qui foris
erant inter malos, et boni aliqui sint reperti. Hunc
55 locum plenius tractat apostolus ad Romanos quod
gentes naturaliter facientes ea quae legis sunt, condem-
nent Iudaeos qui scriptam legem non fecerint. Inter ipsos
quoque ethnicos est infinita diuersitas, cum sciamus
alios esse procliues ad uitia et ruentes ad mala, alios
60 ob honestatem morum uirtutibus deditos.

11.12. Intrauit autem rex ut uideret discumbentes et uidit ibi hominem non uestitum ueste nuptiali
et ait illi : Amice quomodo huc intrasti non habens
uestem nuptialem ? At ille obmutuit. Hi qui inui-
65 tati fuerant ad nuptias de saepibus et angulis et plateis et
diuersis locis caenam regis impleuerant. Sed postea cum
uenisset rex ut uideret discumbentes in conuiuio suo
(hoc est, in sua quasi fide requiescentes ut in die iudicii
uisitaret conuiuas, et discerneret merita singulorum)
70 inuenit unum qui ueste indutus non erat nuptiali. Vnus
iste omnes qui sociati sunt malitia intelleguntur. Vestes

« Il envoya ses armées, extermina les meurtriers et brûla leur ville. » Par ses armées, entendons ses anges vengeurs, dont il est écrit dans les psaumes : « Il envoya des anges de malheur », ou les Romains qui, sous la conduite de Vespasien et de Titus, massacrèrent le peuple juif et mirent le feu à la cité pécheresse.

8.9. « Alors il dit à ses serviteurs : Le festin des noces est prêt, mais les invités ne s'en sont pas montrés dignes. Allez donc aux carrefours et tous ceux que vous y trouverez, invitez-les aux noces. » Le peuple des Gentils n'était pas sur les chemins mais aux carrefours. On se demande comment, parmi ceux qui étaient dehors au milieu des méchants, il s'en est trouvé aussi quelques-uns de bons. L'Apôtre traite ce point plus en détail dans sa lettre aux Romains : les Gentils, qui font naturellement ce que prescrit la loi, condamnent les Juifs qui n'obéissent pas à la loi écrite. Parmi les païens eux-mêmes, la diversité est infinie : les uns, nous le savons, sont enclins au vice et portés au mal, les autres se sont adonnés à la vertu par l'honnêteté de leurs mœurs.

11.12. « Le roi entra pour voir les convives et il aperçut là un homme qui ne portait pas le vêtement de noces, et il lui dit : Mon ami, comment es-tu entré ici sans avoir un vêtement de noces ? Mais lui resta muet. » Les invités aux noces, venus des haies, des recoins, des places, de toutes sortes d'endroits, avaient rempli la salle du repas du roi. Mais ensuite le roi vint pour voir ceux qui étaient couchés à sa table — c'est-à-dire pour inspecter, comme il le fera au jour du jugement, les convives qui reposaient pour ainsi dire dans la foi en lui et pour examiner les mérites de chacun[108] —, et il en trouva un qui n'était point revêtu du vêtement des noces. A lui seul, cet homme personnifie tous ceux que le

---

108. Le *hoc est* porte sur tout l'ensemble de la parenthèse.

autem nuptiales praecepta sunt Domini et opera
quae complentur ex lege et euangelio, nouique hominis
efficiunt uestimentum. Si quis igitur in tempore iudicii
75 inuentus fuerit sub nomine christiano non habere uest-
timentum nuptiale, hoc est uestem supercaelestis
hominis, sed uestem pollutam, id est ueteris hominis
exuuias, hic statim corripitur et dicitur ei : *Amice
quomodo huc intrasti* ? Amicum uocat quod inuitatus ad
80 nuptias est, arguit impudentiae quod ueste sordida
munditias polluerit nuptiales. *At ille obmutuit.* In
tempore enim illo non erit locus inpudentiae nec negandi
facultas, cum omnes angeli et mundus ipse testis sit
peccatorum.

85 13. Tunc dixit rex ministris : Ligatis pedibus eius et
manibus mittite eum in tenebras exteriores ; ibi erit fletus
et stridor dentium. Manus ligatas et pedes, fle-
tumque oculorum et stridorem dentium uel ad comprobandam resurrectionis intellege ueritatem, uel certe
90 ideo ligantur manus et pedes ut mala operari et currere
desistant ad effundendum sanguinem. In fletu quoque
oculorum et stridore dentium, per metaphoram mem-
brorum corporalium, magnitudo ostenditur tormento-
rum.

95 14. Multi autem sunt uocati, pauci uero electi.
Omnes parabolas breui sententiola comprehendit, quod
et in opere uineae et in aedificatione domus et in
conuiuio nuptiali non initium sed finis quaeritur.

15.16. Tunc abeuntes Pharisaei consilium inierunt
100 ut caperent eum in sermone et mittunt discipulos suos cum

91. Cf. Ps. 13, 3

mal rassemble. Le vêtement des noces, ce sont les préceptes du Seigneur, les œuvres accomplies selon la Loi et l'Évangile qui sont le vêtement de l'homme nouveau. Si donc, au temps du jugement, il se trouve quelqu'un qui, portant le nom de chrétien, n'a pas le vêtement des noces, c'est-à-dire celui de l'homme supracéleste, mais un vêtement souillé, c'est-à-dire les dépouilles du vieil homme, il est immédiatement réprimandé ; il lui est dit : « Ami, comment es-tu entré ici ? » Il l'appelle ami parce qu'il a été invité aux noces. Il lui reproche son impudence pour avoir souillé la pureté des noces par ses vêtements sordides. « Mais lui resta muet. » En ce temps-là, il n'y aura plus de place pour l'impudence, plus possibilité de nier, alors que tous les anges, le monde lui-même témoigneront des péchés.

13. « Alors le roi dit aux serviteurs : Liez-lui les pieds et les mains et jetez-le dans les ténèbres extérieures ; c'est là qu'il y aura des pleurs et des grincements de dents. » Ces mains, ces pieds liés, ces yeux qui pleurent, ces grincements de dents, comprends-les comme des traits qui démontrent la vérité de la résurrection ; ou bien alors on leur lie les mains et les pieds pour qu'ils cessent de faire le mal et de courir répandre le sang. Dans ces pleurs qui coulent des yeux, dans ces grincements de dents, nous est montrée aussi, par une métaphore empruntée aux parties du corps, la grandeur des tourments.

14. « Car il y a beaucoup d'appelés, mais peu d'élus. ». Le Seigneur résume toutes ses paraboles dans une brève sentence car, dans celle du travail de la vigne, de la construction de la maison, du festin nuptial, ce n'est pas le début qu'on cherche mais la fin.

15.16. Alors, s'étant retirés, les Pharisiens se concertèrent pour le surprendre en parole, et ils lui envoyèrent quelques-uns

Herodianis dicentes. Nuper sub Caesare Augusto Iudea
subiecta Romanis, quando in toto orbe est celebrata
descriptio, stipendiaria facta fuerat, et erat in populo
magna seditio, dicentibus aliis pro securitate et quiete
105 qua Romani pro omnibus militarent debere tributa
persolui ; Pharisaeis uero qui sibi adplaudebant in
iustitia, e contrario nitentibus non debere populum
Dei, qui decimas solueret et primitiua daret et cetera
quae in lege scripta sunt, humanis legibus subiacere.
110 Caesar Augustus Herodem filium Antipatri alienigenam
et proselytum, regem Iudaeis constituerat, qui tributis
praeesset et Romano pareret imperio. Mittunt igitur
Pharisaei discipulos suos cum Herodianis, id est militibus
Herodis seu quos inludentes Pharisaei, quia Romanis
115 tributa soluebant, Herodianos uocabant et non diuino
cultui deditos. Quidam Latinorum ridicule Herodianos
putant qui Herodem Christum esse crederent, quod
nusquam omnino legimus.

16.17. Magister scimus quia uerax es et uiam Dei in
120 ueritate doces et non est tibi cura de aliquo ; non enim
respicis personam hominum. Dic ergo nobis quid
tibi uidetur : Licet censum dare Caesari annon ?
Blanda et fraudulenta interrogatio illuc prouocat res-
pondentem ut magis Deum quam Caesarem timeat et
125 dicat non debere tributa solui, ut statim audientes
Herodiani seditionis contra Romanos principem teneant.

---

109. Ce terme d'Hérodien a embarrassé ORIGÈNE : « Peut-être dans
le peuple d'alors appelait-on hérodiens ceux qui enseignaient qu'on
doit donner le tribut à César » (In Matth. XVII, p. 656, 6). Jérôme ne
rejette pas entièrement cette explication (cf. l. 15). Il s'agit tout simplement de partisans d'Hérode, qui eux aussi épient les réactions de
Jésus, cf. Mc 3, 1.
110. Il s'agit de TERTULLIEN (De praescript. 45) : Herodianos, qui
Christum Herodem esse duxerunt ; de PHILASTRE DE BRESCIA (Diuersarum

de leurs disciples avec des Hérodiens qui lui dirent...
Récemment soumise aux Romains, sous César Auguste, lors
du recensement de toute la terre, la Judée avait été astreinte
au tribut et le peuple se trouvait très divisé. Les uns disaient
qu'on devait payer tribut pour avoir la sécurité et la paix,
parce que les Romains assumaient la défense pour tous, mais
fiers de leur esprit de justice, les Pharisiens soutenaient au
contraire que le peuple de Dieu, puisqu'il payait la dîme,
offrait les prémices et remplissait les autres prescriptions
de la Loi, ne devait pas être soumis à des lois humaines. César
Auguste avait donné pour roi aux Juifs un étranger et un
prosélyte, Hérode, fils d'Antipater, qui serait chargé de
lever le tribut et qui obéirait au pouvoir romain. Donc, les
Pharisiens envoient leurs disciples avec des Hérodiens[109],
c'est-à-dire des soldats d'Hérode ou des gens que, par dérision, les Pharisiens appelaient Hérodiens parce qu'ils payaient
le tribut aux Romains sans se soucier du culte divin. Quelques
latins[110] pensent ridiculement qu'on nommait Hérodiens
ceux qui croyaient qu'Hérode était le Christ, mais nous ne
l'avons lu nulle part.

16.17. « Maître, nous savons que tu es sincère, que tu
enseignes la voie de Dieu avec franchise, sans avoir égard à qui
que ce soit, que tu ne regardes pas la qualité des personnes. Dis-
nous donc ton avis. Est-il permis ou non de payer le tribut à
César ? » Question flatteuse, insidieuse pour l'amener à
répondre qu'il craint Dieu plus que César et à dire qu'on
ne doit pas payer le tribut, afin que les Hérodiens qui l'écoutent
arrêtent immédiatement en lui le meneur d'une révolte
contre Rome.

---

hereseon liber, 28) : *Isti (Herodiani)... regem Judaeorum ut Christum
sperantes expectant (CSEL* 38, p. 14). Il est piquant de remarquer que
Jérôme lui-même, dans son *Dial. adu. Lucif.*, 23 (*PL* 23, 178 B), a proposé
cette explication qu'il juge aujourd'hui « ridicule ».

18. Cognita autem Iesus nequitia eorum ait : Quid me
temptatis hypocritae ? Prima uirtus est respondentis
interrogantium mentem cognoscere et non discipulos
130 sed temptatores uocare. Hypocrita ergo appellatur
qui aliud est et aliud simulat, id est aliud opere agit et
aliud uoce praetendit.

19. Ostendite mihi numisma census. At illi obtulerunt
ei denarium. Sapientia semper sapienter agit ut suis
135 potissimum temptatores sermonibus confutentur. *Ostendite mihi*, inquit, *denarium*. Hoc est genus nummi
quod pro decem nummis inputabatur et habebat
imaginem Caesaris.

20. Et ait illis Iesus : Cuius est imago haec et super-
140 scriptio ? Qui putant interrogationem Saluatoris igno-
rantiam esse et non dispensationem, discant ex praesenti loco quod utique potuerit scire Iesus cuius
imago esset in nummo, sed interrogat ut ad sermonem
eorum competenter respondeat.

145   21. Dicunt ei : Caesaris. Tunc ait illis : Reddite ergo
quae sunt Caesaris Caesari et quae sunt Dei Deo.
Caesarem non putemus Augustum sed Tiberium signi-
ficari priuignum eius qui in locum successerat uitrici, sub
quo et passus est Dominus. Omnes autem reges Romani
150 a primo Gaio Caesare qui imperium arripuerat, Cae-
sares appellati sunt. Porro quod ait : *Reddite quae
sunt Caesaris Caesari*, id est nummum, tributum et
pecuniam, *et quae sunt Dei Deo*, decimas, primitias et

---

111. Là encore (cf. *Matth.* 21, 17 et tous les passages signalés dans
l'Introduction (t. I, p. 23, n. 21), Jérôme souligne que les questions du
Christ ne trahissent pas une ignorance de sa part. Partout, Jésus *ostendit
se Deum qui potest cordis occulta cognoscere* (*supra* 9, 3 : t. I, p. 168).

18. Mais Jésus connut leur méchanceté et dit : « Pourquoi me tendez-vous un piège, hypocrites ? » Premier pouvoir surnaturel de celui qui leur répond : il connaît la pensée de ceux qui l'interrogent et les appelle non point disciples mais tentateurs. On appelle hypocrite celui qui veut paraître autre qu'il n'est et dont la conduite dément les paroles.

19. « Montrez-moi la monnaie du tribut. » Et ils lui présentèrent un denier. La Sagesse agit toujours avec sagesse. C'est surtout par leurs propres paroles qu'elle confond ceux qui l'éprouvent. « Montrez-moi », dit-il, un denier. C'est une pièce qui valait dix sesterces et portait l'effigie de César.

20. Et Jésus leur dit : « De qui est cette effigie et la légende ? » Que ceux qui voient dans une question de Sauveur la marque de son ignorance[111] plutôt que l'effet d'un plan voulu apprennent, d'après ce passage, que certainement Jésus pouvait connaître de qui était l'effigie figurant sur la monnaie et que, s'il les interroge, c'est pour pouvoir opposer à leurs paroles une réponse appropriée.

21. Ils lui disent : « De César ». Alors il leur dit : « Rendez donc à César ce qui est à César et à Dieu ce qui est à Dieu. » César, comprenons non pas Auguste, mais Tibère son fils adoptif[112], successeur de son beau-père, sous lequel précisément Notre Seigneur subit la Passion. A partir de Caïus César qui s'était emparé du pouvoir, tous les empereurs de Rome prirent le nom de César. Quant à ces paroles : « Rendez à César ce qui est à César », c'est-à-dire la pièce, le tribut, l'argent, « et à Dieu ce qui est à Dieu », la dîme, les prémices,

---

112. Tiberius Julius Caesar (47 av. J.-C.-37 ap. J.-C.) était fils de Tib. Claudius Nero et de Livie. Il entre dans la famille impériale lorsque Octave épouse sa mère (38 av. J.-C.). Auguste lui confère l'adoption en l'an 4 ap. J.-C., et en 14 ap. J.-C. Tibère succède sans difficulté à son beau-père Auguste.

oblationes ac uictimas sentiamus, quomodo et ipse
155 reddit tributa pro se et Petro, et Deo reddit quae Dei
sunt, Patris faciens uoluntatem.

22. Et audientes mirati sunt. Qui credere debuerant ad tantam sapientiam, mirati sunt quod calliditas
eorum insidiandi non inuenisset locum.

160   Et relicto eo abierunt, infidelitatem pariter cum mira-
culo reportantes.

23. In illo die accesserunt ad eum Sadducaei qui
dicunt non esse resurrectionem. Duae erant hereses in
Iudaeis, una Pharisaeorum et altera Sadducaeorum.
165 Pharisaei traditionum et obseruationum, quas illi
deuterosis uocant, iustitiam praeferebant, unde et
diuisi uocabantur a populo ; Sadducaei autem quod
interpretantur iusti, et ipsi uindicabant sibi quod
non erant : prioribus et corporis et animae resurrectio-
170 nem credentibus confitentibusque et angelos et spiritum, sequentes, iuxta Acta apostolorum, omnia dene-
gabant. Istae sunt duae domus de quibus Esaias manifestius docet quod offensurae sint in lapidem scandali.

23-25. Et interrogauerunt eum dicentes : Magister,
175 Moyses dixit : Si quis mortuus fuerit non habens
filium ut ducat frater eius uxorem illius et suscitet
semen fratri suo. Erant autem apud nos septem
fratres, et primus uxore ducta defunctus est, et reliqua.
Qui resurrectionem corporum non credebant et animam

155. Cf. Matth. 17, 20 ‖ 156. Cf. Jn 6, 38 ‖ 171. Cf. Act. 23, 8 ‖ 173.
Cf. Is. 8, 14

113. *Deuterosis* = δευτερώσεις. Il est plus vraisemblable que Jérôme
avait transcrit le mot en grec (cf. G et E et le passage parallèle de son
Commentaire sur Isaïe). Il s'agit d'interprétations ou de lois orales.

les oblations, les victimes, remarquons comment lui-même paye le tribut pour lui et pour Pierre, et comment il rend à Dieu ce qui est à Dieu en faisant la volonté du Père.

22. L'ayant entendu, ils furent étonnés. Au lieu de croire, comme ils l'auraient dû devant une telle sagesse, ils se sont étonnés de voir que leur ruse n'avait pas réussi à le prendre au piège.

Le laissant, ils s'en allèrent, remportant à la fois leur incrédulité et leur étonnement.

23. En ce jour-là vinrent à lui les Sadducéens qui nient la résurrection. En Judée, il y avait deux sectes, celle des Pharisiens, celle des Sadducéens. Les Pharisiens prônaient une justice fondée sur des traditions et des observances qu'ils appellent *deuterosis*[113]. Aussi le peuple les appelait-il « séparés ».Quant aux Sadducéens, nom qui signifie « justes », ils se targuaient aussi de ce qu'ils n'étaient pas. Les premiers croyaient à la résurrection du corps et de l'âme et reconnaissaient l'existence des anges et de l'esprit ; les seconds, selon les Actes des Apôtres, niaient tout cela. Ce sont les deux maisons d'Israël[114] dont Isaïe nous dit en termes clairs qu'elles s'écraseront sur la pierre du scandale.

23-25. Ils l'interrogèrent : « Maître, Moïse a dit : Si quelqu'un vient à mourir sans laisser de fils, que son frère épouse sa femme et produise à son frère une postérité. Or il y avait chez nous sept frères. Le premier se maria et mourut », etc. Ne croyant pas à la résurrection des corps, pensant

---

114. Dans le texte d'*Isaïe* 8, 14, les deux maisons qui vont s'écraser contre le rocher sont Judas et Israël. Jérôme l'applique ici aux Pharisiens et aux Sadducéens. Ailleurs, dans son commentaire d'Isaïe, il note que « les Nazaréens y voient les deux familles de Shammai et d'Hillel », *In Es.* III, 11-15 (*CCL* 73, p. 115-116).

180 putabant interire cum corporibus, recte istiusmodi
fingunt fabulam quae deliramenti arguat eos qui
resurrectionem adserant mortuorum. Potest autem fieri
ut uere in gente eorum aliquando hoc acciderit.

28. In resurrectione ergo cuius erit de septem uxor ?
185 Omnes enim habuerunt eam. Turpitudinem fabulae op-
ponunt, ut resurrectionis denegent ueritatem.

29. Respondens Iesus ait illis : **Erratis nescientes
scripturas neque uirtutem Dei.** Propterea errant quia
scripturas nesciunt et, quia scripturas ignorant, conse-
190 quenter nesciunt uirtutem Dei, hoc est Christum qui
est Dei uirtus et Dei sapientia.

30. In resurrectione enim neque nubent neque nubentur.
Latina consuetudo graeco idiomati non respondit.
Nubere enim proprie dicuntur mulieres, et uiri uxores
195 ducere. Sed nos simpliciter dictum intellegamus quod
nubere de uiris et nubi de uxoribus scriptum sit. Sic
in resurrectione non nubent neque nubentur, resurgent
ergo corpora quae possunt nubere et nubi. Nemo
quippe dicit de lapide et arbore et his rebus quae non
200 habent membra genitalia, quod non nubant neque
nubantur, sed de his qui cum possint nubere tamen
alia ratione non nubunt. Quod autem infertur :
Sed sunt sicut angeli Dei in caelo, spiritalis repromitti-
tur conuersatio.

191. Cf. I Cor. 1, 24

---

115. Sur *nubere*, employé par Jérôme même pour des hommes, cf.
GOELZER, *Latinité de saint Jérôme*, p. 277.
116. Jérôme a longuement commenté ce passage dans son oraison

que l'âme meurt avec le corps, ils imaginent habilement cette fable pour accuser d'extravagance les partisans de la résurrection des morts. Mais peut-être le cas s'est-il réellement présenté dans leur peuple.

28. A la résurrection, duquel des sept frères sera-t-elle donc la femme ? Car tous l'ont eue pour femme. » Pour nier la vérité de la résurrection, ils lui opposent une histoire scabreuse.

29. Jésus répondit : « Vous êtes dans l'erreur. Vous ne comprenez ni les Écritures, ni la puissance de Dieu. » Ils sont dans l'erreur parce qu'ils ignorent les Écritures, et comme ils ignorent les Écritures, en conséquence, ils ne connaissent pas la puissance de Dieu, c'est-à-dire le Christ, Puissance de Dieu et Sagesse de Dieu.

30. « En effet, à la résurrection, ni on n'épouse, ni on n'est épousée. » L'usage du latin ne correspond pas à celui du grec. *Nubere* (épouser) s'emploie proprement pour les femmes et *uxorem ducere* (prendre femme) pour les hommes. Comprenons tout simplement que *nubere*[115] a été employé ici pour les hommes, *nubi* (être épousée) pour les femmes. Ainsi, lors de la résurrection, ni on n'épouse ni on n'est épousée, et il est donc évident que seront ressuscités des corps qui pourraient épouser ou être épousés. Personne ne dit d'une pierre ou d'un arbre ou d'objets dépourvus d'organes sexuels qu'ils n'épousent pas ou ne sont pas épousés. On ne le dit que des êtres qui, tout en pouvant épouser, n'épousent pas pour une autre raison[116]. La suite :

« Ils sont comme des anges de Dieu dans le ciel » nous promet une vie toute spirituelle.

---

funèbre de Ste Paule. Il y raconte sa discussion avec un hérétique, *Ep.* 108, 23-24 (Labourt V, p. 190 s.).

205 **31.32. De resurrectione autem mortuorum non legistis
quod dictum est a Deo dicente uobis : Ego sum Deus
Abraham et Deus Isaac et Deus Iacob ? Non est Deus
mortuorum sed uiuentium.** Ad comprobandam resurrectionis ueritatem multo aliis manifestioribus exemplis
210 uti potuit, e quibus est illud : *Suscitabuntur mortui
et resurgent qui in sepulchris sunt*, et in alio loco :
*Multi dormientium de terrae puluere consurgent : alii
in uitam, alii in obprobrium et confusionem aeternam.*
Quaeritur itaque quid sibi uoluerit Dominus hoc
215 proferre testimonium quod uidetur ambiguum uel
non satis ad resurrectionis pertinens ueritatem : *Ego
sum Deus Abraham et Deus Isaac et Deus Iacob*, et, quasi
hoc prolato probauerit quod uolebat, statim intulerit :
Non est Deus mortuorum sed uiuentium. Cuius rei turbae
220 quoque circumstantes mysterium cognoscentes admi-
ratae sunt in doctrina responsionis illius. Supra diximus
Sadducaeos, nec angelum nec spiritum nec resurrectionem corporum confitentes, animarum quoque interitum
praedicasse. Hi quinque tantum libros Moysi recipie-
225 bant, prophetarum uaticinia respuentes. Stultum ergo
erat inde proferre testimonia cuius auctoritatem non
sequebantur. Porro ad aeternitatem animarum pro-
bandam de Moyse ponit exemplum : *Ego sum Deus
Abraham et Deus Isaac et Deus Iacob*, statimque infert :
230 *Non est Deus mortuorum sed uiuentium*, ut cum probauerit animas permanere post mortem, neque enim
poterat fieri ut eorum esset Deus qui nequaquam
subsisterent, consequenter introduceretur et corporum
resurrectio quae cum animabus bona malaue gesserunt.

211. Is. 26, 19 ‖ 213. Dan. 12, 2 ‖ 217. Ex. 3, 6

117. Cf. *supra*, 22, 23.

31.32. « Quant à la résurrection des morts, n'avez-vous pas lu ce que Dieu vous a dit : je suis le Dieu d'Abraham, le Dieu d'Isaac et le Dieu de Jacob. Or, il n'est pas le Dieu des morts mais des vivants. » Pour prouver la vérité de la résurrection, il aurait pu utiliser d'autres textes beaucoup plus évidents. Entre autres : « Les morts se lèveront et ceux qui sont dans les sépulcres ressusciteront », et ailleurs : « La multitude de ceux qui dorment se lèvera de la poussière de la terre, les uns pour la vie, les autres pour la honte et une réprobation éternelle. » Dans quelle intention, se demande-t-on, le Seigneur a-t-il présenté ce témoignage qui semble ambigu ou trop peu en rapport avec la vérité de la résurrection : « Je suis le Dieu d'Abraham, le Dieu d'Isaac et celui de Jacob », et, comme si cette affirmation avait prouvé ce qu'il voulait, a-t-il ajouté immédiatement : « Il n'est pas le Dieu des morts mais des vivants. » Et les foules qui l'entouraient et qui connaissaient ce mystère étaient dans l'admiration pour la science dont témoignait sa réponse. Nous l'avons dit plus haut[117], ne croyant ni aux anges, ni à l'esprit, ni à la résurrection des corps, les Sadducéens proclamaient que les âmes meurent elles aussi. Ils n'admettaient que les cinq livres de Moïse[118] et rejetaient dédaigneusement les prédictions des prophètes. Donc c'eût été sottise d'invoquer des témoignages dont ils contestaient l'autorité. Aussi, pour prouver l'immortalité de l'âme, le Seigneur cite Moïse : « Je suis le Dieu d'Abraham, le Dieu d'Isaac et le dieu de Jacob », et il poursuit aussitôt : « Il n'est pas le Dieu des morts mais des vivants. » Ainsi, après avoir prouvé que les âmes vivent encore après la mort — il était impossible qu'il fût Dieu de personnes qui n'existaient plus du tout —, il en vient aussi logiquement à la résurrection des corps qui, avec

---

118. Jérôme développe ici la remarque faite par ORIGÈNE (*In Matth.* XVII, 36 ; *GCS* 40, p. 700, 13 s.) sur les livres de l'Écriture acceptés par les Sadducéens.

235 Hunc locum plenius in extrema parte primae epistulae
ad Corinthios Paulus apostolus exsequitur.

34-37. Pharisaei audito quod silentium inposuisset
Sadducaeis conuenerunt in unum ; et interrogauit
eum unus ex eis legis doctor temptans eum : Magister,
240 quod est mandatum magnum in lege ? Ait illi Iesus :
Diliges Dominum Deum tuum ex toto corde tuo,
et reliqua. Quod de Herode et Pontio Pilato legimus in
Domini nece eos fecisse concordiam, hoc etiam nunc de
Pharisaeis cernimus et Sadducaeis. Inter se contrarii
245 sunt, sed ad temptandum Iesum pari mente consentiunt. Qui ergo iam supra in ostensione denarii fuerant
confutati et aduersae partis factionem uiderant subru-
tam, debuerant exemplo moneri ne ultra molirentur
insidias ; sed maliuolentia et liuor nutrit inpudentiam.
250 Interrogat unus ex legis doctoribus, non scire desi-
derans sed temptans, an interrogatus nosset quod inter-
rogabatur, quod sit maius mandatum : non de mandatis
interrogans sed quod sit primum magnumque mandatum, ut cum omnia quae Deus mandauerit magna sint,
255 quicquid ille responderit occasionem habeat calum-
niandi, aliud adserens magnum esse de pluribus. Quicumque igitur nouit et interrogat non uoto discendi
sed studio cognoscendi an nouerit ille qui responsurus
est, in similitudinem Pharisaeorum non quasi discipulus
260 sed quasi temptator accedit.

236. Cf. I Cor. 15, 35-38 ‖ 243. Cf. Lc 23, 12

les âmes, ont fait le bien ou le mal. L'apôtre Paul commente ce point plus en détail à la fin de sa première lettre aux Corinthiens.

34-37. **Et les Pharisiens apprirent qu'il avait réduit au silence les Sadducéens. Ils se joignirent à eux. L'un d'eux, docteur de la Loi, l'interrogea pour l'éprouver : « Maître, quel est le grand commandement de la Loi ? », Jésus lui dit : « Tu aimeras le Seigneur ton Dieu de tout ton cœur »,** etc. Au sujet d'Hérode et de Ponce-Pilate, nous avons lu qu'ils se sont réconciliés à la mort du Christ. Même spectacle nous est maintenant offert par les Pharisiens et les Sadducéens. Ce sont des adversaires, mais ils s'accordent pour éprouver Jésus. Déjà plus haut, lorsqu'il leur était demandé de montrer le denier, ils avaient été confondus ; ils venaient de voir l'effondrement de la secte adverse, l'exemple eût dû les avertir de renoncer désormais à tendre des pièges, mais la méchanceté et l'envie nourrissent leur impudence. Un docteur de la Loi l'interroge, non par désir de s'instruire, mais pour l'éprouver, pour voir si le Christ qu'il interrogeait savait ce qu'il lui demandait. Quel est le plus grand commandement ? Sa question ne portait pas sur les commandements, il lui demandait quel est le premier, le grand commandement. Comme tous les commandements de Dieu sont grands, quelle que fût la réponse, il y trouverait prétexte à calomnie en soutenant que, sur le nombre, un autre est le grand. Quiconque sait et questionne, non par désir de s'instruire, mais par envie de savoir si celui qui doit répondre sait, vient, à l'image des Pharisiens, non point comme un disciple mais comme un tentateur.

IIII

(Matth. 22, 41 - 28, 20)

22   41-44. Congregatis autem Pharisaeis, interrogauit eos
Iesus dicens : Quid uobis uidetur de Christo ? cuius
filius est ? Dicunt ei : Dauid. Ait illis : Quomodo ergo
Dauid in spiritu uocat eum Dominum, dicens : Dixit
265 Dominus Domino meo : Sede a dextris meis donec
ponam inimicos tuos scabillum pedum tuorum ?
Qui ad temptandum Iesum fuerant congregati et
ueritatem fraudulenta interrogatione capere nitebantur,
occasionem praebuerunt confutationis suae interrogan-
270 turque de Christo cuius filius sit. Interrogatio Iesu nobis
proficit usque hodie contra Iudaeos. Et hi enim qui
confitentur Christum esse uenturum, hominem simplicem et sanctum uirum adserunt de genere Dauid.
Interrogemus ergo eos docti a Domino : Si simplex
275 homo est et tantum filius Dauid, quomodo Dauid
uocet eum Dominum suum, non erroris incerto nec
propria uoluntate, sed in Spiritu sancto. Testimonium
autem quod posuit de centesimo nono psalmo sumptum
est. Dominus igitur Dauid uocatur non secundum id
280 quod de eo natus est, sed iuxta id quod natus ex Patre
semper fuit praeueniens ipsum carnis suae patrem.

22, 266. Ps. 109, 1

---

1. Ce livre, comme le livre III (cf. *supra*, p. 10), commence au milieu
d'un de nos chapitres actuels. Sur les divisions de l'Évangile, cf. tome I,
p. 345, n. 103.
2. Il faut écrire *Patre* et non *patre*. C'est parce que Jésus est né du
Père qu'il existe avant son père, c'est-à-dire son ancêtre, David. Jésus

LIVRE IV

(Matth. 22, 41 - 28, 20)

CHAPITRE 22[1]

41-44. Or les Pharisiens se trouvant réunis, Jésus leur posa
cette question : « Quelle est votre opinion au sujet du Christ ?
De qui est-il le fils ? » Ils lui disent : « De David ». Il leur
dit : « Comment donc David, parlant dans l'Esprit, l'ap-
pelle-t-il Seigneur dans ce texte : Le Seigneur a dit à mon
Seigneur : Siège à ma droite jusqu'à ce que j'aie placé tes ennemis
comme un escabeau sous tes pieds ? » Ceux qui s'étaient
rassemblés pour éprouver Jésus et qui s'efforçaient de surprendre la Vérité par leurs questions insidieuses, lui four-
nirent l'occasion de les confondre eux-mêmes. Ils sont interro-
gés sur le Christ : de qui est-il le fils ? La question de Jésus,
de nos jours encore, est un bon argument contre les Juifs.
En effet, tout en reconnaissant que le Christ viendra, ils
affirment qu'il sera tout simplement un homme, un personnage saint, de la race de David. Instruits par le Maître,
posons-leur donc la question : s'il est tout simplement un
homme, s'il est seulement le fils de David, comment David
peut-il l'appeler son Seigneur et cela, non dans l'incertitude
de l'erreur, ni par un effet de sa propre volonté, mais dans
l'Esprit-Saint ? Le témoignage cité, il l'a tiré du psaume
cent neuf. Donc il est appelé Seigneur de David, non point
en ce qu'il est né de David, mais en ce que, né du Père[2],
il a toujours existé, précédant son père même selon la chair.

pourra dire de même : « Avant qu'Abraham fût, je suis » (*Jn* 8, 58).

Iudaei ad deludendam interrogationis ueritatem friuola multa confingunt, uernaculum Abrahae adserentes cuius fuerit filius Damascus Eliezer, et ex ipsius persona
285 scriptum psalmum, quod post caedem quinque regum Dominus Deus domino suo dixerit Abraham : *Sede ad dexteram meam donec ponam omnes inimicos tuos scabillum pedum tuorum.* Quos interrogemus : Quomodo Deus dixerit Abrahae ea quae sequuntur : *Tecum*
290 *principium in die uirtutis tuae in splendoribus sanctorum, ex utero ante luciferum genui te* ; et : *Iurauit Dominus et non paenitebit eum : Tu es sacerdos in aeternum secundum ordinem Melchisedech,* et respondere cogamus quomodo Abraham ante luciferum genitus sit et sacer-
295 dos fuerit secundum ordinem Melchisedech, pro quo Melchisedech obtulerit panem et uinum et a quo decimas praedae acceperit.

46. Et nemo poterat respondere ei uerbum, neque ausus fuit quisquam ex illa die eum amplius interrogare.
300 Pharisaei et Sadducaei quaerentes occasionem calumniae et uerbum aliquod inuenire quod pateret insidiis, quia in sermonibus confutati sunt ultra non interrogant, sed apertissime comprehensum Romanae tradunt potestati. Ex quo intellegimus uenena inuidiae posse
305 quidem superari sed difficile conquiescere.

23   1-3. Tunc Iesus locutus est ad turbas et discipulos suos, dicens : Super cathedram Moysi sederunt scri-

---

284. Cf. Gen. 14, 15 ‖ 291. Ps. 109, 3 ‖ 293. Ps. 109, 4 ‖ 297. Cf. Gen. 14, 18-20

3. *Ex persona* : se dit d'un personnage qu'on fait parler dans une mise en scène dramatique. Le *quod* est ici conjonction de subordination, exprimant la teneur du psaume.
4. Jérôme a toujours vu dans l'*invidia*, la jalousie méchante, la cause de la Passion du Seigneur (cf. Introduction, t. I, p. 19). Mais cette réflexion générale s'exprime ici avec le ton d'une expérience personnelle. Jérôme,

Pour éluder la vérité, les Juifs ainsi questionnés imaginent bien des contes absurdes. Ils prétendent qu'Abraham avait un serviteur qui eut pour fils Éliézer de Damas. C'est dans la bouche de ce serviteur[3] qu'auraient été mises les paroles du psaume où, après le massacre des cinq rois, le Seigneur Dieu aurait dit à son seigneur, Abraham : « Siège à ma droite jusqu'à ce que j'aie placé tous tes ennemis comme un escabeau sous tes pieds. » Demandons-leur comment Dieu a pu dire à Abraham ce qui suit : « A toi la souveraineté au jour de ta puissance, dans la splendeur des saints. Je t'ai engendré de mon sein avant l'étoile du matin », ainsi que : « Le Seigneur l'a juré et il ne s'en repentira point : Tu es prêtre pour toujours selon l'ordre de Melchisédech. » Obligeons-les à nous dire comment Abraham a pu être engendré avant l'étoile du matin et être prêtre selon l'ordre de Melchisédech, lui à qui Melchisédech apporta le pain et le vin et dont il reçut la dîme du butin.

46. Et personne ne pouvait lui répondre un seul mot et, à partir de ce jour, nul n'osa plus lui poser d'autre question. » Les Pharisiens et les Sadducéens qui cherchaient l'occasion de le calomnier, de trouver un mot laissant prise à leurs embûches, se voyant confondus dans ces entretiens, désormais ne l'interrogent plus, mais le font arrêter aux yeux de tous, puis le livrent à l'autorité romaine. Voilà qui nous fait comprendre qu'on peut vaincre le poison de l'envie[4], mais qu'il est difficile de l'apaiser.

CHAPITRE 23

1.3. Alors Jésus parla aux foules et, à ses disciples. Il disait : « Les scribes et les Pharisiens sont assis sur la chaire de Moïse.

lui aussi, a douloureusement souffert d'attaques qu'il juge calomnieuses. S'il ne s'est pas ménagé dans ses luttes contre ses ennemis, c'est peut-être qu'il savait ne pas pouvoir « apaiser le poison de l'envie, mais seulement le vaincre ».

bae et Pharisaei ; omnia ergo quae dixerint uobis
seruate et facite, secundum opera uero eorum nolite
5 facere ; dicunt enim et non faciunt. Quid mansuetius,
quid benignius Domino ? Temptatur a Pharisaeis,
confringuntur insidiae eorum, et secundum psalmistam :
Sagittae paruulorum factae sunt plagae eorum, et nihilominus propter sacerdotium et nominis dignitatem
10 hortatur populos ut subiciantur eis, non opera sed
doctrinam considerantes. Quod autem ait : *Super
cathedram Moysi sederunt scribae et Pharisaei*, per
cathedram doctrinam legis ostendit. Ergo et illud
quod dicitur in psalmo : *Id cathedra pestilentiae non
15 sedit* ; et : *Cathedras uendentium columbas euertit*,
doctrinam debemus accipere.

4. Alligant autem onera grauia et importabilia et impo-
nunt in humeros hominum, digito autem suo nolunt ea
mouere. Hoc generaliter aduersus omnes magistros
20 qui grandia iubent et minora non faciunt. Notandum
autem quod et humeri et digitus et onera et uincula,
quibus alligantur onera, spiritaliter intellegenda sint.

5. Omnia uero opera sua faciunt ut uideantur ab hominibus. Quicumque igitur ita facit quodlibet ut uideatur
25 ab hominibus, scriba est et Pharisaeus.

5-7. Dilatant enim phylacteria sua et magnificant
fimbrias ; amant quoque primos recubitus in cenis
et primas cathedras in synagogis et salutationes in foro et
uocari ab hominibus rabbi. Vae nobis miseris ad quos
30 Pharisaeorum uitia transierunt. Dominus, cum dedisset
mandata legis per Moysen, ad extremum intulit :
Ligabis ea in manu tua et erunt inmota ante oculos tuos ; et

23, 8. Ps. 63, 8 ‖ 15. Ps. 1, 1 ; Matth. 21, 12 ‖ 32. Deut. 6, 8

Observez donc tout ce qu'ils pourront vous dire, faites-le, mais ne vous réglez pas sur leurs actes, car ils disent et ne font pas. » Quoi de plus doux, de plus bienveillant que le Seigneur ? Les Pharisiens le mettent à l'épreuve, leurs pièges se brisent. Selon les termes du psalmiste : « Leurs coups ont été comme des flèches d'enfants », et cependant, par respect pour le sacerdoce, pour la dignité de ce titre, il exhorte le peuple à leur rester soumis, en considération, non de leur conduite, mais de leur enseignement. Dans cette phrase : « Les scribes et les Pharisiens sont assis sur la chaire de Moïse », par chaire il désigne la doctrine de la Loi. Nous devons donc prendre également dans le sens de doctrine l'expression du psaume : « Il ne s'est point assis sur la chaire de pestilence » et « Il renversa les chaires des vendeurs de colombes. »

4. « Ils lient des fardeaux pesants, impossibles à porter, et ils les mettent sur les épaules des hommes, mais ils se refusent à les manier du bout du doigt. » Cela vise en général tous les maîtres qui commandent de grandes choses mais ne font pas les petites. Notons-le, ces termes, épaules et doigt, fardeaux et liens qui servent à les attacher, doivent être compris au sens spirituel.

5. « En tout, ils agissent pour se faire remarquer des hommes. » Donc quiconque n'agit que pour être vu des hommes est un scribe et un Pharisien.

5-7. « Ils font bien larges leurs phylactères et bien longues leurs franges. Ils recherchent les premières places dans les festins, les premières chaires dans les synagogues, ils aiment à recevoir les salutations sur la place publique, et à s'entendre appeler Rabbi par les gens. » Malheur à nous, misérables, héritiers des vices des Pharisiens. Lorsque, par l'intermédiaire de Moïse, le Seigneur eut donné les prescriptions de sa Loi, il ajouta pour finir : « Tu les attacheras sur ta main et ils

est sensus : Praecepta mea sint in manu tua ut opere
compleantur ; sint ante oculos tuos ut die ac nocte
35 mediteris in eis. Hoc Pharisaei male interpretantes
scribebant in membranulis decalogum Moysi, id est
decem legis uerba, complicantes ea et ligantes in fronte
et quasi coronam capiti facientes, ut semper ante
oculos mouerentur ; quod usque hodie Indi et Babylonii
40 faciunt, et qui hoc habuerit quasi religiosus in populis
iudicatur. Iusserat quoque aliud Moyses, ut in quattuor
angulis palliorum hyacinthinas fimbrias facerent ad
Israhelis populum dinoscendum ut, quomodo in corporibus circumcisio signum Iudaicae gentis daret,
45 ita uestis haberet aliquam differentiam. Supersti-
tiosi magistri, captantes auram popularem atque ex
mulierculis sectantes lucra, faciebant grandes fimbrias et
acutissimas in eis spinas ligabant, ut uidelicet ambu-
lantes et sedentes interdum pungerentur et quasi
50 hac commonitione retraherentur ad officia Dei et
ministeria seruitutis eius. Quia ergo dixerat Dominus :
Omnia opera sua faciunt ut uideantur ab hominibus,
quod generaliter accusarat, nunc in partes diuidit.
Pictaciola illa decalogi phylacteria uocabant, quod
55 quicumque habuisset ea, quasi ob custodiam et muni-
mentum sui haberet ; non intellegentibus Pharisaeis
quod haec in corde portanda sint, non in corpore ;
alioquin et armaria et arcae habent libros et Dei notitiam non habent. Hoc apud nos superstitiosae mulier-
60 culae in paruulis euangeliis et in crucis ligno et istiusmodi rebus, quae habent quidem zelum Dei sed non
iuxta scientiam, usque hodie factitant, culicem liquantes
et camelum glutientes. Istiusmodi erat fimbria parua

42. Cf. Nombr. 15, 38-40 ‖ 63. Cf. Matth. 23, 24

---

5. « Phylactère » vient en effet d'un mot grec qui signifie garder,
protéger.

demeureront toujours devant tes yeux. » Et voici le sens : que mes préceptes soient sur ta main pour qu'ils soient pratiqués dans tes actes, devant tes yeux pour que tu les médites jour et nuit. Par suite d'une fausse interprétation, les Pharisiens écrivaient le Décalogue de Moïse, c'est-à-dire les dix commandements de la Loi sur des bandelettes de parchemin, les repliaient, les attachaient sur leur front, s'en faisaient pour ainsi dire une couronne sur leur tête pour les porter toujours devant les yeux, coutume observée encore de nos jours par les Indiens et les Babyloniens. Qui porte cette couronne passe pour pieux aux yeux du peuple. Moïse avait également ordonné de coudre aux quatre coins du manteau des franges couleur hyacinthe pour distinguer le peuple d'Israël. Ainsi de même qu'en leur corps la circoncision était le signe distinctif du peuple juif, de même le vêtement comportait une différence. Des maîtres superstitieux, voulant se gagner la faveur populaire et exploiter les femmelettes, se faisaient de longues franges, y attachaient des épines très aiguës, apparemment pour qu'ils fussent de temps en temps piqués dans la marche ou le repos et, pour ainsi dire, rappelés par cet avertissement à leurs devoirs envers Dieu et au service de son ministère. Le Seigneur avait dit : « En tout ils agissent pour se faire remarquer des hommes. » Cette accusation générale, il la reprend maintenant en détail. Ces petites bandes du Décalogue, ils les appelaient phylactères[5] : selon eux, en effet, quiconque les portait possédait sa sauvegarde, sa propre protection ; les Pharisiens ne comprennent pas que c'est dans le cœur qu'il faut les porter, non sur le corps ; au reste, les armoires aussi et les coffres renferment les livres, sans avoir la connaissance de Dieu. Ainsi, souvent, de nos jours encore, procèdent des femmelettes superstitieuses avec des petits évangiles, du bois de la Croix et autres objets semblables ; elles ont, certes, le zèle de Dieu, mais non selon la science. Elles filtrent le moucheron et avalent le chameau. C'est une frange sem-

et breuis ex lege praecepta quam et mulier illa quae
65 sanguine fluebat tetigit in pallio Domini, sed non est
compuncta superstitiosis sentibus Pharisaeorum, ma-
gisque sanata ad tactum eius. Cumque superflue
dilatent phylacteria et magnas faciant fimbrias, gloriam
captantes ab hominibus, arguuntur in reliquis, cur
70 quaerant primos accubitus in cenis et primas cathedras
in synagogis et in publico gulam sectentur et gloriam
et uocentur ab hominibus rabbi, quod latino sermone
magister dicitur. Denique sequitur :

8-10. **Vos autem nolite uocari rabbi, unus est enim**
75 **magister uester, et patrem nolite uocare uobis super ter-**
ram, unus est enim Pater uester qui in caelis est, nec
uocemini magistri quia magister uester unus est Christus.
Nec magister nec pater uocandus est alius nisi Deus
Pater et Dominus noster Iesus Christus, Pater quia ex
80 ipso sunt omnia, magister quia per ipsum omnia uel
quoniam per dispensationem carnis omnes reconciliati
sumus Deo. Quaeritur quare aduersum hoc praeceptum
doctorem gentium apostolus esse se dixerit, aut quomodo
uulgato sermone maxime in Palestinae et in Aegypti
85 monasteriis se inuicem patres uocent. Quod sic soluitur,
aliud esse natura patrem uel magistrum, aliud indul-
gentia. Nos si hominem patrem uocamus, honorem
aetati deferimus, non auctorem nostrae ostendimus
uitae. Magister quoque dicitur ex consortio ueri magistri.
90 Et ne infinita replicem quomodo unus per naturam
Deus et unus filius non praeiudicat ceteris ne per
adoptionem dii uocentur et filii, ita et unus pater et
magister non praeiudicat aliis ut abusiue appellentur
patres et magistri.

65. Cf. Matth. 9, 20 ‖ 80. Cf. I Cor. 8, 6 ; Col. 1, 16 ‖ 82. Cf. Rom.
5, 8 ‖ 83. Cf. I Tim. 2, 7

blable, mais petite et courte, conforme aux prescriptions
de la Loi, que la femme hémorroïsse toucha, elle aussi, sur le
manteau du Seigneur ; cependant elle ne fut pas piquée
par les épines superstitieuses des Pharisiens, mais bien
plutôt guérie par son contact. Tandis qu'ils élargissent
démesurément leurs phylactères, portent de grandes franges
pour capter l'estime publique, ils se voient reprocher, par
ailleurs, de rechercher les premières places dans les festins, les
premières chaires dans les synagogues, de se mettre en
public à la poursuite de la bonne chair et de la gloire, de se
faire appeler par les gens, Rabbi, en latin *Magister*. Il ajoute :

8-10. « Pour vous, ne vous faites pas appeler Rabbi,
car vous n'avez qu'un seul maître. N'appelez personne votre
père sur la terre, car vous n'avez qu'un Père qui est dans
les cieux ; ne vous faites pas appeler maîtres, car vous n'avez
qu'un seul maître, le Christ. » Nul autre ne doit être appelé
maître ou père que Dieu le Père et notre Seigneur Jésus-
Christ. Père parce que tout vient de lui, maître parce que tout
est par lui ou parce que le mystère de son incarnation nous a
tous réconciliés avec Dieu. On demande pourquoi, contrairement à ce précepte, l'Apôtre s'est qualifié de Docteur des
Nations, ou pourquoi, surtout dans les monastères de Palestine et d'Égypte, les moines se donnent communément
entre eux le nom de Père. Voici la réponse : autre chose
est d'être père ou maître par nature, autre chose de l'être
par complaisance. Quand nous appelons un homme « Père »,
c'est un hommage que nous rendons à son âge, nous ne le
désignons pas comme l'auteur de nos jours. De même est
qualifié de maître celui qui est l'associé du Maître véritable.
Pour ne pas me répéter à l'infini, de même que l'existence,
par nature, d'un seul Dieu, d'un seul Fils n'empêche pas
de donner à d'autres aussi, par suite de leur adoption, ces
titres de dieux et de fils, de même l'existence d'un seul Père,
d'un seul Maître n'empêche pas de donner à d'autres, au
sens large, ces titres de père et de maître.

95   **13.** Vae uobis scribae et Pharisaei hypocritae, quia clauditis regnum caelorum ante homines ; uos ipsi non intratis nec introeuntes sinitis intrare. Habent scribae et Pharisaei legis prophetarumque notitiam, sciunt Christum esse filium Dei, non ignorant natum 100 esse de uirgine, sed dum praedam de subiecta sibi plebe appetunt, nec ipsi introeunt regna caelorum, nec eos qui poterant intrare permittunt. Hoc est quod in Osee propheta arguit : *Absconderunt sacerdotes uiam, interfecerunt Sicima* ; et rursum : *Sacerdotes non* 105 *dixerunt ubi est Dominus.* Vel certe omnis magister qui scandalizat malis operibus discipulos suos claudit ante eos regnum caelorum.

  15. Vae uobis, scribae et Pharisaei hypocritae, quia circuitis mare et aridam, ut faciatis unum proselytum et, 110 cum fuerit factus, facitis eum filium gehennae duplo quam uos. Non eo studio seruamus quaesita quo quaerimus. Scribae et Pharisaei totum lustrantes orbem propter negotiationes et diuersa lucra tam a discipulis captanda quam per imaginem sanctitatis studii habebant de 115 gentibus facere proselytum, id est aduenam et incircumcisum miscere populo Dei. Sed qui ante, dum esset ethnicus, simpliciter errabat et erat semel filius gehennae, uidens magistrorum uitia et intellegens destruere eos opere quod uerbis docebant, reuertitur ad uomitum 120 suum et gentilis factus quasi praeuaricator maiore poena dignus erit. Filius autem uocatur gehennae quomodo filius perditionis et filius huius saeculi.

104. Os. 6, 9 ‖ 105. Os. 6, 4 ‖ 120. Cf. Prov. 26, 11

6. *Studii habebant* : génitif de point de vue, fréquent en grec, mais qui semble ici bien rude. L'expression normale se trouve un peu plus loin, l. 172-173, *hoc... habebant studii.*

7. Ce sont des tournures hébraïques. Le nom au génitif équivaut à un adjectif : *Filius perditionis*, un fils perdu, voué à la perdition. Cette

13. « **Malheur** à vous, scribes et **Pharisiens** hypocrites, parce que vous fermez aux hommes le royaume des cieux. Vous n'y entrez pas vous-mêmes et vous n'y laissez pas entrer ceux qui le voudraient. » Les scribes et les Pharisiens ont la connaissance de la Loi et des Prophètes. Ils savent que le Christ est fils de Dieu. Ils n'ignorent pas qu'il est né d'une vierge. Mais parce qu'ils veulent exploiter le peuple qui leur est soumis, eux-mêmes n'entrent pas dans le royaume des cieux et ils ne permettent pas d'y entrer à ceux qui le pourraient. C'est ce qui leur est reproché par la bouche du prophète Osée : « Les prêtres ont intercepté le chemin, ils ont assassiné le peuple de Sichem », et ailleurs : « Les prêtres n'ont point dit où est le Seigneur. » En tout cas, tout maître qui scandalise ses disciples par ses œuvres mauvaises leur ferme le royaume des cieux.

15. « **Malheur** à vous, scribes et **Pharisiens** hypocrites, vous parcourez mers et continents pour gagner un seul prosélyte et, quand il l'est devenu, vous en faites un fils de la Géhenne, deux fois plus que vous. » Nous ne déployons pas à conserver ce que nous avons cherché le même zèle qu'à le rechercher. Scribes et Pharisiens parcouraient toute la terre pour faire du commerce, pour tirer divers profits tant de leurs disciples que de leur affectation de sainteté. Ils s'appliquaient[6] à faire un prosélyte parmi les Gentils, c'est-à-dire à agréger au peuple de Dieu un étranger et un incirconcis. Mais celui qui, tant qu'il n'était qu'un païen, n'était coupable que d'une seule erreur, fils de la Géhenne une seule fois, à la vue des vices de ses maîtres, comprenant que leurs œuvres ruinent l'enseignement de leur parole, retourne à son vomissement. Redevenu païen, sa qualité d'apostat lui méritera plus grave châtiment. On dit fils de la Géhenne, tout comme fils de perdition[7] et fils

---

tournure a passé dans le style de Jérôme où on en trouve de multiples exemples, cf. H. GOELZER, *op. cit.*, p. 323.

Vnusquisque enim cuius opera agit eius filius appellatur.

16-22. Vae uobis, duces caeci qui dicitis : Quicumque
125 iurauerit per templum nihil est, qui autem iurauerit
in auro templi debet. Stulti et caeci, quid enim maius
est : aurum an templum quod sanctificat aurum ?
Et : Quicumque iurauerit in altari nihil est, quicumque
autem iurauerit in dono quod est super illud debet.
130 Caeci, quid enim maius est : donum an altare quod sanctificat donum ? Qui ergo in altari iurat, iurat in eo et in omnibus quae super illud sunt ; et qui iurauerit in templo,
iurat in illo et in eo qui habitat in ipso ; et qui iurat in
caelo, iurat in throno Dei et in eo qui sedet super eum.
135 Supra ut uisum nobis est exposuimus quid significaret
traditio Pharisaeorum dicentium : *Donum quodcumque
est ex me tibi proderit*. Nunc duplex et ad unam auaritiae occasionem trahens Pharisaeorum traditio condemnatur, ut arguantur cuncta pro lucro facere et
140 non pro timore Dei. Sicut enim in phylacteriis et fimbriis dilatis opinio sanctitatis captabat gloriam et
per occasionem gloriae quaerebat lucra, sic alia tra-
ditionis inuenta stropha impietatis arguit praeceptores.
Si quis in contentione seu in aliquo iurgio uel in causae
145 ambiguo iurasset in templo et postea conuictus esset
mendacii, non tenebatur criminis reus ; sin autem
iurasset in auro et pecunia quae in templo sacerdotibus
offerebatur, statim id in quo iurauerat cogebatur exsoluere. Rursum si quis iurasset in altari, periurii reum
150 nemo retinebat ; sin autem periurasset in dono uel
in oblationibus, hoc est in hostia uel in uictimis, in si-
mila et ceteris quae offeruntur Deo super altare, haec stu-
diossime repetebant. Arguit ergo eos Dominus et stultitiae

137. Matth. 15, 5

---

8. A propos de *Matth.* 15, 5 (t. I, p. 321).

de ce siècle. En effet, chacun s'appelle fils de celui dont il
accomplit les œuvres.

16-22. « Malheur à vous, guides aveugles, qui dites : Si on
jure par le temple, cela ne compte pas, mais si on jure par
l'or du temple, on est tenu de payer. Sots et aveugles ! Quel
est le plus grand de l'or ou du temple qui sanctifie l'or ?
Vous dites encore : Si on jure par l'autel, ce n'est rien, mais si
l'on jure par l'offrande qui est dessus, on est tenu de payer.
Aveugles ! En effet, lequel est le plus grand de l'offrande
ou de l'autel qui sanctifie l'offrande ? Aussi bien jurer par
l'autel, c'est jurer par lui et par tout ce qui est dessus. Jurer
par le temple c'est jurer par le temple et par celui qui l'habite. Et
celui qui jure par le ciel jure par le trône de Dieu et par celui qui
y est assis. » Nous avons exposé plus haut[8] quel était le
sens, à notre avis, de cette tradition des Pharisiens disant :
« Tout don venu de moi te servira. » Maintenant, c'est une
double tradition des Pharisiens, mais qui les amène à tomber
dans une même avarice qu'il condamne, prouvant ainsi
qu'ils agissent toujours par esprit de lucre, jamais par crainte
de Dieu. Quand ils faisaient bien larges leurs phylactères et
bien longues leurs franges, leur réputation de sainteté avait en
vue la gloire, et à travers cette gloire recherchait le profit.
De même une autre ruse imaginée par leur tradition prouve
l'impiété de ces maîtres. Dans une discussion, dans une contes-
tation, dans une question litigieuse, avait-on juré par le
temple, était-on ensuite convaincu de mensonge, on n'était
pas tenu pour coupable. Avait-on au contraire juré par
l'or et l'argent offerts aux prêtres dans le temple, sur-le-
champ on était tenu de verser ce par quoi on avait juré.
De même, avait-on juré par l'autel, personne ne vous tenait
comme parjure. Mais avait-on juré à tort par les dons ou
les offrandes, c'est-à-dire les victimes, la fleur de farine,
ou les autres objets offerts à Dieu sur l'autel, on se le voyait
scrupuleusement réclamer. Le Seigneur les accuse donc

et fraudulentiae, quod multo maius sit templum quam
155 aurum quod sanctificatur a templo, et altare quam
hostiae quae sanctificantur ab altari. Totum autem
faciebant non ob Dei timorem sed ob diuitiarum cupi-
dinem.

23. Vae uobis, scribae et Pharisaei hypocritae,
160 quia decimatis mentam et anetum et cyminum et reliquistis quae grauiora sunt legis, iudicium et misericordiam et
fidem ; haec oportuit facere et illa non omittere.
Multa in lege praecepta sunt quae typos praeferant
futurorum, alia uero quae aperta sunt, iuxta psal-
165 mistam dicentem : *Mandatum Domini lucidum, inlu-
minans oculos*, quae statim opera desiderent, uerbi
gratia : *Non adulterabis, non furtum facies, non testimonium falsum dices*, et cetera. Pharisaei autem,
quia praeceperat Dominus interim (ut intellectus mysti-
170 cos dimittamus) propter alimoniam sacerdotum et
leuitarum, quorum pars erat Dominus, omnium
rerum offerri in templo decimas, hoc unum habebant
studii ut quae iussa fuerant comportarentur ; cetera
quae erant maiora, utrum quis faceret annon, parui
175 pendebant. Et ex hoc itaque capitulo arguit eos auaritiae quod studiose etiam uilium holerum decimas
exigant, et iudicium in disceptatione negotiorum
misericordiamque in pauperes pupillos et uiduas et
fidem in Deum, quae magna sunt, praetermittant.

180 24. Duces caeci excolantes culicem, camelum autem
glutientes. Camelum puto esse, iuxta sensum praesentis
loci et magnitudinem praeceptorum, iudicium et misericordiam et fidem ; culicem autem, decimas mentae
et aneti et cymini et reliquorum uilium holerum. Haec

---

166. Ps. 18, 9 ‖ 168. Ex. 20, 14-16 ‖ 171. Cf. Nombr. 23, 20 ‖ 172.
Cf. Ex. 22, 29

de sottise et de fraude, parce que le temple est beaucoup
plus grand que l'or que sanctifie le temple, et l'autel plus
grand que les victimes que sanctifie l'autel. En tout, ils
agissaient, non par crainte de Dieu, mais par désir de s'enri-
chir.

23. « Malheur à vous, scribes et Pharisiens hypocrites, qui
acquittez la dîme de la menthe, du fenouil et du cumin et qui
négligez les points les plus graves de la Loi : la justice, la miséricorde et la bonne foi. C'est ceci qu'il fallait pratiquer, sans négli-
ger cela. » Dans la Loi, il y a de nombreuses prescriptions qui
préfigurent les réalités à venir. D'autres sont claires, selon la
parole du pslamiste : « Le commandement du Seigneur est
lumineux, il éclaire les yeux » ; elles appellent une exécution
immédiate. Par exemple : « tu ne seras pas adultère, tu
ne voleras pas, tu ne feras pas de faux témoignages », etc.
Mais les Pharisiens, puisque le Seigneur avait prescrit d'offrir
dans le temple la dîme de tout, ceci — laissons de côté, pour le
moment, les interprétations mystiques — pour assurer
l'entretien des prêtres et des lévites, qui avaient pour part le
Seigneur, veillaient uniquement à se faire apporter tout ce
qui avait été prescrit ; le reste, les autres prescriptions plus
importantes, qu'on les observât ou non, peu leur importait.
Sur ce point, le Seigneur les convainc de cupidité : ils exigent
scrupuleusement la dîme, même sur les légumes de peu
de valeur, mais la justice dans le règlement des litiges, la
miséricorde à l'égard des pauvres, des orphelins et des veuves
et la foi en Dieu, ce qui est l'important, ils les négligent.

24. « Guides aveugles qui filtrez le moucheron et qui avalez
le chameau. » A mon avis, d'après le sens du passage présent et la
grandeur des commandements, le chameau symbolise la
justice, la miséricorde, la bonne foi ; le moucheron, les dîmes
sur la menthe, le fenouil, le cumin et autres légumes de peu de
prix. Ce qui est important, contrairement à la prescription

185 contra praeceptum Dei quae magna sunt deuoramus
atque neglegimus, et opinione religionis in paruis
quae lucrum habent diligentiam demonstramus.

25.26. Vae uobis, scribae et Pharisaei hypocritae,
quia mundatis quod de foris est calicis et parapsidis,
190 intus autem pleni estis rapina et inmunditia. Pharisaee
caece, munda prius quod intus est calicis et parapsidis,
ut fiat id quod foris est mundum. Diuersis uerbis eodem quo supra sensu arguit Pharisaeos simulationis
atque mendacii, quod aliud ostendant hominibus foris,
195 aliud domi agant, non quo in calice et parapside eorum
superstitio moraretur, sed quo foris hominibus ostenderent sanctitatem in habitu, in sermone, in phylacteriis,
in fimbriis, in orationum longitudine et in ceteris
istiusmodi, intrinsecus autem essent uitiorum sordibus
200 pleni.

27. Vae uobis, scribae et Pharisaei hypocritae,
quia similes estis sepulchris dealbatis quae a foris pa-
rent hominibus speciosa, intus uero plena sunt ossibus
mortuorum et omni spurcitia. Quod in calice et parap-
205 side demonstrarat, eo quod foris loti essent et intrinsecus
sordidi, hoc nunc per exemplum sepulchrorum replicat,
quod quomodo sepulchra forinsecus leuigata sunt
calce et ornata marmoribus et auro coloribusque dis-

---

9. Il faut lire : *opinione*. Cf. l. 224. Sinon la phrase est incompréhensible. C'est pourquoi G a fait précéder *opinionem* de *ob* et retrouve le
sens évident de la phrase. Cf. l. 193 où il accuse les Pharisiens de dissimulation et de mensonge : *eodem quo supra sensu.* Raban Maur lit du
reste : *opinione* (*PL* 107, 1071 B).

10. C'est encore l'usage en Orient de blanchir à la chaux les tombeaux
des saints personnages, qui étincellent ainsi au soleil. Le Talmud recom-
mande d'en renouveler la blancheur à chaque printemps. La leçon de R :

de Dieu, nous l'avalons, c'est-à-dire nous le négligeons ;
et, pour paraître[9] religieux, c'est dans les petites choses
qui rapportent du profit que nous manifestons notre exacti-
tude.

25-26. « Malheur à vous scribes et Pharisiens hypocrites,
parce que vous nettoyez l'extérieur de la coupe et du plat,
tandis qu'au dedans, vous êtes pleins de rapines et d'impuretés.
Pharisien aveugle, nettoie d'abord l'intérieur de la coupe
et du plat, afin que le dehors devienne propre. » En des
termes différents, mais le sens restant le même que plus
haut, il accuse les Pharisiens de dissimulation et de mensonge :
ce dont ils font étalage aux yeux des hommes, leur conduite
privée le dément ; non point que leur religion supersititieuse
s'attardât à la coupe ou au plat, mais ils voulaient faire
étalage de sainteté aux yeux des hommes dans leur tenue,
leur langage, leurs phylactères, leurs franges, leurs longues
oraisons et autres démonstrations du même genre, tandis
qu'à l'intérieur ce n'était que souillure du vice.

27. « Malheur à vous, scribes et Pharisiens hypocrites,
parce que vous ressemblez à des sépulcres blanchis : au dehors,
ils ont belle apparence, mais au dedans, ils sont pleins d'ossements de morts et de toute sorte de pourriture. » Ce qu'il
avait montré dans l'exemple de la coupe et du plat propres à
l'extérieur, sales à l'intérieur, il le reprend maintenant avec la
comparaison des sépulcres : de même qu'à l'extérieur, ils
sont blanchis à la chaux[10], revêtus de marbre, ornés d'or et

---

lota, adoptée par le CCL, ne saurait tenir. Elle a été entraînée peut-
être par le loti de la ligne 205. On ne « lave » pas les tombeaux avec de
la chaux. La leçon de O, lita, paraît préférable, surtout parce qu'elle est
appuyée par Raban Maur. Pourtant, nous avons adopté la leçon leuigata
de GCKE BPL (M : leuigate), de leuigare qui signifie polir et parfois
crépir, leçon la mieux attestée et excellente aussi. On retrouve l'expression au chap. 26, l. 33 : leuigare templi parietes (tous les manuscrits).

tincta, intus autem plena sunt ossibus mortuorum,
210 sic et peruersi magistri, qui alia docent et alia faciunt,
munditiam habitu uestis et uerborum humilitate de-
monstrent, intus autem pleni sunt omni spurcitia et
auaritia et libidine. Denique manifestius hoc ipsum
exprimit inferens :

215 **28-31. Sic et uos a foris quidem paretis hominibus
iusti, intus autem pleni estis hypocrisi et iniquitate.
Vae uobis, scribae et Pharisaei hypocritae, quia
aedificatis sepulchra prophetarum et ornatis monumenta iustorum et dicitis : Si fuissemus in diebus patrum
220 nostrorum, non fuissemus socii eorum in sanguine
prophetarum. Itaque testimonio estis uobismet ipsis
quia filii estis eorum qui prophetas occiderunt.** Prudentis-
simo syllogismo arguit eos filios esse homicidarum,
dum ipsi opinione bonitatis et gloriae in populos
225 sepulchra aedificant prophetarum quos maiores eorum
interfecerunt, et dicunt : Si fuissemus illo tempore, non
fecissemus ea quae fecerunt patres nostri. Hoc autem
etiam si sermone non dicant, opere loquuntur ex eo
quod ambitiose et magnifice aedificant memorias
230 occisorum quos a patribus suis esse iugulatos non
negant.

32. Et uos implete mensuram patrum uestrorum.
Probato superioribus dictis quod filii essent homicidarum et eorum qui prophetas interfecissent, nunc
235 concludit quod uoluerat, et quasi extremam syllo-
gismi partem ponit : *Et uos implete mensuram patrum
uestrorum* : quod illis defuit, uos implete ; illi interfecerunt seruos, uos Dominum crucifigite ; illi prophetas,
uos eum qui a prophetis praedicatus est.

---

11. *Probato quod* : construction caractéristique du latin tardif. Cf.
BLAISE, *Manuel*, p. 197, n° 365.

de peintures, mais à l'intérieur, remplis des ossements des morts, de même, les mauvais maîtres, dont la conduite dément l'enseignement, font sans doute étalage de pureté par la tournure de leurs vêtements et l'humilité de leurs propos, mais à l'intérieur ce n'est que pourriture, cupidité et concupiscence. Enfin cette même idée, il l'exprime plus clairement encore en ajoutant :

28-31. « Ainsi vous, à l'extérieur, vous offrez aux yeux des hommes l'apparence de la justice ; au dedans, vous êtes pleins d'hypocrisie et d'iniquité. »

« Malheur à vous, scribes et Pharisiens hypocrites, qui bâtissez les sépulcres des prophètes et ornez les tombeaux des justes en disant : Si nous avions vécu du temps de nos pères, nous ne nous serions pas joints à eux pour verser le sang des prophètes. Ainsi vous témoignez contre vous-mêmes, vous êtes les fils de ceux qui ont mis à mort les prophètes. » Par un syllogisme fort habile, il les convainc d'être fils de meurtriers. Pour que le peuple les croie bons et les glorifie, ils bâtissent des sépulcres pour les prophètes mis à mort par leurs ancêtres. Ils disent : « Si nous avions vécu alors, nous n'aurions pas fait ce qu'ont fait nos pères. » Même s'ils ne disent pas cela de vive voix, ils le disent dans leurs œuvres, en faisant élever des monuments pompeux et magnifiques, en mémoire des victimes égorgées, de leur propre aveu, par leurs pères.

32. « A votre tour, comblez la mesure de vos pères. » Après avoir montré[11], dans les versets précédents, qu'ils étaient fils de meurtriers et de ceux qui avaient mis à mort les prophètes, il amène maintenant la conclusion qu'il voulait, et pose, pour ainsi dire, le dernier membre du syllogisme : « A votre tour, comblez la mesure de vos pères. » Ce qu'ils n'ont pu réaliser, accomplissez-le. Ils ont tué les serviteurs ; vous, crucifiez le Maître. Ils ont tué les prophètes ; vous, crucifiez celui que les prophètes ont annoncé.

240   **33. Serpentes, genimina uiperarum, quomodo fugietis
a iudicio gehennae ?** Hoc ipsum et Iohannes Baptista
dixerat. Sicut ergo de uiperis nascuntur uiperae,
sic de homicidis patribus uos, inquit, nati estis homici-
dae.

245   **34. Ideo ecce ego mitto ad uos prophetas et sapientes et
scribas, ex illis occidetis et crucifigetis et ex eis flagellabitis in synagogis uestris et persequimini de ciuitate in
ciuitatem.** Hoc quod antea dixeramus : *Implete mensuram patrum uestrorum,* ad personam Domini pertinere
250   eo quod occidendus esset ab eis, potest et ad discipulos
eius referri de quibus nunc dicit : *Ecce ego mitto ad
uos prophetas et sapientes et scribas, ex illis occidetis
et crucifigetis et flagellabitis in synagogis uestris et
persequimini de ciuitate in ciuitatem,* ut impleatis men-
255   suram patrum uestrorum. Simulque obserua iuxta
apostolum scribentem ad Corinthios uaria esse dona
discipulorum Christi : alios prophetas qui uentura
praedicant, alios sapientes qui nouerint quando debeant
proferre sermonem, alios scribas in lege doctissimos ; ex
260   quibus lapidatus est Stephanus, Paulus occisus, crucifixus Petrus, flagellati in Actibus apostolorum discipuli,
et persecuti eos sunt de ciuitate in ciuitatem, expellentes
de Iudaea ut ad gentium populum transmigrarent.

**35.36. Vt ueniat super uos omnis sanguis iustus qui
265   effusus est super terram a sanguine Abel iusti usque ad
sanguinem Zachariae filii Barachiae qui occisus est inter
templum et altare. Amen dico uobis, uenient haec omnia
super generationem istam.** De Abel nulla est ambi-

257. Cf. I Cor. 12, 8-10 ; Rom. 12, 6 s. ‖ 260. Cf. Act. 7, 58 ‖ 261.
Cf. Act. 5, 40

---

12. *Occidendus* : adjectif verbal avec sens de participe futur passif.

33. « Serpents, engeance de vipères, comment échapperez-vous à la condamnation de la Géhenne ? » C'est exactement ce qu'avait dit Jean Baptiste. De vipères, naissent des vipères ; ainsi, nés de pères meurtriers, dit-il, vous êtes des meurtriers.

34. « C'est pourquoi voici que je vous envoie des prophètes, des sages et des scribes, vous en tuerez et crucifierez, vous en flagellerez dans vos synagogues et vous en poursuivrez de ville en ville. » Nous l'avons dit auparavant, ce verset : « Comblez la mesure de vos pères » concerne la personne du Seigneur, parce qu'ils devaient le tuer[12] ; il peut s'appliquer également à ses disciples, dont il dit maintenant : « Voici que je vous envoie des prophètes, des sages et des scribes. Vous en tuerez et crucifierez, vous en flagellerez dans vos synagogues et vous en poursuivrez de ville en ville », et comblerez ainsi la mesure de vos pères. Observe, en même temps, avec l'Apôtre, dans sa lettre aux Corinthiens, la variété des dons accordés aux disciples du Christ : les uns sont des prophètes qui prédisent l'avenir, les autres des sages qui savent à quel moment ils doivent porter la parole, les autres des scribes très versés dans la loi ; parmi eux Étienne fut lapidé, Paul tué, Pierre crucifié, et, selon les Actes, les disciples furent flagellés. Ils les ont poursuivis de cité en cité, expulsés de Judée, et ainsi les ont fait passer aux peuples des Gentils.

35.36. « Afin que retombe sur vous tout le sang innocent répandu sur la terre depuis le sang d'Abel, le juste, jusqu'à celui de Zacharie, fils de Barachie, que vous avez mis à mort entre le temple et l'autel. En vérité, je vous le dis : tout cela va retomber sur votre génération ! » Au sujet d'Abel,

---

Cet emploi est caractéristique du latin tardif. Cf. A. BLAISE, *Manuel*, p. 192, nº 349, qui renvoie à la Vulgate : *Matth.* 17, 22 : *Filius hominis... tradendus est.* Cf. aussi GOELZER, *op. cit.*, p. 387.

guitas quin is sit quem Cain frater occiderit. Iustus
270 autem non solum ex Domini nunc sententia sed ex
Genesis testimonio comprobatur ubi accepta eius
a Deo narrantur munera. Quaerimus quis sit iste
Zacharias filius Barachiae, quia multos legimus Zacharias. Et ne libera nobis tribuatur erroris facultas, addi-
275 tum est : *Quem occidistis inter templum et altare*. In
diuersis diuersa legi et debeo singulorum opiniones
ponere. Alii Zachariam filium Barachiae dicunt qui
in duodecim prophetis undecimus est, patrisque in eo
nomen consentiat, sed ubi occisus sit inter templum
280 et altare scriptura non loquitur, maxime cum temporibus eius uix ruinae templi fuerint. Alii Zachariam
patrem Iohannis intellegi uolunt, ex quibusdam apo-
cryphorum somniis adprobantes quod propterea occisus
sit quia Saluatoris praedicarit aduentum. Hoc quia
285 de scripturis non habet auctoritatem, eadem facilitate
contemnitur qua probatur. Alii istum uolunt esse
Zachariam qui occisus est a Ioas rege Iudeae inter
templum et altare, sicut Regnorum narrat historia.
Sed obseruandum quod ille Zacharias non sit filius
290 Barachiae sed filius Ioiadae sacerdotis. Vnde et scriptura refert : *Non fuit recordatus Ioas patris eius Ioiadae
quae sibi fecisset bona*. Cum ergo et Zachariam tenea-
mus et occisionis consentiat locus, quaerimus quare
Barachiae dicatur filius et non Ioiadae. Barachia in
295 lingua nostra benedictus Domini dicitur, et sacerdotis
Ioiadae iustitia hebraeo nomine demonstratur. In
euangelio quo utuntur Nazareni, pro filio Barachiae

---

269. Cf. Gen. 4, 8 ‖ 272. Cf. Gen. 4, 5 ‖ 292. II Chr. 24, 22

---

13. Il s'agit d'Origène, qui reconnaît lui-même ne s'appuyer que
sur une tradition (cf. *GCS* 38, *series* 25, p. 42-43). Cf. BARDY : « S. Jérôme
et ses maîtres hébreux », *Rev. Bénédictine* 46 (1934), p. 160 s. Voir aussi
H. F. VON CAMPENHAUSEN, qui fait remonter la tradition du martyre
de Zacharie jusqu'au IIe siècle, dans *Historiches Jahrbuch* 77 (1958),

nul doute, c'est celui que tua Caïn, son frère. Qu'il ait été
« juste » n'est pas seulement prouvé par la présente affirmation
du Seigneur, mais par le témoignage de la Genèse qui raconte
que ses présents furent agréés de Dieu. Nous nous demandons
quel est ce Zacharie, fils de Barachie, car nous lisons qu'il
y a eu de nombreux Zacharie. Mais pour ne nous laisser
aucune possibilité d'erreur, il est ajouté : « que vous avez mis à
mort entre le temple et l'autel ». J'ai trouvé là-dessus des
opinions qui varient selon les divers auteurs. Je vais les
exposer pour chacun d'eux : selon les uns, il s'agit de Zacharie,
fils de Barachie, onzième des douze prophètes. Le nom de son
père correspond, mais où trouve-t-on qu'il a été mis à mort
entre le temple et l'autel ? L'Écriture ne le dit pas, d'autant
plus que, à son époque, du Temple il ne restait guère que des
ruines. Selon d'autres[13], on doit comprendre Zacharie,
père de Jean. Ils invoquent certaines élucubrations des
apocryphes : il aurait été mis à mort pour avoir prédit la
venue du Sauveur. Cette opinion, n'ayant aucun appui dans
l'Écriture, est aussi facile à mépriser qu'à approuver. Selon
d'autres, il s'agit de Zacharie, que Joas, roi de Juda, fit
tuer entre le temple et l'autel, selon le récit du livre des Rois.
Mais, observons-le, ce Zacharie n'est pas fils de Barachie,
mais du grand prêtre Joad. Aussi l'Écriture nous rapporte-
t-elle « que Joas ne se souvint pas de son père Joad et de toute
sa bonté pour lui ». Ainsi, nous avons le nom de Zacharie et le
lieu du meurtre convient aussi. Nous cherchons donc pourquoi
il est dit fils de Barachie et non de Joad. Barachie signifie,
en notre langue : béni du Seigneur, et le nom hébreu du
prêtre Joad signifie la sainteté[14]. Dans l'Évangile utilisé par
les Nazaréens[15], à la place de « fils de Barachie », nous avons

---

p. 383-386.

14. Cf. *De interpr. hebr. nom.*, p. 60, l. 27, et p. 39, l. 7.

15. Sur l'Évangile des Nazaréens, ou Évangile selon les Hébreux,
qui aurait été traduit par Jérôme et qui est maintenant perdu, voir
t. I, p. 132, note 54.

filium Ioiadae scriptum reperimus. Simpliciores fratres
inter ruinas templi et altaris siue in portarum exitibus
300 quae Siloam ducunt, rubra saxa monstrantes Zachariae
sanguine putant esse polluta. Non condemnamus errorem qui de odio Iudaeorum et fidei pietate descendit.
Dicamus breuiter quare sanguis Abel iusti usque ad
Zachariam filium Barachiae ab illa generatione requi-
305 ratur, cum neutrum eorum occiderit. Regula scripturarum est, duas generationes ponere, bonorum uel
malorum, hoc est singulorum singulas. De bonis
sumamus exempla : *Quis ascendit in montem Domini
aut quis requiescit in monte sancto eius*, cumque plures
310 qui ascensuri sunt in montem Domini descripsisset
qui diuersis fuere aetatibus, postea infert : *Haec generatio quaerentium Dominum, quaerentium faciem Dei
Iacob* ; et in alio loco de omnibus sanctis : *Generatio
iustorum benedicetur* ; de malis uero ut in praesenti
315 loco : *generatio uiperarum* et *requirentur omnia a generatione ista* ; et in Hiezechiel cum peccata terrae descripsisset sermo propheticus adiecit : *Si Noe et Iob
et Danihel ibi fuerint inuenti, non dimitti peccata terrae
illi*, omnes iustos qui similes forent uirtutibus eorum
320 per Noe et Iob et Danihel uolens intellegi. Ergo et
isti, qui similia Cain et Ioas contra apostolos gesserint,
de una generatione esse referuntur.

---

309. Ps. 23, 3 ‖ 313. Ps. 23, 6 ‖ 314. Ps. 111, 2 ‖ 316. Lc 11, 51 ‖ 319.
Ez. 14, 14

16. Sur la naïveté de beaucoup de ces pèlerins qui passaient à Jérusalem,
cf. *supra*, 5, 1 (t. I, p. 104, l. 7).
17. Nous préférons *Regula scripturarum est...*, « C'est un principe,
une règle propre à l'Écriture », plutôt que *Regulae... (CCL)...*, « C'est

trouvé « fils de Joad ». Des chrétiens un peu naïfs[16] montrent
entre les ruines du temple et celles de l'autel, c'est-à-dire à
l'issue des portes conduisant à Siloé, des pierres rouges et
pensent qu'elles sont souillées du sang de Zacharie ! Nous
ne condamnons pas leur erreur née de la haine des Juifs et d'une
croyance pieuse. Disons brièvement pourquoi il sera demandé
compte à cette génération du sang versé depuis Abel le
juste jusqu'à celui de Zacharie, fils de Barachie, bien qu'elle
n'ait mis à mort ni l'un ni l'autre. Les Écritures posent pour
règle[17] qu'il y a deux « générations » : celle des bons et celle des
méchants, c'est-à-dire une génération distincte pour les
uns et pour les autres. Prenons des exemples : pour les bons :
« Quel est celui qui monte sur la montagne du Seigneur
ou qui repose sur sa montagne sainte ? » Après avoir énuméré
plusieurs personnages qui doivent monter sur la montagne du
Seigneur et qui vécurent à des époques différentes, le psalmiste ajoute : « Voilà la génération de ceux qui cherchent le
Seigneur, qui cherchent la face du Dieu de Jacob. » Et dans
un autre passage, parlant de tous les saints : « La génération
des saints sera bénie. » Et voici pour les méchants, par exemple
le passage présent : « génération de vipères » et « il sera
demandé compte de tout à cette génération ». Dans Ézéchiel,
après l'énumération des péchés de la terre, la parole du prophète ajoute que « même si Noé, Job et Daniel s'y trouvaient,
les péchés de cette terre ne lui seraient pas remis ». Par Noé,
Job et Daniel, il veut que nous comprenions tous les saints
qui devaient leur ressembler par leurs vertus. Donc ces
gens qui se sont comportés vis-à-vis des apôtres comme
Caïn et Joas sont présentés comme appartenant à une même
génération.

le propre de la règle de foi des Écritures ». Il semble que ce soit l'expression
toute faite : *Regula Scripturarum* qui ait entraîné le génitif de *regula*,
car *Regula Scripturarum* dans le sens de « Canon des Écritures » ne pouvait
être le sujet de *est*.

37. Hierusalem, Hierusalem, quae occidis prophetas et lapidas eos qui ad te missi sunt, quotiens
325 uolui congregare filios tuos quemadmodum gallina
congregat pullos suos sub alas, et noluisti. Hierusalem
non saxa et aedificia ciuitatis sed habitatores uocat :
quam patris plangit affectu, sicut et in alio loco legimus
quod uidens eam fleuerit. In eo autem quod dicit :
330 *quotiens uolui congregare filios tuos*, omnes retro prophetas a se missos esse testatur. Gallinae quoque
similitudinem congregantis sub alas pullos suos in
cantico Deuteronomii legimus : *Sicut aquila protegit*
nidum suum et super pullos suos desiderauit, expan-
335 *dens alas suas suscepit eos et tulit super pinnas suas.*

38. Ecce relinquetur uobis domus uestra deserta.
Hoc ipsum et ex persona Hieremiae iam ante dixerat :
Reliqui domum meam, dimisi hereditatem meam, facta
est mihi hereditas mea quasi spelunca hyaenae. Desertam
340 Iudaeorum domum, id est templum illud quod ante
fulgebat augustius, oculis comprobamus, quia habi-
tatorem Christum perdidit et, hereditatem praeripere
gestiens, occidit heredem.

39. Dico enim uobis : Non me uidebitis amodo donec
345 dicatis : Benedictus qui uenit in nomine Domini.
Ad Hierusalem loquitur et ad populum Iudaeorum.
Versiculum autem istum quo et paruuli atque lactentes
in ingressu Hierusalem Domini Saluatoris usi sunt,
quando dixerunt : *Benedictus qui uenit in nomine*
350 *Domini, osanna in excelsis* ; sumpsit de centesimo
decimo septimo psalmo qui manifeste de aduentu

---

329. Cf. Lc 19, 41 ‖ 335. Deut. 32, 11 ‖ 339. Jér. 12, 7-8 ‖ 350. Matth.
21, 9 ‖ 351. Cf. Ps. 117, 26

---

18. *Qui manifeste de adventu Domini scriptus est* : même affirmation au
chap. 21, l. 96-97. Cf. lettre 20 à Damase, 4 : « Il me faut parler du psaume

37. « Jérusalem, Jérusalem qui tues les prophètes et lapides ceux qui t'ont été envoyés ! Combien de fois ai-je voulu rassembler tes enfants, tout comme la poule rassemble ses poussins sous ses ailes, et tu ne l'as pas voulu ! » Jérusalem ! Ce ne sont point les pierres et les édifices de la cité qu'il appelle ainsi, mais ses habitants. Et il la plaint avec une affection paternelle. De même, nous lisons ailleurs qu'il pleura à sa vue. Ces mots : « Combien de fois ai-je voulu rassembler tes enfants ! » témoignent que tous les prophètes du passé avaient été envoyés par lui. Cette comparaison avec la poule qui rassemble ses poussins sous ses ailes, nous la lisons dans le cantique du Deutéronome : « Comme l'aigle protège son nid et veille sur ses petits, déployant ses ailes, il les a pris et portés sur ses plumes. »

38. « Voici que votre maison vous sera laissée déserte. » Cela précisément, il l'avait dit aussi auparavant par la bouche de Jérémie : « J'ai laissé ma maison, j'ai abandonné mon héritage, mon héritage est devenu pour moi comme l'antre de l'hyène. » Que la maison des Juifs soit déserte, c'est-à-dire ce Temple qui jadis resplendissait magnifiquement, nous le constatons de nos yeux : elle a perdu celui qui l'habitait, le Christ. Brûlant de saisir l'héritage avant l'heure, elle a tué l'héritier.

39. « Je vous le dis en effet, désormais vous ne me verrez plus jusqu'à ce que vous disiez : Béni soit celui qui vient au nom du Seigneur. » Il s'adresse à Jérusalem et au peuple juif. Ce verset, les enfants, les petits encore à la mamelle s'en sont servi à l'entrée du Seigneur et Sauveur à Jérusalem, quand ils disaient : « Béni soit celui qui vient au nom du Seigneur, hosanna au plus haut des cieux. » Il l'a tiré du psaume 117 manifestement écrit au sujet de la venue du Seigneur[18].

---

117 qui est manifestement une prophétie du Christ et qu'on lisait très souvent dans les synagogues des Juifs » (Labourt I, p. 81).

Domini scriptus est ; et quod dicit hoc uult intellegi :
Nisi paenitentiam egeritis et confessi fueritis ipsum
me esse de quo prophetae cecinerunt filium omni-
355 potentis Patris, meam faciem non uidebitis. Habent
Iudaei datum sibi tempus paenitentiae, confiteantur
benedictum qui uenit in nomine Domini et Christi ora
conspicient.

24   1.2. Et egressus Iesus de templo ibat. Et accesserunt ad eum discipuli eius ut ostenderent ei aedificia
templi. Ipse autem respondens dixit illis : Videtis haec
omnia ? Amen dico uobis : Non relinquetur hic lapis
5 super lapidem qui non destruatur. Iuxta historiam mani-
festus est sensus. Recedente autem Domino de templo
omnia legis aedificia et compositio mandatorum ita
destructa est ut nihil a Iudaeis possit impleri et capite
sublato uniuersa inter se membra compugnent.

10   3. Sedente autem eo super montem oliueti, accesserunt
ad eum discipuli secreto, dicentes : Dic nobis quando haec
erunt et quod signum aduentus tui et consummationis
saeculi ? Sedit in monte oliueti ubi uerum lumen
scientiae nascebatur, et accedunt ad eum discipuli
15 secreto qui mysteria et futurorum reuelationem nosse
cupiebant, et interrogant tria : quo tempore Hierusalem
destruenda, quo uenturus Christus, quo consummatio
saeculi sit futura.

5. Multi enim uenient in nomine meo dicentes :
20 Ego sum Christus, et multos seducent. Quorum unus
est Simon Samaritanus quem in Actibus apostolorum

353. Cf. Lc 13, 3

19. Le Mont des Oliviers suggère le thème de la Lumière, parce que
c'est de l'olive que les anciens tiraient l'huile de leurs lampes.

Voici quelle interprétation il veut qu'on donne à ses paroles :
Si vous ne faites pénitence, si vous ne confessez pas que
je suis précisément celui qu'ont prédit les prophètes, le
fils du Père tout-puissant, vous ne verrez pas ma face. Les
Juifs ont un temps donné pour faire pénitence : qu'ils confessent qu'il est béni celui qui vient au nom du Seigneur
et ils verront le visage du Christ.

CHAPITRE 24

**1.2. Jésus sortit du Temple et s'éloignait. Ses disciples
le rejoignirent pour lui faire remarquer les constructions
du Temple. Mais il leur répondit : « Voyez-vous tout cela ?
En vérité, je vous le dis, il ne restera pas ici pierre sur pierre,
tout sera renversé. »** Le sens historique est clair. Mais le
Seigneur, se retirant du Temple, tout l'édifice de la Loi, tout
l'assemblage des commandements est si bien détruit que
les Juifs n'en peuvent plus rien accomplir. Supprimée la
tête, tous les membres se battent entre eux.

**3. Alors qu'il était assis sur le Mont des Oliviers, les disciples
vinrent lui demander en particulier : « Dis-nous quand cela arrivera et quel sera le signe de ton avènement et de la fin du
monde. »** Il s'est assis sur le Mont des Oliviers. C'est là que
naissait la vraie lumière[19] de la science. Les disciples viennent
le trouver à part, désireux de connaître les mystères et
la révélation de l'avenir. Ils lui posent trois questions :
quel sera le moment de la destruction de Jérusalem, quel
sera celui de la venue du Christ, quel sera celui de la fin
du monde ?

**5. « Beaucoup viendront sous mon nom et ils diront :
C'est moi le Christ, et ils en séduiront beaucoup. »** Parmi eux,
Simon le Samaritain. Nous lisons dans les Actes des Apôtres

legimus, qui se magnam Dei dicebat esse uirtutem ; haec
quoque inter cetera in suis uoluminibus scripta dimit-
tens : *Ego sum sermo Dei, ego sum speciosus, ego para-*
25 *clitus, ego omnipotens, ego omnia Dei.* Sed et Iohannes
apostolus in epistula sua loquitur : *Audistis quia*
antichristus uenturus est, nunc autem antichristi multi
sunt. Ego reor omnes heresiarchas antichristos esse et
sub nomine Christi ea docere quae contraria sunt
30 Christo. Nec mirum si aliquos ab his uideamus seduci,
cum Dominus dixerit : *et multos seducent.*

6. Audituri enim estis proelia et opiniones proeliorum.
Videte ne turbemini ; oportet enim haec fieri, sed nondum
est finis. Cum haec igitur fieri uiderimus, non putemus
35 diem intrare iudicii, sed in tempus illud reseruari
cuius signum perspicue in consequentibus ponitur.

7.8. Surget enim gens contra gentem et regnum contra regnum, et erunt pestilentiae et fames et terrae
motus per loca ; haec omnia initia sunt dolorum.
40 Non ambigo et haec quidem iuxta litteram futura
quae scripta sunt, sed mihi uidetur regnum contra
regnum et pestilentiae eorum quorum sermo serpit ut
cancer et fames audiendi uerbi Dei et commotio uniuer-
sae terrae et a uera fide separatio in hereticis magis
45 intellegi, qui contra se inuicem dimicantes ecclesiae
uictoriam faciunt. Quod autem dixit : *Haec autem*
initia sunt dolorum, melius transfertur *parturitionum,*
ut quasi conceptus quidam, aduentus antichristi, non
partus intellegatur.

50 9. Tunc tradent uos in tribulatione et occident uos.

24, 22. Cf. Act. 8, 10 ‖ 28. I Jn 2, 18 ‖ 43. Cf. II Tim, 2, 17

qu'il se prétendait la Grande Vertu de Dieu, entre autres choses, il a laissé les paroles suivantes dans ses écrits : « Je suis la parole de Dieu, je suis le Beau, je suis le Paraclet, je suis le Tout-Puissant, je suis le Tout de Dieu. » Mais aussi, l'apôtre Jean dit dans son épître : « Vous avez entendu dire que l'Antichrist doit venir, or, maintenant, ils sont nombreux les antichrists. » Pour moi, je pense que tous les hérésiarques sont des antichrists : sous le nom du Christ, ils enseignent une doctrine contraire au Christ. Rien d'étonnant si nous les voyons en séduire quelques-uns, puisque le Seigneur a dit : « et ils en séduiront beaucoup ».

6. « Vous entendrez parler de guerres et de rumeurs de guerres. Ne vous laissez pas alarmer : il faut en effet que cela arrive, mais ce n'est pas encore la fin. » Quand nous verrons ces choses arriver, ne croyons pas que le jour du jugement est imminent, mais sachons qu'il est réservé pour le temps dont les signes sont clairement exposés dans ce qui suit :

7.8. « En effet, on se soulèvera peuple contre peuple, royaume contre royaume, et il y aura çà et là des pestes, des famines et des tremblements de terre. Or tout cela c'est le commencement des douleurs. » Je n'en doute pas, ce qui est décrit ici se réalisera aussi à la lettre. Mais, à mon avis, la lutte « royaume contre royaume », les pestes de ceux dont la parole s'insinue comme un chancre, la famine d'entendre la parole de Dieu, le tremblement de terre universel, la séparation d'avec la vraie foi, il faut appliquer tout cela de préférence aux hérétiques dont les luttes intestines assurent la victoire de l'Église. Quant à l'expression : « Tout cela est le commencement des douleurs », mieux vaut traduire « des douleurs de l'enfantement » pour que nous comprenions la venue de l'Antichrist comme une sorte de conception et non comme un enfantement.

9. « Alors, on vous livrera aux tourments, et on vous mettra

Per apostolos omnium credentium persona signatur,
non quo eo tempore apostoli in corpore reperiendi
sint.

12. **Et quoniam abundauit iniquitas refrigescet caritas**
55 **multorum.** Non omnium negauit fidem sed multorum.
Multi enim uocati, pauci autem electi. Nam in apostolis
et similibus eorum permansura est caritas, de qua
scriptum est : *Aqua multa non poterit extinguere caritatem* ; et ipse Paulus : *Quis nos separabit a caritate*
60 *Christi ? tribulatio an angustia* et reliqua.

14. **Et praedicabitur hoc euangelium regni in uniuerso**
orbe in testimonium omnibus gentibus, et tunc ueniet
consummatio. Signum aduentus dominici est euangelium in toto orbe praedicari, ut nullus sit excusabilis ;
65 quod aut iam completum aut in breui cernimus esse
complendum. Non enim puto aliquam remansisse
gentem quae Christi nomen ignoret, et quamquam non
habuerit praedicatorem, tamen ex uicinis nationibus
opinionem fidei non potest ignorare.

70 15. **Cum ergo uideritis abominationem desolationis, quae**
dicta est a Danihelo propheta, stantem in loco sancto, qui
legit intellegat. Quando ad intellegentiam prouocamur,
mysticum monstratur esse quod dictum est. Legimus
autem in Danihelo hoc modo : *Et in dimidio hebdomadis*
75 *auferetur sacrificium meum et libamina, et in templo*
abominatio desolationum erit usque ad consummationem
temporis, et consummatio dabitur super solitudinem.
De hoc et apostolus loquitur quod homo iniquitatis

56. Matth. 20, 16 ; 22, 14 ‖ 59. Cant. 8, 7 ‖ 60. Rom. 8, 35 ‖ 77. Dan. 9, 27

19bis. *Reperiendi sint* (avec C, M, E, A, B, P, L) : *reperiendi signantur*
(*CCL*) serait la *lectio difficilior*, mais le *signantur* est manifestement une
faute de copiste, entraînée par le *signatur* de la l. 51.

à mort. » A travers les apôtres, il désigne la personne de tous ceux qui croient : il ne veut pas dire qu'en ce temps-là les apôtres se trouveront là corporellement.[19 bis]

12. « Et parce que l'iniquité a surabondé, l'amour se refroidira chez beaucoup. » Il n'a pas affirmé l'absence de foi chez tous, mais « chez beaucoup ». En effet : « beaucoup d'appelés, peu d'élus », car, chez les apôtres et leurs semblables demeurera jusqu'au bout cet amour dont il est écrit : « Les grandes eaux ne pourront éteindre l'amour. » Paul dit également : « Qui nous séparera de l'amour du Christ ? La tribulation, l'angoisse ? » etc.

14. « Et cet Évangile du Royaume sera prêché dans le monde entier en témoignage pour tous les peuples, et alors viendra la fin. » Le signe de l'avènement du Seigneur est la prédication de l'Évangile par toute la terre pour que nul ne trouve d'excuse. Cela, nous le voyons déjà réalisé ou à la veille de l'être. Car je ne pense pas qu'il reste un seul peuple ignorant le nom du Christ et, même n'y eût-il personne pour le lui prêcher, il est cependant impossible qu'il n'ait eu, au contact des peuples voisins, quelque connaissance de notre foi.

15. « Lors donc que vous verrez l'abomination de la désolation dont a parlé le prophète Daniel installée dans le lieu saint, que celui qui lit comprenne. » L'invitation à comprendre[20] montre que ce qui est dit a un sens mystique. Voici ce que nous lisons dans Daniel : « Au milieu de la semaine, on fera cesser mon sacrifice et mon oblation, et dans le temple, il y aura l'abomination de la désolation jusqu'à la consommation des temps et la consommation se fera dans le désert. » L'Apôtre dit aussi à ce sujet : l'homme d'iniquité et l'adver-

---

20. Le terme d'*intellegentia*, d'*intellegere* est pour Jérôme l'expression du sens spirituel : *intellegentia spiritalis* (cf. Préface, 106-107 et Introduction p. 33, note 47).

et aduersarius eleuandus sit contra omne quod dicitur
80 Deus, aut quod colitur, ita ut audeat stare in templo
Dei et ostendere quod ipse sit Deus, cuius aduentus
secundum operationem satanae destruat eos et ad Dei
solitudinem redigat qui se susceperint. Potest autem
simpliciter aut de antichristo accipi, aut de imagine
85 Caesaris quam Pilatus posuit in templo, aut de Adriani
equestri statua quae in ipso sancto sanctorum loco
usque in praesentem diem stetit. Abominatio quoque
secundum ueterem scripturam idolum nuncupatur,
et idcirco additur *desolationis* quod in desolato templo
90 atque destructo idolum positum sit.

16-18. **Tunc qui in Iudaea sunt fugiant ad montes, et
qui in tecto non descendat tollere aliquid de domo sua, et
qui in agro non reuertatur tollere tunicam suam.**
Abominatio desolationis intellegi potest et omne dogma
95 peruersum : quod cum uiderimus stare in loco sancto,
hoc est in ecclesia, et se ostendere Deum, debemus fugere
de Iudea ad montes, hoc est dimissa occidente littera et
Iudaica prauitate adpropinquare montibus aeternis
de quibus inluminat mirabiliter Deus, et esse in tecto et
100 in domate quo non possint ignita diaboli iacula peruenire, nec descendere et tollere aliquid de domo conuersationis pristinae nec quaerere quae retrorsum sunt,
sed magis serere in agro spiritalium scripturarum ut
fructus capiamus ex eo, nec tollere alteram tunicam
105 quam apostoli habere prohibentur. De hoc loco, id est
de abominatione desolationis quae dicta est a Danihelo
propheta stante in loco sancto, multa Porphyrius

81. Cf. II Thess. 2, 3-4 ‖ 82. Cf. II Thess. 2, 8-9 ‖ 83. Cf. Lév. 26, 31 ;
Jér. 25, 18 ‖ 99. Cf. Ps. 75, 5 ‖ 105. Cf. Matth. 10, 10

21. Dans son prologue sur Daniel (*PL* 25, 491 A - *CCL* 75 A, p. 771),
Jérôme, signalant les attaques de Porphyre, renvoie au livre 12 de son
grand ouvrage *Contra Christianos*, et non au livre 13. Mais nous ne pouvons

saire va se dresser contre tout ce qui est appelé Dieu et est
adoré. Il poussera l'audace jusqu'à s'installer dans le temple
de Dieu, à se présenter lui-même comme Dieu. Par l'action
de Satan, sa venue va détruire, réduire en désert de Dieu
ceux qui l'auront accueilli. Cela peut s'entendre simplement
de l'Antichrist ou de l'image de César que Pilate fit placer
dans le Temple ou de la statue équestre d'Adrien qui, de
nos jours encore, se dresse sur l'emplacement même du Saint
des Saints. Dans l'Ancien Testament, abomination signifie
idole, et on ajoute « de la désolation » parce qu'on a placé
l'idole dans le Temple abandonné et détruit.

16-18. « Alors, que ceux qui sont en Judée s'enfuient dans
les montagnes et que celui qui sera sur la terrasse ne descende
pas dans sa maison pour prendre ses affaires, et que celui
qui sera aux champs ne retourne pas prendre son manteau. »
L'abomination de la désolation peut également s'entendre de
toute doctrine perverse. Lorsque nous la verrons installée dans
le lieu saint, c'est-à-dire l'Église, se présenter comme Dieu,
nous devons nous enfuir de la Judée dans les montagnes,
c'est-à-dire laisser la lettre qui tue et la perversion judaïque,
nous diriger vers les montagnes éternelles, du haut desquelles
Dieu fait briller sa lumière admirable, demeurer sur le toit,
sur la terrasse où ne peuvent parvenir les traits enflammés du
diable, ne point descendre pour prendre quoi que ce soit dans
la maison de nos habitudes anciennes, ne pas aller chercher ce
qui est derrière nous. Bien plutôt nous devons semer dans le
champ des Écritures spirituelles pour en recueillir les fruits
et ne point emporter une seconde tunique qu'il est interdit
aux apôtres de posséder. A propos de ce passage, c'est-à-dire de
l'abomination de la désolation installée dans le lieu saint, dont
a parlé le prophète Daniel, Porphyre, dans le treizième[21]

---

dire où est l'erreur car cet ouvrage est perdu (sur Porphyre, voir t. I,
p. 90, n. 22).

tertio decimo operis sui uolumine contra nos blasphemauit ; cui Eusebius Caesariensis episcopus tribus
110 respondit uoluminibus decimo octauo, decimo nono et
uicesimo, Apollinaris quoque scripsit plenissime ; super-
fluusque conatus est uno capitulo uelle disserere de
quo tantis uersuum milibus disputatum est.

19. **Vae autem praegnantibus et nutrientibus in illis**
115 **diebus.** Vae illis animabus quae non in perfectum
uirum sua genimina perduxerunt, sed initia habent
fidei ut enutritione indigeant magistrorum. Hoc quoque
dici potest quod in persecutione antichristi seu Romanae
captiuitatis praegnantes et nutrientes uteri et filio-
120 rum sarcina praegrauati expeditam fugam habere non
quiuerint.

20. **Orate autem ut non fiat fuga uestra hieme uel**
sabbato. Si de captiuitate Hierusalem uoluerimus accipere quando a Tito et Vespasiano capta est, orare debent
125 ne fuga eorum hieme uel sabbato fiat, quia in altero
duritia frigoris prohibet ad solitudines pergere et in
montibus desertisque latitare, in altero aut transgressio
legis est, si fugere uoluerint, aut mors imminens, si
remanserint. Si autem de consummatione mundi
130 intellegitur, hoc praecipit ut non refrigescat fides
nostra et in Christum caritas, neque ut otiosi in opere
Dei torpeamus uirtutum sabbato.

22. **Et nisi breuiati fuissent dies illi, non fieret salua**
omnis caro, sed propter electos breuiabuntur dies illi.
135 Adbreuiatos dies non secundum deliramenta quorundam

---

131. Cf. Matth. 24, 12

volume de son ouvrage, nous a copieusement calomniés. L'évêque Eusèbe de Césarée lui a répondu en trois volumes, le dix-huitième, le dix-neuvième et le vingtième. De même, Apollinaire s'est très longuement étendu sur ce sujet. Il est donc vain de s'efforcer, en un seul petit chapitre, de traiter une question sur laquelle on a écrit tant de milliers de lignes.

19. « Malheur aux femmes qui seront enceintes et à celles qui allaiteront ces jours-là. » Malheur aux âmes qui n'ont pas amené jusqu'au stade d'homme fait les germes qu'elles portaient en elles et qui, possédant les premiers éléments de la foi, ont cependant besoin d'être nourris par des maîtres. On peut dire aussi que, lors de la persécution de l'Antichrist, comme lors de la conquête romaine, les femmes enceintes ou celles qui nourrissent, très alourdies par le fardeau de leur grossesse ou de leurs enfants, ne pourront fuir aisément.

20. « Priez pour que votre fuite ne tombe pas en hiver ni un jour de sabbat. » Si nous voulons appliquer ces paroles à la prise de Jérusalem, à sa conquête par Titus et Vespasien, les Juifs doivent prier pour que leur fuite n'ait pas lieu en hiver, ni un jour de sabbat. Dans le premier cas, la rigueur du froid les empêche de gagner les solitudes, de se cacher dans les montagnes et les déserts. Dans le second, il y a transgression de la Loi s'ils veulent fuir, mort imminente s'ils restent. Mais s'il s'agit de la fin du monde, ces paroles nous exhortent à ne point laisser refroidir notre foi, notre amour du Christ, à ne point nous engourdir dans un sabbat de vertus, en cessant de travailler à l'œuvre de Dieu.

22. « Et si ces jours-là n'avaient été abrégés, aucune chair ne serait sauvée, mais à cause des élus, ces jours-là seront abrégés. » Jours abrégés non selon les élucubrations de certains qui

qui putant temporum momenta mutari nec recordantur
illius scripti : *Ordinatione tua permanet dies,* sed iuxta
temporum qualitatem sentire debemus, id est adbreuiatos non mensura sed numero, ut quo modo in benedic-
140 tione dicitur : *Longitudine dierum replebo eum,* sic et
nunc adbreuiati dies intellegantur ne temporum mora
fides concutiatur credentium.

23. Tunc si quis uobis dixerit : Ecce hic Christus aut illic,
nolite credere. Multi captiuitatis Iudaicae tempore
145 principes exstitere qui Christos esse se dicerent, in
tantum ut obsidentibus Romanis tres intus fuerint
factiones. Sed melius de consummatione mundi intellegitur.

24.25. Surgent enim pseudochristi et pseudoprophetae
150 et dabunt signa magna et prodigia, ita ut in errorem indu-
cantur, si fieri potest, etiam electi. Ecce praedixi uobis.
Tripliciter, ut ante iam dixi, locus hic disserendus est ;
aut de tempore obsidionis Romanae, aut de consummatione mundi, aut de hereticorum contra ecclesiam
155 pugna et istiusmodi antichristis, qui sub opinione
falsae scientiae contra Christum dimicant.

26. Si ergo dixerint uobis : Ecce in deserto est, nolite
exire. Ecce in penetralibus, nolite credere. Si quis promi-
serit uobis quod in deserto gentilium et philosophorum
160 dogmate Christus moretur aut in hereticorum penetra-

137. Ps. 118, 91 ‖ 140. Ps. 90, 16

22. L'édition du *CCL* cite une lettre de S. Augustin (*CSEL* 57, 270)
qui envisage cette hypothèse : *sive quod cursu solis celeriore breuiarentur.*
Il signale lui aussi que beaucoup soutiennent cette opinion : *Non enim
desunt qui et hoc existiment, ita scilicet dictos breuiores dies futuros, sicut
fuit longior dies orante Jesu Naue* (cf. *Jos.* 10, 12-14) ».

pensent à une modification de leur durée[22] et qui oublient ce qui est écrit : « Par ton ordre, le jour demeure immuable », mais, nous devons le comprendre, selon leur quantité : jours abrégés non en longueur mais en nombre. Nous lisons dans la bénédiction : « Je le comblerai de la longueur des jours », c'est ainsi, comprenons-le, que les jours sont abrégés maintenant : de peur que si les temps se prolongeaient, la foi des croyants ne soit ébranlée.

23. « Alors si l'on vous dit : Tenez, voici le Christ, ou : Le voilà ! n'en croyez rien. » Lors de la conquête de la Judée, il y eut beaucoup de chefs qui se firent passer pour le Christ, si bien que, lors du siège de Jérusalem par les Romains, il y avait trois factions[23] à l'intérieur de la ville. Mais cela s'applique mieux à la fin du monde.

24.25. « Car il surgira de faux christs, de faux prophètes qui feront de grands signes et des prodiges capables d'égarer, si possible, même les élus. Ainsi, je vous ai prévenus. » Comme je l'ai déjà dit[24], ce passage peut s'expliquer de trois manières, s'appliquer soit à l'époque du siège de Jérusalem par les Romains, soit à la fin du monde, soit à l'assaut mené contre l'Église par les hérétiques et par ce genre d'antichrists qui, sous le couvert d'une fausse science, combattent le Christ.

26. « Si donc on vous dit : Le voici au désert, ne sortez pas ; le voici dans les cachettes, n'en croyez rien. » Si on vous assure que le Christ demeure dans le désert de la gentilité et dans les doctrines des philosophes ou dans les cachettes des

---

23. Leurs chefs avaient pour noms : Jean, Éléazar et Simon (cf. Josèphe, *Bellum Iud.* V, 1, 2).

24. Jérôme en a parlé en commentant *Matth.* 24, 15 ; cf. aussi la lettre à Algasia (Labourt VII, p. 21 s.), où il reprend le commentaire de ce verset.

libus qui Dei pollicentur arcana, nolite exire, nolite
credere ; siue quia persecutionis et angustiarum tempore semper pseudoprophetae decipiendi inueniunt
locum, si quis sub nomine Christi se iactare uoluerit,
165 non statim accommodetis fidem.

27. Sicut enim fulgor exit ab oriente et paret usque
in occidentem, ita erit et aduentus Filii hominis.
Nolite exire, nolite credere quod Filius hominis uel in
deserto gentium sit uel in penetralibus hereticorum,
170 sed quod ab oriente usque in occidentem fides eius in
catholicis ecclesiis fulgeat. Hoc quoque dicendum
quod secundus Saluatoris aduentus non in humilitate
ut prius, sed in gloria demonstrandus sit. Stultum
est itaque eum in paruo loco uel abscondito quaerere
175 qui totius mundi lumen sit.

28. Vbicumque fuerit corpus illuc congregabuntur aquilae. De exemplo naturali quod cotidie cernimus Christi
instruimur sacramento. Aquilae et uultures etiam trans
maria dicuntur sentire cadauera et ad escam huiusce-
180 modi congregari. Si ergo inrationabiles uolucres naturali
sensu tantis terrarum spatiis et maris fluctibus separatae
paruum cadauer sentiunt ubi iaceat, quanto magis
nos et omnis multitudo credentium debet festinare ad
eum cuius fulgur exit ab oriente et paret usque ad
185 occidentem. Possumus autem corpus, id est πτῶμα,
quod significantius latine dicitur cadauer ab eo quod
per mortem cadat, passionem Christi intellegere, ad
quam prouocamur ut ubicumque in scripturis legitur
congregemur, et per illam uenire possumus ad Verbum
190 Dei, ut est illud : *Foderunt manus meas et pedes*, et

190. Ps. 21, 17

25. *Cadauer* vient du verbe *cado*, comme πτῶμα vient du verbe πίπτω.

hérétiques qui promettent les secrets de Dieu, ne sortez pas, n'en croyez rien ; ou bien, parce qu'au temps de persécution et d'angoisses, toujours les faux prophètes trouvent moyen de tromper les esprits, si quelqu'un veut se prévaloir du nom du Christ, n'allez pas immédiatement lui prêter foi.

27. « Car, comme l'éclair part de l'Orient et paraît jusqu'à l'Occident, ainsi en sera-t-il de l'avènement du Fils de l'homme. » Ne sortez pas, ne croyez pas que le Fils de l'homme se trouve dans le désert de la gentilité ou dans les cachettes des hérétiques. Croyez que, de l'Orient jusqu'à l'Occident, la foi en lui resplendit dans les Églises catholiques. Disons aussi que le second avènement du Sauveur se manifestera, non dans l'humilité comme le premier, mais dans la gloire. Sottise, donc, de chercher en un lieu humble et caché celui qui est la lumière du monde entier.

28. « Où que soit le corps, là s'assembleront les aigles. » C'est à partir d'un exemple que la nature met chaque jour sous nos yeux, que nous sommes instruits du mystère du Christ. Aigles et vautours passent pour sentir l'odeur des cadavres, même au-delà des mers, et se rassembler autour de pareille nourriture. Si donc des oiseaux, sans raison, guidés par un instinct naturel, bien qu'ils en soient séparés par de vastes étendues de terre et par les flots de la mer, sentent où gît un petit cadavre, à combien plus forte raison nous autres et toute la foule des croyants devons-nous accourir vers celui dont l'éclair part de l'Orient et paraît jusqu'à l'Occident. Par corps, c'est-à-dire *ptôma*, — plus expressif le mot latin *cadauer*, parce que le corps tombe (*cadit*)[25] sous l'effet de la mort —, nous pouvons entendre la passion du Christ et nous sommes invités à nous rassembler vers elle partout où on la lit dans l'Écriture, et par elle nous pouvons avoir accès près du Verbe de Dieu. Ainsi cette parole : « Ils ont percé mes mains et mes pieds », et celle

in Esaia : *Sicut ouis ad uictimam ductus,* et cetera his
similia. Aquilae autem appellantur sancti, quibus
innouata est iuuentus ut aquilae et qui iuxta Esaiam
plumescunt et adsumunt alas ut ad Christi ueniant
195 passionem.

29. Statim autem post tribulationem dierum illorum
sol obscurabitur, et luna non dabit lumen suum, et
stellae caeli cadent de caelo, et uirtutes caelorum com-
mouebuntur. Sol et luna obscurabitur et non dabit lumen
200 suum, et cetera astra cadent de caelo uirtutesque caelorum mouebuntur, non deminutione luminis, alioquin
legimus solem septuplum habiturum luminis, sed
comparatione uerae lucis omnia uisui tenebrosa. Si
itaque iste sol qui nunc per totum orbem rutilat,
205 et luna quae secundum est luminare, et stellae quae
ad solacium noctis accensae sunt, omnesque uirtutes,
quas angelorum multitudines intellegimus, in aduentu
Christi in tenebras reputabuntur, decutiatur superci-
lium eorum qui se sanctos arbitrantes praesentiam
210 iudicis non formidant.

30. Et tunc parebit signum filii hominis in caelo.
Signum hic aut crucis intellegamus, ut uideant iuxta
Zachariam et Iohannem Iudaei quem compunxerunt,
aut uexillum uictoriae triumphantis.
215 Tunc plangent omnes tribus terrae. Plangent hi qui
municipatum non habuerunt in caelis sed scripti
sunt in terra.

31. Et mittet angelos suos cum tuba. De hac tuba et
apostolus loquitur, et in Apocalypsi Iohannis legimus, et

---

191. Is. 53, 7 ‖ 193. Cf. Ps. 102, 5 ‖ 194. Cf. Is. 40, 31 ‖ 202. Cf. Is.
30, 26 ‖ 213. Cf. Zach. 12, 37 ; Jn 19, 10 ‖ 216. Cf. Hébr. 12, 23 ‖ 218.
Cf. I Cor. 15, 52 ; I Thess. 4, 16 ‖ 219. Cf. Apoc. 8, 5

d'Isaïe : « Comme une brebis conduite au sacrifice », et autres passages semblables. Le nom d'aigle est donné aux saints. Comme eux, ils recouvrent une nouvelle jeunesse ; selon Isaïe, ils se couvrent de plumes et prennent des ailes, pour venir à la passion du Christ.

29. « Mais aussitôt après ces jours de tribulation, le soleil s'obscurcira, la lune ne donnera plus sa lumière, et les étoiles tomberont du ciel et les puissances des cieux seront ébranlées. » Le soleil et la lune s'obscurciront et ne donneront plus leur lumière et les autres astres tomberont du ciel et les puissances des cieux seront ébranlées, non point que leur lumière doive être amoindrie — ailleurs nous lisons que le soleil aura sept fois plus d'éclat —, mais que, en comparaison de la vraie lumière, tout apparaît ténèbre. Si donc le soleil qui resplendit maintenant sur toute la terre, la lune, ce second luminaire, les étoiles qui furent allumées pour nous consoler de la nuit, si toutes les puissances — et, par là, nous comprenons les multitudes des anges — doivent passer pour ténèbres à la venue du Christ, que croule l'arrogance de ceux qui, se regardant comme des saints, ne redoutent pas la présence du juge.

30. « Et alors paraîtra dans le ciel le signe du Fils de l'homme. » Comprenons ici soit le signe qu'est la Croix, pour que selon Zacharie et Jean, les Juifs voient celui qu'ils ont transpercé, soit l'étendard de la victoire et du triomphe.

« Et alors toutes les tribus de la terre se lamenteront. » Ceux-là se lamenteront qui n'ont pas eu le droit de cité dans le ciel, mais sont restés inscrits sur la terre.

31. « Et il enverra ses anges avec une trompette. » L'Apôtre parle aussi de cette trompette. Nous la trouvons également dans l'Apocalypse de Jean ; et dans l'Ancien Testament, il est

220 in ueteri testamento tubae ductiles ex auro, aere
argentoque fieri praecipiuntur ut sublimia doctrinarum
resonent sacramenta.

**32.33. Ab arbore ficus discite parabolam. Cum iam ra-
mus eius tener fuerit et folia nata, scitis quia prope est**
225 **aestas, et reliqua.** Sub exemplo arboris docuit consummationis aduentum. Quomodo, inquit, quando teneri
fuerint in arbore ficus cauliculi et gemma erumpit in
florem cortexque folia parturit, intellegitis aestatis
aduentum et fauonii ac ueris introitum ; ita cum
230 haec omnia quae scripta sunt uideritis, nolite putare
iam adesse consummationem mundi, sed quasi prooemia
et praecursores quosdam uenire ut ostendant quod
prope sit et in ianuis.

34. Amen dico uobis, quia non praeteribit ista gene-
235 **ratio, donec omnia haec fiant.** Supra diximus generationes bonorum et e contrario malorum esse singulas.
Igitur aut omne hominum significat genus aut specialiter
Iudaeorum.

35. Caelum et terra transibunt, uerba uero mea non
240 **praeteribunt.** Caelum terraque transibunt inmutatione
non abolitione sui, alioquin quomodo *sol obscurabitur,
et luna non dabit lumen suum, et stellae cadent,* si caelum
in quo ista sunt terraque non fuerit ?

36. De die autem illa et hora nemo scit, neque angeli
245 **caelorum, nisi Pater solus.** In quibusdam latinis codici-
bus additum est : *neque filius* : cum in graecis et maxime

221. Cf. Nombr. 10, 2

prescrit de faire des trompettes d'or, d'airain et d'argent, battues au marteau, pour faire retentir les mystères sublimes de la doctrine.

32.33. « Du figuier, apprenez cette parabole. Dès que ses rameaux deviennent tendres et que ses feuilles poussent, vous savez que l'été est proche », etc. C'est par un exemple emprunté à un arbre qu'il nous a appris la venue de la fin du monde. Lorsque les petites pousses du figuier sont devenues tendres, que le bourgeon s'épanouit en fleur et que l'écorce donne jour aux feuilles, alors vous reconnaissez l'approche de l'été, l'entrée du Favonius et du Printemps. Ainsi, dit-il, lorsque vous verrez tout ce qui est décrit ici, croyez non pas que la fin du monde est déjà là, mais que ce sont pour ainsi dire les préliminaires, des avant-coureurs qui viennent nous montrer qu'elle est proche, à nos portes.

34. « En vérité, je vous le dis, cette génération ne passera pas que tout cela n'arrive. » Nous l'avons dit plus haut[26], il y a deux générations distinctes, les bons et, à l'opposé, les méchants. Donc, il vise soit le genre humain en général, soit les Juifs en particulier.

35. « Le ciel et la terre passeront, mais mes paroles ne passeront point. » Le ciel et la terre passeront, c'est-à-dire se transformeront sans disparaître. Autrement, comment comprendre que « le soleil s'obscurcira, la lune ne donnera plus sa lumière et les étoiles tomberont », si le ciel où ils sont et la terre n'existent plus ?

36. « Quant au jour et à l'heure, personne ne les connaît, pas même les anges du ciel, personne que le Père seul. » Certains manuscrits latins portent l'addition « ni le Fils »,

---

26. *Supra*, chap. 23, 1. 306 s.

Adamantii et Pierii exemplaribus hoc non habeatur
adscriptum, sed quia in non nullis legitur, disserendum
uidetur. Gaudet Arrius et Eunomius, quasi ignorantia
250 magistri gloria discipulorum sit, et dicunt : Non potest
aequalis esse qui nouit et qui ignorat. Contra quos
breuiter ista dicenda sunt : Cum omnia tempora fecerit
Iesus, hoc est Verbum Dei, *omnia* enim *per ipsum
facta sunt, et sine ipso factum est nihil,* in omnibus autem
255 temporibus etiam dies iudicii sit, qua consequentia
potest eius ignorare partem cuius totum nouerit ?
Hoc quoque dicendum est : Quid est maius, notitia
Patris, an iudicii ? Si maius nouit, quomodo ignorat
quod minus est ? Scriptum legimus : *Omnia quae
260 Patris sunt mihi tradita sunt.* Si omnia Patris filii
sunt, qua ratione unius sibi diei notitiam reseruauit et
noluit eam communicare cum filio ? Sed et hoc infe-
rendum : Si nouissimum diem temporum ignorat,
ignorat et paene ultimum et retrorsum omnes. Non enim
265 potest fieri ut qui primum ignorat sciat quid secundum
sit. Igitur quia probauimus non ignorare filium consummationis diem, causa reddenda est cur ignorare dicatur.
Apostolus super Saluatore scribit : *In quo sunt omnes
thesauri sapientiae et scientiae absconditi.* Sunt ergo
270 omnes thesauri in Christo sapientiae et scientiae, sed
absconditi sunt. Quare absconditi ? Post resurrectionem
interrogatus ab apostolis de die, manifestius respondit :
Non est uestrum scire tempora et momenta quae Pater

254. Jn 1, 3 ǁ 260. Matth. 11, 27 ǁ 269. Col. 2, 3

27. Jérôme parle d'après les exemplaires qu'il a à sa disposition. En
réalité la leçon *neque filius* semble bien attestée, même en grec (cf. Nestle-
Aland, 23ᵉ éd., p. 67). C'est, du reste, la leçon adoptée plus loin par
Jérôme lui-même (l. 315).
28. Pierius était un prêtre d'Alexandrie qui vécut à la fin du IIIᵉ siècle.
Selon PHOTIUS (*Bibl.*, *PG* 103, 400), « il aurait dirigé le didascalée et
aurait eu comme disciple le célèbre martyr Pamphile » (*DTC* 12, 1744).

alors que cela ne se trouve point dans les textes grecs[27] et surtout dans celui d'Origène et celui de Pierius[28], mais, comme on la lit dans quelques-uns, il me semble nécessaire d'en discuter. Arius et Eunomius s'en réjouissent[29], comme si l'ignorance du maître faisait la gloire des disciples. Ils disent : celui qui sait et celui qui ignore ne peuvent être égaux. Voici brièvement ce qu'il faut leur répondre : Jésus, c'est-à-dire le Verbe de Dieu, a créé tous les temps. « En effet, tout a été fait par lui et rien n'a été fait sans lui. » Or la totalité du temps comprend aussi le jour du jugement. En vertu de quelle logique pourrait-il ignorer une partie de ce dont il connaît le tout ? Il faut dire encore ceci : qu'est-ce qui est plus grand, la connaissance du Père ou celle du Jugement ? S'il connaît le plus important, comment ignore-t-il ce qui l'est moins ? Nous lisons : « Tout ce qui appartient à mon Père m'a été remis. » Si tout ce qui appartient au Père appartient au Fils, pour quelle raison le Père s'est-il réservé la connaissance d'un seul jour sans vouloir la communiquer à son Fils ? Mais il faut ajouter ceci : s'il ignore le dernier jour des temps, il ignore également l'avant-dernier et, de proche en proche, tous les autres. Car il est impossible que celui qui ignore le premier connaisse le second. Nous avons prouvé que le Fils n'ignore pas le jour de la fin du monde, il nous faut donc expliquer pourquoi il est dit qu'il l'ignore. L'Apôtre écrit à propos du Sauveur : « lui en qui sont cachés tous les trésors de la sagesse et de la science ». Donc tous les trésors de la sagesse et de la science se trouvent dans le Christ, mais cachés. Pourquoi cachés ? Après sa résurrection, ses disciples l'interrogèrent sur ce jour-là et il répondit en termes plus clairs : « Il ne vous appartient pas de savoir les temps et

---

Il a écrit des homélies sur la sainte Écriture, aujourd'hui perdues. Jérôme lui a consacré une notice dans son *De Viris* (*PL* 23, 722).

29. Arius et Eunomius utilisaient ce texte pour démontrer que le Fils n'était pas l'égal du Père et n'était pas « de même nature » que lui (cf. *supra*, chap. 21, 1. 463 s.).

posuit in sua potestate. Quando dicit : *Non est uestrum*
275 *scire,* ostendit quod ipse sciat, sed non expediat nosse
apostolis, ut semper incerti de aduentu iudicis sic
cotidie uiuant quasi die alia iudicandi sint. Denique
et consequens euangelii sermo id ipsum cogit intellegi,
dicens quoque Patrem solum nosse. In Patre compre-
280 hendit et filium ; omnis enim pater filii nomen est.

37.38. Sicut autem in diebus Noe, ita erit et aduentus filii
hominis. Quomodo enim erant in diebus ante diliuuium,
comedentes et bibentes, nubentes et nuptum tradentes,
et reliqua. Quaeritur quomodo supra scriptum sit :
285 *Surget enim gens contra gentem et regnum contra regnum,*
et erunt pestilentiae et fames et terrae motus, et nunc ea
futura memorentur quae pacis indicia sunt. Sed aesti-
mandum iuxta apostolum quod post pugnas et dissen-
siones, pestilentias, fames et terrae motus et cetera
290 quibus genus uastatur humanum, breuis subsecutura
sit pax, quae quieta omnia repromittat, ut fides credentium comprobetur, utrum transactis malis sperent
iudicem esse uenturum. Hoc est enim quod in Paulo
legimus : *Quando dixerint : Pax et securitas, tunc repen-*
295 *tinus eis superueniet interitus sicut dolor parturientis,*
et non effugient.

40.41. Tunc duo erunt in agro, unus adsumetur et unus
relinquetur, duae molentes in mola, una adsumetur et alia
relinquetur. *Tunc,* inquit, *duo erunt in agro.* Quando ?

274. Act. 1, 7 ‖ 286. Matth. 24, 7 ‖ 296. I Thess. 5, 3

30. Formule très dense que Jérôme reprendra chap. 26, 1. 226. Il faut
comprendre : dans le nom de Père est compris aussi le Fils ; tout père
dit fils ; dire père, c'est faire référence à un fils.

les moments que le Père a fixés de sa propre autorité. »
Lorsqu'il dit : « il ne vous appartient pas de savoir », il
montre bien qu'il les connaît, lui, mais qu'il n'est pas utile
que les apôtres les connaissent afin que, dans l'incertitude
continuelle de la venue du Juge, ils vivent chaque jour
comme s'ils devaient être jugés le lendemain. Enfin, la
suite du texte des Évangiles nous impose cette interprétation
lorsqu'elle dit aussi : « Seul le Père les connaît ». En disant
le Père, il entend du même coup le Fils. Car dire Père, c'est
toujours nommer un fils[30].

37.38. « Comme les jours de Noé, tel sera l'avènement du
Fils de l'homme. En ces jours qui précédèrent le déluge, on
mangeait, on buvait, on se mariait, on mariait ses enfants »,
etc. Une question se pose : tandis que dans ce qui précède, il est
écrit : « Alors on se soulèvera peuple contre peuple, royaume
contre royaume, et il y aura des pestes, des famines et des
tremblements de terre », maintenant on évoque un avenir de
paix. Mais, avec l'Apôtre, pensons qu'après les combats, les
dissensions, les pestes, les famines, les tremblements de
terre et autres fléaux qui dévastent le genre humain, suivra
une paix brève qui promettra le retour d'une quiétude totale,
pour éprouver la foi des croyants et voir s'ils espèrent,
une fois les maux passés, que le juge va venir. C'est d'ailleurs
ce que nous lisons dans Paul : « Quand on dira : paix et sécurité,
alors, soudaine, fondra sur eux la ruine comme les douleurs
sur la femme enceinte et ils n'y échapperont pas. »

40.41. « Alors deux hommes seront au champ, l'un sera
pris et l'autre laissé, deux femmes en train de moudre, l'une
sera prise et l'autre laissée. » Alors, dit-il, « il y aura
deux hommes au champ ». Quand[31] ? Évidemment, lors

---

31. Nous avons pensé qu'il valait mieux modifier la ponctuation.
Le texte en devient beaucoup plus vivant.

300 tempore uidelicet consummationis atque iudicii : duo
in agro pariter inuenientur eundem habentes laborem
et quasi parem sementem, sed fructus laboris non
aeque recipientes ; duae quoque molentes simul erunt :
altera adsumetur et altera relinquetur. In duobus qui
305 in agro commorantur et in duabus quae pariter molunt,
uel synagogam intellege et ecclesiam, quod simul
molere uideantur in lege et de eisdem scripturis farinam
terere praeceptorum Dei, uel ceteras hereses quae
de utroque testamento aut de altero uidentur molere
310 farinam doctrinarum suarum, et cum unum nominis
christiani propositum habeant, non eandem mercedem
recipient, aliis adsumptis et aliis derelictis.

42. **Vigilate ergo, quia nescitis qua hora Dominus
uester uenturus sit.** Perspicue ostendit quare supra
315 dixerit : *De die autem illa nemo scit, neque filius hominis,
neque angeli, nisi Pater solus,* quod non expediat scire
apostolis, ut pendulae exspectationis incerto semper
eum credant esse uenturum quem ignorant quando
uenturus sit. Et non dixit : *quia* nescimus *qua hora*
320 *uenturus sit Dominus,* sed *nescitis,* praemissoque patrisfamiliae exemplo, cur reticeat consummationis diem
manifestius docet, dicens :

44-46. **Estote parati, quia nescitis qua hora filius
hominis uenturus est.** Quis, putas, est fidelis seruus et
325 prudens quem constituit dominus suus super familiam
suam ut det illis cibum in tempore ? **Beatus ille seruus**

---

32. Le texte de Jérôme n'est pas clair, mais sa pensée est évidente.
Il y a d'un côté l'Église et de l'autre la Synagogue ou les hautes hérésies,
qu'elles acceptent les deux Testaments, ou un seul comme Marcion.
Par *aliis adsumptis,* Jérôme n'envisage pas que certaines sectes hérétiques
soient accueillies dans le Royaume, mais il les oppose à la véritable
Église.

de la fin du monde et du jugement : deux hommes se trouveront en même temps au champ, faisant même travail, semant, semble-t-il, même grain, mais ne recueillant pas même fruit de leur labeur. De même, deux femmes seront en même temps en train de moudre : l'une sera prise, l'autre laissée. Dans ces deux hommes qui demeurent au champ, dans ces deux femmes qui moulent ensemble, entends la Synagogue et l'Église qui semblent également travailler au moulin de la Loi et moudre à partir des mêmes Écritures la farine des préceptes de Dieu. Ou bien il s'agit des autres sectes : elles semblent moudre la farine de leur enseignement à partir des deux Testaments ou de l'un d'eux, mais bien qu'elles se réclament du même nom de chrétien, elles ne recevront pas même prix : les unes seront prises et les autres refusées[32].

42. « Veillez donc, puisque vous ne savez pas à quelle heure va venir votre Maître. » Il montre clairement pourquoi il disait plus haut : « Quant au jour, personne n'en sait rien, ni le Fils de l'homme, ni les anges, personne que le Père seul. » C'est qu'il n'est pas utile, pour les apôtres, de le savoir. Il faut que, dans l'incertitude de cette attente suspendue sur eux, ils croient toujours que va venir celui dont ils ignorent quand il va venir. Il n'a pas dit : « puisque nous ne savons pas à quelle heure va venir le maître », mais « puisque vous ne savez pas ». Après avoir cité tout d'abord l'exemple du maître de maison, il explique plus clairement les motifs qui lui font cacher le jour de la fin du monde, en ces termes :

44-46. « Tenez-vous prêts parce que vous ne savez pas à quelle heure doit venir le Fils de l'homme. Quel est donc, pensez-vous, le serviteur fidèle et avisé que son maître a établi sur les gens de sa maison pour leur donner la nourriture au temps voulu ? Bienheureux ce serviteur que son maître,

quem, cum uenerit dominus eius, inuenerit sic facientem.
Plenius inculcat et replicat quare de die consummationis
et hora nec angelos nec se scire praedixerit, sed solum
330 Patrem, quod non expediat scire apostolis ; et exemplum patrisfamiliae, hoc est sui, et fidelium seruorum,
id est apostolorum, ad cohortationem sollicitae mentis
interserit, ut spe praemiorum ministrent conseruis in
tempore suo cibaria doctrinarum.

335 **48.49.** Si autem dixerit malus seruus ille in corde suo :
**Moram facit dominus meus uenire, et coeperit percutere
conseruos suos,** et reliqua. Ex superioribus pendit
quod sicut sollicitus seruus et semper aduentum domini
praestolans tradit conseruis cibaria in tempore suo
340 et postea super omnia bona patrisfamiliae constituitur,
ita e contrario qui iuxta Hiezechiel dicit : *In tempora
longa fiet istud*, et non putat cito dominum esse uenturum, factus securior uacat epulis atque luxuriae
et non lenem patremfamilias sed seuerissimum sentiet
345 iudicem.

50.51. Veniet dominus serui illius in die qua non sperat
et hora qua ignorat, et diuidet eum partemque eius ponet
cum hypocritis. Hoc ipsum docet ut sciant quando
non putatur Dominus tunc eum esse uenturum et ui-
350 gilantiae ac sollicitudinis dispensatores admonet. Porro
quod dicit : *diuidet eum*, non quo gladio eum dissicet,
sed quo a sanctorum consortio separet et partem
eius ponat cum hypocritis, cum his uidelicet qui erant
in agro et qui molebant et nihilominus derelicti sunt.
355 Saepe diximus hypocritam aliud esse, aliud ostendere,

342. Éz. 21, 22

à son arrivée, trouvera occupé de la sorte. » Il insiste encore plus, redit pourquoi il vient d'affirmer que ni les anges, ni lui-même ne connaissent le jour et l'heure de la fin du monde et que seul son Père le sait : il n'est pas utile aux apôtres de le connaître. Il introduit l'exemple du maître de maison, c'est-à-dire de lui-même, et de ses fidèles serviteurs, c'est-à-dire les apôtres, pour les exhorter à la vigilance, afin que, dans l'espoir des récompenses, ils servent à leurs compagnons, au temps choisi par lui, la nourriture de la doctrine.

48.49. « Mais si ce mauvais serviteur se dit en lui-même : Mon maître tarde à venir, et s'il se met à battre ses compagnons de service », etc. Voici une conséquence de ce qui précède : le serviteur diligent, qui attend toujours la venue du maître, donne à ses compagnons de service la nourriture au temps choisi par lui. Ensuite, il se voit confier la gestion de tous les biens du père de famille. De la même façon, mais en sens opposé, celui qui dit, selon le mot d'Ézéchiel : « Cela n'arrivera pas de longtemps » et ne pense pas que le maître viendra bientôt, devenu trop confiant, s'adonne aux festins et à la débauche. Au lieu d'un maître de maison plein de douceur, il trouvera un juge plein de sévérité.

50.51. « Le maître de ce serviteur viendra le jour qu'il n'attend pas, à l'heure qu'il ne connaît pas, il le retranchera et lui assignera son lot parmi les hypocrites. » Cela même, il le leur enseigne pour qu'ils sachent que le maître viendra au moment où on n'y pense pas et il exhorte les intendants à la vigilance et à la sollicitude. De plus, par l'expression « il le retranchera », n'entendons pas qu'il le tranchera avec un glaive, mais qu'il le séparera de la société des saints et lui assignera son lot parmi les hypocrites, c'est-à-dire parmi ceux qui étaient au champ ou à la meule, et qui, néanmoins furent laissés. Nous l'avons dit souvent : chez un hypocrite, la réalité dément l'apparence. Ainsi, dans les

sicut et in agro et in mola idem uidebatur facere quod
ecclesiasticus uir, sed exitus diuersae uoluntatis apparuit.

25   **1.2.** Tunc simile erit regnum caelorum decem uirginibus
quae accipientes lampades suas exierunt obuiam sponso et
sponsae ; quinque autem ex eis erant fatuae et quinque
prudentes, et reliqua. Hanc parabolam, id est simi-
5 litudinem, decem uirginum fatuarum atque prudentium
quidam simpliciter in uirginibus interpretantur, quarum
aliae iuxta apostolum et corpore et mente sunt uirgines,
aliae uirginitatem tantum corporum reseruantes uel
cetera opera non habent proposito suo similia, uel
10 parentum custodia reseruatae nihilominus mente nup-
serunt. Sed mihi uidetur ex superioribus alius sensus
esse qui dicitur, et non ad uirginalia corpora sed ad
omne hominum genus comparatio pertinere. Sicut
enim duo in agro et duae molentes duos populos signi-
15 ficant christianorum et Iudaeorum, siue sanctorum
et peccatorum, qui in ecclesia constituti uidentur quidem et ipsi arare et molere, sed cuncta in hypocrisi
faciunt : sic et nunc decem uirgines omnes homines
complectuntur qui uidentur Deo credere et adplaudunt
20 sibi in scripturis sanctis, tam ecclesiasticos quam Iudaeos
atque hereticos. Qui idcirco omnes uirgines appellantur
quia gloriantur in unius Dei notitia et mens eorum
idolatriae turba non constupratur. Oleum habent

25, 7. Cf. I Cor. 7, 34

---

33. C'est l'interprétation que donne Jérôme lui-même dans sa lettre 22
à Eustochium, 5 (Labourt I, p. 115) : « Ce sont là les vierges coupables —
vierges charnellement, non spirituellement —, vierges folles qui, n'ayant
pas d'huile, sont exclues par l'époux du banquet nuptial. »
34. Cf. le commentaire de Jérôme sur *Matth.* 24, 40.

champs, à la meule, il semblait faire même ouvrage que l'homme d'Église, mais la fin a révélé que son intention allait à l'opposé.

CHAPITRE 25

1.2. « Alors il en sera du royaume des cieux comme de dix vierges qui s'en allèrent munies de leurs lampes au-devant de l'époux et de l'épouse. Or cinq d'entre elles étaient folles, cinq étaient sages », etc. Cette parabole, c'est-à-dire cette comparaison, des dix vierges folles et sages, certains l'interprètent tout simplement en l'appliquant aux vierges[33]. Les unes, suivant l'Apôtre, conservent la virginité du corps et de l'esprit, les autres, celle du corps seulement, soit que le reste de leur conduite démente l'état qu'elles ont choisi, soit que, préservées par la garde de leurs parents, elles se soient cependant mariées en esprit. Mais, d'après ce qui précède, il me semble que le sens exprimé est différent et que cette comparaison ne s'applique pas aux personnes vierges de corps, mais au genre humain tout entier. En effet, les deux hommes qui sont au champ et les deux femmes qui tournent la meule symbolisent deux peuples[34], celui des Chrétiens et celui des Juifs, ou celui des saints et celui des pécheurs qui, établis dans l'Église, semblent eux aussi labourer, moudre, mais n'agissent en tout que par hypocrisie. De même, ici, ces dix vierges, c'est tout l'ensemble de ceux qui paraissent croire en Dieu et qui se vantent de leur connaissance des saintes Écritures, aussi bien membres de l'Église que Juifs et hérétiques. Aussi, tous sont appelés vierges parce qu'ils se glorifient de leur connaissance du Dieu unique et parce que leur esprit n'est point souillé du désordre de l'idolâtrie[35].

---

35. C'est le grand thème des prophètes : lorsqu'ils reprochent à Israël son idolâtrie, ils l'accusent d'adultère et comparent le peuple de Dieu à une prostituée : Samarie et Jérusalem ont commis l'adultère avec leurs idoles (*Éz.* chap. 16 et 23..., *Jér.* 3, 6-13 etc.).

uirgines quae iuxta fidem et operibus adornantur, non
25 habent oleum quae uidentur simili quidem fide Dominum confiteri, sed uirtutum opera neglegunt. Possumus
quinque uirgines sapientes et stultas quinque sensus
interpretari, quorum alii festinant ad caelestia et
superna desiderant, alii terrenis faecibus inhiantes
30 fomenta non habent ueritatis quibus sua corda inlu-
minent. De uisu et auditu et tactu spiritaliter dictum
est : *Quod uidimus, quod audiuimus, quod oculis nostris
perspeximus et manus nostrae palpauerunt* ; de gustu :
Gustate et uidete quia suauis est Dominus ; de odoratu :
35 *In odore unguentorum tuorum currimus* ; et : *Christi
bonus odor sumus.*

5. Moram autem faciente sponso, dormitauerunt omnes
et dormierunt. Non enim parum temporis inter priorem
et secundum aduentum Domini praetergreditur. *Omnes
40 dormitauerunt*, id est mortuae sunt quia mors sanctorum
somnus appellatur. Consequenter autem dicitur *dormierunt*, quia postea suscitandae sunt.

6. Media autem nocte clamor factus est : Ecce sponsus
uenit, exite obuiam ei. Subito enim quasi intempesta
45 nocte, et securis omnibus, quando grauissimus sopor
est, per angelorum clamorem et tubas praecedentium
fortitudinum Christi resonabit aduentus. Dicamus aliquid quod forsitan lectori utile sit. Traditio Iudaeorum
est Christum media nocte uenturum, in similitudinem
50 Aegypti temporis, quando pascha celebratum est,
et exterminator uenit, et Dominus super tabernacula
transiit, et sanguine agni postes nostrarum frontium
consecrati sunt. Vnde reor et traditionem apostolicam
permansisse ut die uigiliarum paschae ante noctis

33. I Jn 1, 1 ‖ 34. Ps. 33, 9 ‖ 35. Cant. 1, 3 ‖ 36. II Cor. 2, 15 ‖ 53. Cf.
Ex. 12, 3-23

Possèdent l'huile les vierges qui joignent à la foi la parure des œuvres. Ne l'ont point ceux qui semblent professer même foi en notre Seigneur, mais qui négligent la pratique des vertus. Nous pouvons, dans les cinq vierges sages et les cinq vierges folles, voir les cinq sens : chez les uns, élans vers le ciel, aspiration au divin, chez les autres, convoitise de la corruption terrestre, aucun appétit de la vérité pour illuminer leur cœur. De la vue, de l'ouïe, du toucher, il a été dit au sens spirituel : « Ce que nous avons vu, ce que nous avons entendu, ce que nous avons examiné de nos yeux et touché de nos mains » ; du goût : « Goûtez et voyez que le Seigneur est doux » ; de l'odorat : « Nous accourons à l'odeur de tes parfums » et « nous sommes la bonne odeur du Christ ».

5. « Comme l'époux se faisait attendre, toutes s'assoupirent et s'endormirent. » L'intervalle qui s'écoule entre la première et la seconde venue du Christ n'est point petit. « Toutes s'assoupirent », c'est-à-dire « moururent », car on appelle sommeil la mort des saints. Avec raison, on dit : « s'endormirent », parce que dans la suite, elles seront réveillées.

6. « Mais au milieu de la nuit, un cri retentit : Voici l'époux qui vient, sortez à sa rencontre. » Soudain, comme en pleine nuit et dans une tranquillité totale, quand le sommeil est le plus lourd, la clameur des anges, les trompettes des Vertus qui le précéderont, annonceront avec éclat la venue du Christ. Donnons au lecteur une explication peut-être utile. Une tradition juive veut que le Christ vienne au milieu de la nuit, tout comme autrefois en Égypte, à l'heure où fut célébrée la Pâque, où l'ange exterminateur vint, où le Seigneur passa par-dessus les demeures, où les montants de nos linteaux furent consacrés par le sang de l'agneau. Voilà, j'en suis persuadé, l'origine de la tradition apostolique qui s'est maintenue : à la veillée pascale, il n'est pas permis

55 dimidium populos dimittere non liceat exspectantes
aduentum Christi et postquam illud tempus transierit,
securitate praesumpta, festum cunctis agentibus diem.
Vnde et psalmista dicebat : *Media nocte surgebam
ad confitendum tibi super iudicia iustitiae tuae.*

60 **7. Tunc surrexerunt omnes uirgines illae et ornauerunt
lampades suas.** Omnes uirgines surrexerunt et ornauerunt unaquaeque lampades suas, id est sensus, in
quibus oleum scientiae recipiebant ut alerent opera
uirtutum quae ante uerum iudicem refulgerent.

65   **8. Fatuae autem sapientibus dixerunt : Date nobis
de oleo uestro, quia lampades nostrae extinguuntur.**
Quae lampades suas queruntur extingui, ostendunt eas
ex parte lucere, et tamen non habent lumen indeficiens
nec opera perpetua. Si quis igitur habet animam uirgi-
70 nalem et amator est pudicitiae, non debet mediocribus
esse contentus quae cito exolescunt, exorto caumate
arefiunt, sed perfectas uirtutes sequatur ut lumen
habeat sempiternum.

     **9. Responderunt prudentes atque dixerunt : Ne forte
75 non sufficiat nobis et uobis.** Hoc non de auaritia
sed de timore respondent. Vnusquisque enim pro
operibus suis mercedem recipiet, neque possunt in die
iudicii aliorum uirtutes aliorum uitia subleuare. Et
quomodo tempore Babyloniae captiuitatis Hieremias
80 peccatores iuuare non potuit et dicitur ad eum : *Ne
oraueris pro populo isto,* sic formidulosa erit illa dies
cum unusquisque pro semet ipso sollicitus erit.

59. Ps. 118, 62 ‖ 68. Cf. Sir. 24, 6 ‖ 81. Jér. 7, 16

---

36. Cet usage prouve combien l'attente de la Parousie était demeurée
vivante parmi les premiers chrétiens.

de renvoyer avant le milieu de la nuit le peuple qui attend la venue du Christ[36]. Une fois ce moment passé, la sécurité étant désormais assurée, tous célèbrent la festivité. D'où la parole du psalmiste : « Au milieu de la nuit, je me levais pour te louer de tes justes décrets. »

7. « Alors toutes les vierges se levèrent et apprêtèrent leurs lampes. » Toutes les vierges se levèrent et apprêtèrent chacune sa lampe, c'est-à-dire les sens où elles recueillaient l'huile de la science pour nourrir les œuvres vertueuses qui devaient briller devant le véritable juge.

8. « Et les folles dirent aux sages : donnez-nous de votre huile car nos lampes s'éteignent. » Se plaignant que leurs lampes s'éteignent, elles montrent bien qu'elles brillent encore un peu. Et pourtant elles n'ont pas la lumière qui ne s'éteint point, ni les œuvres qui durent toujours. Celui donc qui a une âme virginale, l'amant de la pureté, ne doit point se contenter de vertus moyennes vite fanées, desséchées aux premières chaleurs. Qu'il cherche les vertus parfaites pour avoir la lumière éternelle.

9. « Et les vierges sages répondirent : Peut-être n'y en aurait-il pas assez pour vous et pour nous. » Réponse inspirée non par[37] l'avarice, mais par la crainte. Chacun recevra la récompense de ses propres œuvres. Au jour du jugement, les vertus des uns ne pourront soulager les vices des autres. Comme, au temps de la captivité de Babylone, Jérémie ne put venir en aide aux pécheurs et qu'il lui est dit : « Ne prie point pour ce peuple », de même, redoutable sera ce jour où chacun tremblera pour soi-même.

---

37. *De* : par suite de. Habituel chez Jérôme (cf. t. I, p. 166, l. 170 ; p. 172, l. 85 ; p. 330, l. 149). Voir H. GOELZER, *Latinité de saint Jérôme*, p. 338).

Ite potius ad uendentes et emite uobis. Venditur
hoc oleum et multo emitur pretio ac difficili labore
85 conquiritur quod in elemosinis cunctisque uirtutibus
et consiliis intellegimus magistrorum.

10. Dum autem irent emere uenit sponsus. Dant quidem
quasi prudentes consilium quod non debeant sine oleo
lampadarum sponso occurrere. Verum quia iam emendi
90 tempus excesserat et adueniente iudicii die locus
non erat paenitentiae psalmista dicente : *In inferno
autem quis confitebitur tibi ?* non noua opera patrare
sed praeteritorum rationem coguntur exsoluere.

Venit sponsus, et quae paratae erant intrauerunt
95 cum eo ad nuptias, et clausa est ianua. Post iudicii diem, bonorum operum et iustitiae occasio non
relinquetur.

11. Nouissime ueniunt et reliquae uirgines dicentes :
Domine, Domine, aperi nobis. Egregia quidem in Domini
100 appellatione confessio, idque repetitum indicium fidei
est. Sed quid prodest uoce inuocare quem operibus
neges ?

12. At ille respondens ait : Amen dico uobis : Nescio uos.
Nouit Dominus eos qui eius sunt, et *qui ignorat ignora-*
105 *bitur.* Nescit Dominus operarios iniquitatis, et licet
uirgines sint et secundum duplicem intellegentiam de
corporis puritate et de confessione uerae glorientur
fidei, tamen, quia oleum non habent scientiae, sufficit
eis pro poena quod ignorantur a sponso.

92. Ps. 6, 6 ‖ 104. II Tim. 2, 19 ‖ 105. I Cor. 14, 38

---

38. *Puritatem* (*CCL*) est impossible. Il faut choisir *puritate* avec G
et M. L'apparat critique est d'ailleurs fort incomplet. Pour appuyer la

« Allez plutôt chez les marchands et achetez-en pour vous. »
Cette huile se vend et elle s'achète à grand prix. Elle s'acquiert
péniblement. Selon nous, elle consiste dans les aumônes,
la pratique de toutes les vertus et les conseils des maîtres.

10. « Mais pendant qu'elles allaient en acheter, arriva
l'époux. » Dans leur sagesse, elles conseillent de ne point
aller au-devant de l'époux sans huile dans leur lampe. Mais le
temps d'acheter était déjà passé et, le jour du jugement
venu, il n'y avait plus de place pour le repentir selon la
parole du psalmiste : « Qui te louera dans l'enfer ? » Impossible donc d'accomplir de nouvelles œuvres. C'est de leur
passé qu'elles sont mises en demeure de rendre compte.

« L'époux arriva. Et celles qui étaient prêtes entrèrent
avec lui dans la salle de noces et la porte fut fermée. »
Passé le jour du jugement, plus de place pour les œuvres de
bien et de justice.

11. « Finalement les autres vierges arrivent aussi et elles
disent : Seigneur, Seigneur, ouvre-nous. » Oui, belle affirmation de leur foi dans ce titre de Seigneur, et sa répétition
est une preuve de leur foi, mais que sert d'invoquer en paroles
celui qu'on renie par ses œuvres ?

12. « Mais il leur répondit : En vérité, je vous le dis, je ne
vous connais pas. » « Le Seigneur connaît ceux qui sont à lui »
et « Qui l'ignore, il l'ignorera. » Le Seigneur ne connaît point les
artisans d'iniquité. Fussent-ils vierges, se glorifieraient-ils de
l'être dans les deux sens, la pureté[38] du corps, la profession de
la vraie foi, pourtant, parce qu'ils n'ont point l'huile de la
science, cela suffit pour leur châtiment que l'époux les ignore.

---

leçon *puritate*, il faut ajouter à G et M le ms. B, Raban Maur (*PL* 107,
1088 D), Paschase Radbert (*PL* 120, 847 B). Marcello MARIN (*Vet. Christ.*
14, 1977, p. 170) signale aussi le ms. P (*Palat. lat.* 177 de la Vaticane).

110 13. **Vigilate itaque, quia nescitis diem neque horam.** Prudentem semper admoneo lectorem, ut non superstitiosis adquiescat interpretationibus et quae commatice pro fingentium ea dicuntur arbitrio, sed consideret priora, media, sequentia, et nectat sibi uniuersa quae 115 scripta sunt. Et ex hoc ergo quod infert : *Vigilate, quia nescitis diem neque horam,* intellegitur uniuersa quae dixit, id est de duobus qui in agro sunt et de duabus molentibus et de patrefamilias qui seruo suo credidit substantiam et de decem uirginibus, ideo 120 parabolas esse praemissas ut, quia ignoramus homines iudicii diem, sollicite nobis lumen bonorum operum praeparemus, ne dum ignoramus iudex ueniat.

14.15. **Sicut enim homo proficiscens uocauit seruos suos et tradidit illis bona sua et uni dedit quinque** 125 **talenta, alii duo, alii uero unum.** Homo iste paterfamilias haud dubium quin Christus sit, qui ad Patrem post resurrectionem uictor ascendens, uocatis apostolis doctrinam euangelicam tradidit, non pro largitate et parcitate alteri plus et alteri minus tribuens, sed pro 130 accipientium uiribus, quomodo et apostolus eos qui solidum cibum capere non poterant lacte potasse se dicit. Denique et illum qui de quinque talentis decem fecerat et qui de duobus quattuor simili recipit gaudio, non considerans lucri magnitudinem sed studii uolunta- 135 tem. In quinque et duobus et uno talento uel diuersas gratias intellegamus quae unicuique traditae sunt, uel in primo omnes sensus examinatos, in secundo intelle-

---

117. Cf. Matth. 24, 40-41 ‖ 118. Cf. Matth. 24, 45 ‖ 119. Cf. Matth. 25, 1-12 ‖ 128. Cf. Matth. 28, 19 ‖ 132. Cf. I Cor. 3, 2

---

39. Passage important pour apprécier la méthode exégétique de Jérôme (cf. Introduction, p. 24).

13. « Veillez donc, car vous ne savez ni le jour ni l'heure. »
J'avertis toujours le lecteur avisé de ne point souscrire aux
interprétations minutieuses et qui sont données « bout par
bout », selon la fantaisie de ceux qui les imaginent[39]. Qu'il
considère ce qui précède, les textes intermédiaires et ce qui
suit, qu'entre tout cela il établisse un lien. Donc, puisque le
texte ajoute : « Veillez, car vous ne savez ni le jour ni l'heure »,
il nous fait comprendre que tout ce qu'il a dit sur les deux
hommes qui sont au champ, sur les deux femmes en train de
moudre, sur le père de famille qui a confié son bien à son
serviteur, et sur les dix vierges, ce sont des paraboles qui
ont pour but de nous engager, puisque nous, les hommes,
nous ignorons le jour du jugement, à nous ménager soigneuse-
ment la lumière des bonnes œuvres, de peur que le juge ne
vienne à notre insu.

14.15. « C'est comme un homme qui partait en voyage. Il
appela ses serviteurs et leur confia ses biens. A l'un il donna
cinq talents, à l'autre deux, à l'autre un seul. » Ce père de
famille est sans aucun doute le Christ. Après sa résurrection,
sur le point de remonter victorieusement vers le Père, il
appela les apôtres, leur confia la doctrine évangélique[40],
donnant à l'un plus, à l'autre moins, sans profusion ni parci-
monie, mais selon les forces de ceux qui recevaient, tout comme
aussi l'Apôtre dit qu'il a nourri de lait ceux qui ne pouvaient
prendre une nourriture solide. Enfin il accueille avec même
joie celui qui, de cinq talents en avait fait dix, et celui qui, de
deux en avait fait quatre, tenant compte non de l'importance
du gain, mais de l'intention de leur zèle. Cinq, deux, un
talents, comprenons par là soit les grâces différentes accor-
dées à chacun, soit, pour le premier les cinq sens considérés
(plus haut)[41], pour le second l'intelligence et les œuvres, pour

---

40. Jérôme songe à *Matth.* 28, 18-fin.
41. *Sensus examinatos* : cf. *supra*, l. 26-36.

gentiam et opera, in tertio rationem qua homines a
bestiis separamur.

140 **16. Abiit autem qui quinque talenta acceperat et
operatus est in eis ; lucratus est alia quinque.** Acceptis
terrenis sensibus, caelestium sibi notitiam duplicauit, ex
creaturis intellegens creatorem, ex corporalibus incor-
poralia, ex uisibilibus inuisibilia, ex breuibus aeterna.

145 **17. Qui duos acceperat, lucratus est alia duo.**
Et iste pro uiribus quidquid in lege didicerat in euangelio duplicauit, siue et scientiam et opera praesentis
uitae, futurae beatitudinis typos intellexit.

18. Qui autem unum acceperat, abiens fodit in
150 **terram et abscondit pecuniam domini sui.** Nequam
seruus terrenis operibus et saeculi uoluptate Dei praecepta neglexit et polluit, quamquam in alio euangelista
scriptum sit quod in sudario ligauerit, id est doctrinam
patrisfamiliae molliter et delicate uiuendo eneruauerit.

155 **19. Post multum uero temporis uenit dominus seruorum
illorum.** Grande tempus est inter ascensionem Saluatoris
et secundum eius aduentum. Si autem apostoli reddituri
sunt rationem et sub metu iudicis surrecturi, quid nos
oportet facere ?

160 **21. Ait illi dominus : Euge serue bone et fidelis,
quia super pauca fuisti fidelis super multa te cons-
tituam, intra in gaudium domini tui.** Vtrique seruo, ut

153. Cf. Lc 19, 20

---

42. Pour Jérôme il n'y a pas de contradiction possible entre deux
évangiles, mais seulement un éclairage différent. Voir d'autres exemples
réunis dans l'Introduction, chap. IV, p. 29 s.

le troisième la raison qui nous distingue, nous les hommes, des animaux.

16. « Celui qui avait reçu cinq talents s'en alla les faire produire et en gagna cinq autres. » Avec les sens terrestres qu'il avait reçus, il a doublé, ajoutant la connaissance des choses célestes. Son intelligence s'est élevée des créatures au Créateur, du corporel à l'incorporel, du visible à l'invisible, du passager à l'éternel.

17. « Celui qui en avait reçu deux en gagna deux autres. » Celui-là également, dans la mesure de ses forces, a doublé, à l'école de l'Évangile, ce qu'il avait appris à l'école de la Loi. Autre sens : il comprit que la science et les œuvres de la vie présente étaient des préfigurations du bonheur à venir.

18. « Mais celui qui n'en avait reçu qu'un, s'en alla faire un trou en terre et y enfouit l'argent de son maître. » Pris par les œuvres terrestres, par les plaisirs du siècle, le mauvais serviteur a négligé, souillé les commandements de Dieu. Notons cependant que, selon un autre évangéliste[42], il l'enroule dans un linge : entendons qu'il a enlevé toute vigueur à l'enseignement du père de famille par une vie de mollesse et de plaisirs.

19. « Longtemps après, le maître de ces serviteurs revient. » Il s'écoule un long temps entre l'ascension du Sauveur et son second avènement. Or donc, si les apôtres doivent rendre compte et ressusciter avec la crainte du Juge, que devons-nous donc faire, nous ?

21. « Le maître lui dit : C'est bien, bon et fidèle serviteur, tu as été fidèle en peu de choses, aussi je t'établirai sur beaucoup. Entre dans la joie de ton maître. » Comme je l'ai déjà dit[43],

---

43. Cf. l. 137 s.

ante iam dixi, et qui de quinque talentis decem fecerat
et qui de duobus quattuor, idem patrisfamiliae sermo
165 blanditur. Et notandum quod omnia quae in praesenti
habemus, licet magna uideantur et plurima, tamen
comparatione futurorum parua et pauca sunt. *Intra,*
inquit, *in gaudium domini tui* et suscipe *quae nec oculus
uidit nec auris audiuit nec in cor hominis ascenderunt.*
170 Quid autem maius potest dari fideli seruo quam esse
cum domino et uidere gaudium domini sui ?

24.25. Accedens autem et qui unum talentum acceperat, ait : Domine scio quia homo durus es, metis ubi
non seminasti et congregas ubi non sparsisti ; et timens
175 abii et abscondi talentum tuum in terra ; ecce habes quod
tuum est. Vere quod scriptum est : *Ad excusandas
excusationes in peccatis,* etiam huic seruo contigit,
ut ad pigritiam et neglegentiam superbiae quoque
crimen accederet. Qui enim debuit simpliciter iner-
180 tiam confiteri et orare patremfamilias, e contrario
calumniatur et dicit se prudenti fecisse consilio, ne
dum lucra pecuniae quaereret, etiam de sorte pericli-
taretur.

26-28. Respondens autem dominus eius dixit ei : Serue
185 male et piger, sciebas quia meto ubi non semino et
congrego ubi non sparsi ; oportuit ergo te mittere pecuniam meam nummulariis, et ueniens ego recepissem
utique quod meum est cum usuris ; tollite itaque ab
eo talentum et date ei qui habet decem talenta.
190 Quod putauerat se pro excusatione dixisse, in culpam

169. I Cor. 2, 9 ‖ 177. Ps. 140, 4

44. *Esse cum domino* : c'est la reprise de la phrase de S. Paul : *Cupio
dissolui et esse cum Christo* (*Phil.* I, 23). Mourir, pour le serviteur fidèle,

ce sont les mêmes compliments du père de famille qui accueillent les deux serviteurs, celui qui de cinq talents en
avait fait dix et celui qui de deux en avait fait quatre. Notons-
le, tous les biens que nous avons dans le temps, quelque
grands et nombreux qu'ils nous paraissent, sont bien petits
et bien peu en comparaison des biens futurs. « Entre dans
la joie de ton Maître », dit-il, et reçois « ce que l'œil n'a point
vu, ce que l'oreille n'a pas entendu, ce qui n'est pas monté
au cœur de l'homme ». Quelle plus grande récompense peut-
on accorder au serviteur fidèle que d'être avec son Maître[44],
de voir la joie de son Maître ?

24.25. « Vint enfin également celui qui n'avait reçu qu'un
talent. Il dit : Maître, je le sais, tu es un homme dur, tu moissonnes où tu n'as point semé et tu ramasses où tu n'as rien
répandu. J'ai eu peur et je suis allé cacher mon talent dans la
terre et le voici, tu as ton bien. » La parole de l'Écriture
« pour trouver des excuses à ses péchés » s'applique vraiment
aussi à ce serviteur : à la paresse, à la négligence, s'ajoute
la faute d'insolence. Au lieu de confesser tout simplement son
inaction, comme il l'aurait dû, de supplier le maître de
maison, au contraire il l'accuse, prétend avoir agi avec
prudence par peur de s'exposer à perdre le capital en cherchant à le faire fructifier.

26-28. « Mais son maître lui répondit : Serviteur méchant
et paresseux, tu savais que je moissonne où je n'ai pas semé
et que je ramasse où je n'ai rien répandu ; il te fallait donc
placer mon argent chez les banquiers et, à mon retour, j'aurais
de toute manière retrouvé mon bien avec intérêt. Enlevez-lui
donc son talent et donnez-le à celui qui en a dix. » Ce qu'il avait
dit, pour s'excuser pensait-il, tourne à sa propre charge.

---

c'est aller vivre avec le Seigneur.

propriam uertitur. Seruus autem malus appellatur
quia calumniam domino facit, piger quia talentum
noluit duplicare, ut in altero superbiae, in altero
neglegentiae condemnetur. Si, inquit, durum et crudelem
195 esse me noueras et aliena sectari ibique metere ubi non
[seuerim, quare non tibi istiusmodi cogitatio incussit
timorem, ut scires me mea diligentius quaesiturum
et dares pecuniam meam, siue argentum, nummulariis ?
Vtrumque enim ἀργύριον graecus sermo significat.
200 *Eloquia*, inquit, *Domini eloquia casta, argentum igne*
examinatum, probatum terrae, purgatum septuplum.
Pecunia ergo et argentum praedicatio euangelii est
et sermo diuinus, qui dari debuit nummulariis et
trapizetis, id est uel ceteris doctoribus, quod fecerunt
205 et apostoli per singulas prouincias presbiteros et episcopos ordinantes, uel cunctis credentibus qui possunt
pecuniam duplicare et cum usuris reddere, ut quicquid
sermone didicerant opere explerent. Tollitur autem
talentum et datur ei qui decem talenta fecerat, ut
210 intellegamus, licet in utriusque labore aequale sit
gaudium Domini, hoc est et eius qui quinque in decem
duplicauerat et eius qui duo in quattuor, tamen maius
deberi praemium ei qui plus in Domini pecunia laboraue-
rat. Vnde dicit et apostolus : *Presbiteros honora qui uere*
215 *presbiteri sunt, maxime qui laborant in uerbo Dei.*
Ex eo quod malus seruus ausus est dicere : *metis ubi*
non seminasti et congregas ubi non sparsisti, intellegimus
etiam gentilium et philosophorum bonam uitam recipere
Dominum et aliter habere eos qui iuste, aliter qui
220 iniuste agant et ad comparationem eius qui naturali

Il est traité de serviteur méchant parce qu'il calomnie son maître, de paresseux parce qu'il n'a point voulu faire fructifier au double le talent, si bien que, d'un côté il se voit condamner pour insolence, de l'autre pour paresse. Si tu savais, dit-il, que j'étais dur et cruel, que je convoitais le bien d'autrui, que je moissonnais où je n'avais pas semé, comment pareille pensée ne t'a-t-elle point frappé de terreur ? Tu devais comprendre que je redemanderais plus rigoureusement mon bien, et confier mes pièces, mon argent, à des banquiers ? — en effet, le mot grec *argurion* a les deux sens. « Les paroles de Dieu, dit le psalmiste, sont des paroles pures, un argent éprouvé au feu, épuré dans la terre, sept fois raffiné. » Donc ces pièces, cet argent sont la prédication de l'Évangile et la parole divine. Il eût fallu les confier aux banquiers, aux changeurs, c'est-à-dire, soit aux autres docteurs — c'est ce qu'ont fait précisément les apôtres en consacrant dans chaque province des prêtres et des évêques —, soit à tous les croyants qui peuvent faire fructifier cet argent au double et le rendre avec des intérêts en faisant passer en actes tous les enseignements reçus en paroles. Mais le talent lui est enlevé et il est donné à celui qui avait produit dix talents, cela pour que nous comprenions que, si le maître accueille avec une joie égale le travail de chacun des deux serviteurs, c'est-à-dire de celui qui avait fait fructifier les talents de cinq à dix et aussi de celui qui les avait fait fructifier de deux à quatre, cependant une récompense plus grande était due à celui qui avait consacré plus de peine à l'argent de son maître. D'où la parole de l'Apôtre : « Honore les prêtres qui sont véritablement des prêtres, surtout ceux qui consacrent leur peine à la parole de Dieu. » Le méchant serviteur a osé dire : « Tu récoltes là où tu n'as pas semé et tu ramasses où tu n'as rien répandu. » Entendons par là que le Seigneur accepte la vie vertueuse, même des païens et des philosophes, qu'il traite différemment ceux qui font le bien et ceux qui font

legi seruiat, condemnari eos qui scriptam legem negle-
gant.

29. **Omni enim habenti dabitur et abundabit, ei autem
qui non habet et quod uidetur habere auferetur ab eo.**
225 Multi cum sapientes sint naturaliter et habeant acumen
ingenii, si fuerint neglegentes et desidia bonum naturae
corruperint, ad comparationem eius qui paululum
tardior labore et industria compensauit quod minus
habuit, perdunt bonum naturae, et praemium quod
230 eis fuerat repromissum uident transire ad alios. Potest
et sic intellegi : ei qui fidem habet et bonam in Domino
uoluntatem, etiam si quid minus in opere ut homo
habuerit, dabitur a bono iudice ; qui autem fidem
non habuerit, etiam ceteras uirtutes quas uidebatur
235 naturaliter possidere perdet. Et eleganter etiam *quod uidetur*, inquit, *habere auferetur ab eo*. Quicquid enim
sine fide Christi est non ei debet imputari qui male eo
abusus est, sed illi qui etiam malo seruo naturae bonum
tribuit.

240 30. **Et inutilem seruum eicite in tenebras exteriores ; illic erit fletus et stridor dentium.** Dominus
lumen est. Qui ab eo foras mittitur caret uero lumine.
Quid sit autem fletus et stridor dentium supra diximus.

31-33. **Cum autem uenerit filius hominis in maies-
245 tate sua et omnes angeli cum eo, tunc sedebit super**

---

45. Cf. *Rom.* 2, 12 s., surtout 2, 27.
46. Idée chère à Jérôme. On trouve un développement parallèle :
etiam si quid minus virtutum habeant... à propos de *Matth.* 13, 12 (t. I,
p. 267).
47. Jérôme développe le *uidetur habere* donné par divers manuscrits de
la Vieille Latine et la Vulgate, au lieu de *habet*, donné par d'autres mss
conformément au grec. Jérôme donne à *uidetur* le sens de « paraître ».

le mal et que, comparés à l'homme qui observe la loi naturelle, ceux qui négligent la loi écrite sont condamnés[45].

29. « Car on donnera à tous ceux qui ont et ils seront dans l'abondance, mais à celui qui n'a pas, on ôtera même ce qu'il semble avoir. » Beaucoup d'hommes, bien qu'ils aient une sagesse et une pénétration d'esprit naturelles, s'ils viennent à être négligents et à gâter par indolence leur don naturel, comparés à un esprit un peu plus lent qui a compensé cette infériorité par son travail et son activité, perdent leurs dons naturels et voient passer à d'autres la récompense qui leur avait été promise. Voici une autre interprétation possible. Celui qui a la foi, une volonté bonne dans le Seigneur, même si en tant qu'homme il lui manque quelque chose du côté des œuvres, il le recevra du juge plein de bonté[46]. Mais celui qui n'aura pas la foi perdra même les autres vertus qu'il semblait posséder naturellement. Ses mots sont bien choisis : « il lui sera enlevé même ce qu'il semble avoir[47] ». Tout ce qui ne s'accompagne pas de la foi dans le Christ doit être porté au compte, non de celui qui en a fait un mauvais usage, mais de celui qui a accordé un bien naturel même à un méchant serviteur.

30. « Et ce serviteur inutile, jetez-le dans les ténèbres extérieures. C'est là qu'il y aura des pleurs et des grincements de dents. » Le Seigneur est lumière : celui qu'il chasse au-dehors est privé de la vraie lumière. Ce que sont ces pleurs et ces grincements de dents, nous l'avons dit plus haut[48].

31-33. « Quand le Fils de l'homme viendra dans sa majesté avec tous les anges, alors il prendra place sur le trône de sa

---

L'homme qui n'a pas la foi paraît posséder des dons naturels, mais en fait ils n'appartiennent pas à lui, mais à son Maître qui les lui a confiés.
48. En 22, 13.

sedem maiestatis suae, et congregabuntur ante eum
omnes gentes, et separabit eos ab inuicem sicut
pastor segregat oues ab haedis et statuet oues quidem a dextris suis, haedos autem a sinistris. Post bi-
250 duum pascha facturus et tradendus cruci et inludendus
ab hominibus et aceto ac felle potandus recte promittit
gloriam triumphantis, ut secutura scandala pollicitatio-
nis praemio compensaret. Et notandum quod qui in
maiestate cernendus est Filius hominis sit. Quodque
255 sequitur : *statuet oues quidem a dextris suis, haedos
autem a sinistris,* iuxta illud intellege quod alibi legis :
*Cor sapientis in dextera eius et cor stulti in sinistra
illius,* et supra in hoc eodem euangelio : *Nesciat sinistra
quid faciat dextera tua.* Oues in parte iustorum stare
260 iubentur ad dexteram, haedi, hoc est peccatores, ad
sinistram, qui semper pro peccato offeruntur in lege.
Nec dixit capras, quae possunt habere fetus et tonsae
egrediuntur *de lauacro omnes gemellis fetibus et sterilis
nulla inter eas,* sed *haedos,* lasciuum animal et petulcum
265 et feruens semper ad coitum.

34. Venite, benedicti Patris mei, possidete paratum uobis regnum a constitutione mundi. Hoc iuxta
praescientiam Dei accipiendum, apud quem futura iam
facta sunt.

270 40. Amen dico uobis : Quamdiu fecistis uni de his fratribus meis minimis, mihi fecistis. Libera nobis erat
intellegentia quod in omni paupere Christus esuriens
pasceretur, sitiens potaretur, hospes induceretur in
tectum, nudus uestiretur, infirmus uisitaretur, clausus
275 carcere haberet solacium conloquentis. Sed ex hoc

258. Eccl. 10, 2 ‖ 259. Matth. 6, 3 ‖ 264. Cant. 4, 2

49. Jérôme tient à sauvegarder la liberté de l'homme.

majesté et toutes les nations seront rassemblées devant lui et il séparera les gens les uns d'avec les autres, comme le berger sépare les brebis des boucs, et il placera les brebis à sa droite et les boucs à sa gauche. » Lui qui, dans deux jours, va faire la Pâque, doit être livré à la croix et à la dérision des hommes, et abreuvé de vinaigre et de fiel, annonce à juste titre la gloire de son triomphe pour compenser les scandales qui vont suivre par la récompense qu'il promet. Notons-le, celui qui doit paraître dans sa majesté est le Fils de l'homme. Quant à la suite : « il placera les brebis à sa droite, les boucs à sa gauche », comprends-le dans le même sens que tu lis ailleurs : « le cœur du sage est dans sa droite et celui du fou dans sa gauche », et plus haut dans ce même Évangile : « que ta gauche ignore ce que fait ta droite ». Il ordonne de placer les brebis du côté des justes, à droite, les boucs, c'est-à-dire les pécheurs, à gauche, eux qui, dans la Loi, sont toujours offerts pour le péché. Il n'a pas dit les chèvres : elles peuvent avoir des petits et tondues sortent « du bain, chacune avec des petits jumeaux, et nulle d'entre elles n'est stérile », mais « les boucs », cet animal lascif, effronté, toujours en rut.

34. « Venez, les bénis de mon Père, prenez possession du royaume qui vous a été préparé dès la création du monde. » Il faut le comprendre selon la prescience de Dieu, pour qui le futur est déjà accompli[49].

40. « Je vous le dis en vérité, toutes les fois que vous avez fait cela à l'un de ces plus petits de mes frères, c'est à moi que vous l'avez fait. » Nous étions libres de comprendre que dans tout pauvre, c'est au Christ qu'on donnait à manger quand il avait faim, à boire quand il avait soif, un toit où s'abriter quand il était étranger, le vêtement quand il était nu, qu'on visitait quand il était malade et qui recevait la consolation d'une visite quand il était enfermé en prison.

quod sequitur : *Quando fecistis uni de his fratribus meis minimis, mihi fecistis,* non mihi uidetur generaliter dixisse de pauperibus, sed de his qui pauperes spiritu sunt, ad quos tendens manum dixerat : *Fratres* 280 *mei et mater mea hi sunt qui faciunt uoluntatem Patris mei.*

46. Et ibunt hi in supplicium aeternum, iusti autem in uitam aeternam. Prudens lector, intende quod et supplicia aeterna sint et uita perpetua metum deinceps non 285 habeat ruinarum.

26 1.2. Et factum est cum consummasset Iesus sermones hos omnes dixit discipulis suis : Scitis quia post biduum pascha fiet, et Filius hominis tradetur ut crucifigatur. Erubescant qui putant Saluatorem timuisse mortem 5 et passionis pauore dixisse : *Pater si potest fieri, transeat calix iste a me.* Post biduum pascha facturus, tradendum se ut crucifigatur nouit, et tamen non declinat insidias, non territus fugit, in tantum ut etiam ceteris ire nolentibus pergat intrepidus, quando dicit Thomas : *Eamus ut* 10 *et nos moriamur cum eo.* Et finem carnali festiuitati uolens inponere umbraque transeunte paschae reddere ueritatem, dixerit : *Desiderio desiderauí pascha hoc manducare uobiscum ante quam patiar. Etenim pascha nostrum immolatus est Christus,* si tamen comedamus

---

281. Cf. Lc 8, 21 ; Matth. 12, 50 ∥ **26**, 6. Matth. 26, 39 ∥ 10. Jn 11, 16 ∥ 13. Lc 22, 15 ∥ 14. I Cor. 5, 7

---

50. Jérôme ici vise Origène. Cf. déjà 6, 10 (t. I, p. 130) : *Erubescant... qui cotidie in caelo ruinas fieri mentiuntur,* ou la lettre d'Épiphane traduite par Jérôme (51, 4) : « Peut-on souffrir ces propos d'Origène : que les âmes des hommes ont été des anges dans le ciel, qu'après avoir péché là-haut elles furent précipitées dans ce bas monde... » (Labourt II, p. 162).
51. L'ombre s'oppose à la vérité (cf. *Préf.*, l. 30), mais elle l'annonce aussi. La Pâque nouvelle réalise la prophétie de la Pâque de Moïse. Tout

Mais du fait de ce qui suit : « Quand vous l'avez fait à l'un de ces plus petits de mes frères, c'est à moi que vous l'avez fait », il ne me semble pas parler des pauvres en général, mais de ceux qui sont pauvres en esprit, eux vers qui il avait tendu la main en disant : « Mes frères et ma mère, ce sont ceux qui font la volonté de mon Père. »

46. « **Et ils s'en iront, ceux-ci au supplice éternel et les justes à la vie éternelle.** » Lecteur avisé, fais attention, éternels sont les supplices, mais la vie éternelle aussi n'a plus à craindre désormais de chutes[50].

CHAPITRE 26

1.2. Et il arriva, quand Jésus eut achevé tous ces discours, qu'il dit à ses disciples : « Vous savez que, dans deux jours, se fera la Pâque et que le Fils de l'homme sera livré pour être crucifié. » Honte à ceux qui pensent que le Sauveur a craint la mort, et que c'est la peur de sa passion qui lui a fait dire : « Père, si cela se peut, que ce calice s'éloigne de moi. » Dans deux jours il va faire la Pâque, il sait qu'il sera livré pour être crucifié, et cependant il ne cherche point à éviter les embûches, il ne s'enfuit pas épouvanté. Loin de là, alors que les autres ne veulent plus avancer, lui continue intrépide — c'est à ce moment que Thomas déclare : « Allons, nous aussi, mourons avec lui » — et voulant mettre fin à une fête matérielle et, au moment où l'ombre disparaît, rendre à la Pâque sa vérité[51], il a dit : « J'ai désiré d'un grand désir manger cette Pâque avec vous avant ma passion. » « Car notre Pâque, le Christ, a été immolée. » Pourvu, cependant

---

ce qui est arrivé au peuple juif est arrivé à l'avance en image, en ombre, en symbole : *Omnia illius populi in imagine et umbra et typo praecessisse*, *Ep.* 129 à Dardanus, 6 (Labourt VII, p. 164).

15 illud *in azymis sinceritatis et ueritatis*. Porro quod ait :
Post biduum pascha fiet, simplici intellegentia praetermissa, id quod sacratum est requiramus. Post duos
dies clarissimi luminis, ueteris ac noui testamenti,
uerum pro mundo pascha celebratur. Pascha, quod
20 hebraice dicitur phase, non a passione ut plerique
arbitrantur, sed a transitu nominatur, eo quod exterminator uidens sanguinem in foribus Israhelitarum
pertransierit nec percusserit eos, uel ipse Dominus
praebens auxilium populo suo desuper ambularit.
25 Lege Exodi librum de quo plenius, si uita comes fuerit,
disputabimus. Transitus autem noster, id est phase,
ita celebratur si terrena et Aegyptum dimittentes ad
caelestia festinemus.

3.4. Tunc congregati sunt principes sacerdotum et
30 seniores populi in atrium principis sacerdotum, qui dicebatur Caiphas ; et consilium fecerunt ut Iesum dolo tenerent
et occiderent. Qui debuerant, pascha uicino, parare
uictimas, leuigare templi parietes, pauimenta uerrere,
uasa mundare et secundum ritum legis purificari ut
35 esu agni digni fierent, congregantur ineuntes consilium
quomodo occidant Dominum, non timentes seditionem
ut simplex sermo demonstrat, sed cauentes ne auxilio
populi de suis manibus tolleretur.

6. Cum autem esset Iesus in Bethania in domo Simonis
40 leprosi. Passurus pro omni mundo et uniuersas nationes

---

15. I Cor. 5, 8 ‖ 24. Cf. Ex. 12, 13 ‖ 34. Cf. Lév. 23, 3-5 ; Nombr.
28, 16

---

52. L'étymologie erronée qui rapprochait le mot de Pâque du verbe
πάσχειν se trouve déjà dans MÉLITON DE SARDES : *Sur la Pâque*, 46
(*SC* 123, p. 84). « Qu'est-ce que la Pâque ? C'est en effet de ce qui est
survenu que le nom a été tiré : ἀπὸ τοῦ παθεῖν τὸ πάσχειν, et TERTULLIEN,
Adv. Judaeos 10, 18 : « *pascha Domini, id est passionem Christi* ». Jérôme

que nous mangions cette Pâque « avec les azymes de pureté
et de vérité ». Quant à ces paroles : « Dans deux jours, se
fera la Pâque », laissant de côté le sens littéral, cherchons le
sens mystique. Après les deux jours d'éclatante lumière,
ceux de l'Ancien et du Nouveau Testament, la vraie Pâque
est célébrée pour le salut du Monde. La Pâque, en hébreu
Phase, tire son nom, non de passion comme on le pense
souvent, mais de « passage[52] », car voyant le sang sur les
portes des Israélites, l'Exterminateur a passé sans les frapper ;
ou encore : Dieu lui-même, apportant à son peuple le secours
d'en haut, s'est mis en marche. Lis le livre de l'Exode, que
nous commenterons plus en détail si la vie nous le permet[53].
Or notre « passage », c'est-à-dire notre Pâque, nous le fêtons
si, quittant les choses de la terre et l'Égypte, nous nous
hâtons vers le ciel.

3.4. Alors les princes des prêtres et les anciens du peuple
s'assemblèrent dans le palais du grand prêtre, nommé Caïphe,
et ils tinrent conseil pour se saisir par ruse de Jésus et le faire
périr. Aux approches de la Pâque, ils auraient dû préparer
les victimes, laver les murs du Temple, nettoyer le pavé,
purifier les vases et, conformément aux prescriptions de
la Loi, se purifier eux-mêmes[54] pour se rendre dignes de
manger l'Agneau. Or, ils se rassemblent pour délibérer sur
les moyens de faire périr le Seigneur, non qu'ils craignent un
soulèvement, le simple récit le montre, mais parce qu'ils
prennent des mesures pour qu'une intervention du peuple ne
le leur arrache des mains.

6. Alors que Jésus était à Béthanie dans la maison de
Simon le lépreux. Alors qu'il se dispose à souffrir pour le

---

renvoie à *Exode* 12, 11, où le mot est clairement expliqué : *Phase (id
est transitus) Domini*.

53. Jérôme n'a jamais composé ce commentaire.

54. Cf. *Lév.* 22, 3 ; 23, 5 ; *Nombr.* 9, 1-14.

suo sanguine redempturus moratur in Bethania, domo
oboedientiae, quae quondam fuit Simonis leprosi,
non quod leprosus et illo tempore permaneret sed qui
ante leprosus postea a Saluatore mundatus est, nomine
45 pristino permanente ut uirtus curantis appareat. Nam
et in catalogo apostolorum cum pristino uitio et officio
Matheus publicanus appellatur qui certe publicanus
esse desierat. Quidam Simonis leprosi domum eam
uolunt intellegi partem populi quae crediderit Domino
50 et ab eo curata sit. Simon quoque ipse oboediens dicitur,
qui iuxta aliam intellegentiam mundus interpretari
potest, in cuius domo curata est ecclesia.

7. Accessit ad eum mulier habens alabastrum unguenti
pretiosi et effudit super caput ipsius recumbentis.
55 Nemo putet eandem esse quae super caput effudit
unguentum et quae super pedes. Illa enim et lacrimis
lauat et crine tergit et manifeste meretrix appellatur,
de hac autem nihil tale scriptum est. Nec enim poterat
statim capite Domini meretrix digna fieri. Alius euan-
60 gelista pro alabastro unguenti pretiosi (quod genus est
marmoris) nardum pisticam posuit, hoc est ueram
et absque dolo, ut fidem ecclesiae et gentium demonstraret.

8.9. Videntes autem discipuli indignati sunt di-
65 centes : Vt quid perditio haec ? potuit enim istud
uenundari multo et dari pauperibus. Scio quosdam hunc
locum calumniari quare alius euangelista Iudam solum

47. Cf. Matth. 10, 3 ‖ 57. Cf. Lc 7, 37-46 ‖ 61. Cf. Jn 12, 3

55. Cf. De interpr. hebr. nom., p. 60, 27.
56. Cf. De interpr. hebr. nom., p. 71, 4. Sur le sens de dicitur, « se tra-

monde entier et à racheter de son sang toutes les nations, il s'attarde à Béthanie, dans la maison de l'obéissance[55], naguère celle de Simon le lépreux. Ce n'est pas que celui-ci fût encore lépreux, mais, après l'avoir été, après sa guérison ensuite par le Sauveur, son ancien surnom lui restait pour montrer la puissance miraculeuse de celui qui l'avait guéri. De même, dans la liste des apôtres, à cause de son ancien métier infamant, Matthieu est nommé le publicain, alors que, certainement, il avait cessé de l'être. Selon certains, en cette demeure de Simon le lépreux, il faut comprendre la partie du peuple qui a cru au Seigneur et fut guérie par lui : Simon veut dire lui aussi « obéissant[56] » et, selon une autre interprétation, on peut comprendre l'homme pur, lui chez qui l'Église a été guérie.

7. Une femme s'approcha de lui en tenant un flacon d'albâtre rempli d'un parfum de grand prix et elle le versa sur sa tête pendant qu'il était à table. Que personne ne confonde cette femme qui lui versa le parfum sur la tête avec celle qui le lui versa sur les pieds. Cette dernière les arrose de ses larmes, les essuie avec sa chevelure ; on l'appelle ouvertement courtisane. Sur l'autre, le texte ne dit rien de pareil. Une courtisane, en effet, n'aurait pu d'emblée atteindre à la tête du Maître. Au lieu du flacon d'albâtre — sorte de marbre — plein de parfum précieux, un autre évangéliste a mis « du nard pur » (*pistica*), c'est-à-dire authentique, non falsifié, pour figurer la foi (*pistis*) de l'Église et des Gentils.

8.9. A cette vue, les disciples furent indignés et dirent : « A quoi bon ce gaspillage ? On aurait pu vendre ça bien cher et en donner le prix aux pauvres. » Certains, je le sais, contestent ce passage : pourquoi un autre évangéliste dit-il

---

duit », cf. l'expression plus développée *supra*, chap. 23, l. 295 : *in lingua nostra dicitur*.

dixerit contristatum, eo quod loculos tenuerit et fur
ab initio fuerit, et Matheus scribat omnes apostolos
70 indignatos, nescientes tropum qui uocatur σύλληψις
quod et pro uno omnes et pro multis unus appellari
soleat. Nam et Paulus apostolus in epistula sua quae
scribitur ad Hebraeos (licet multi de ea Latinorum
dubitent) cum sanctorum passiones et merita descrip-
75 sisset intulit : *Lapidati sunt, temptati sunt, serrati
sunt, in occisione gladii mortui sunt,* cum unum tantum-
modo Esaiam prophetam sectum Iudaei autument.
Possumus et aliter dicere quod apostoli uere propter
pauperes indignati sunt, Iudas autem propter lucra
80 sua. Vnde et mussitatio eius cum crimine ponitur,
quod non curam pauperum habuerit sed suo furto
uoluerit prouidere.

10.11. Sciens autem Iesus ait illis : Quid molesti
estis mulieri ? opus bonum operata est in me ; nam semper
85 pauperes habetis uobiscum, me autem non semper habebitis. Alia oboritur quaestio quare Dominus post resurrectionem dixerit ad discipulos : *Ecce ego uobiscum
sum usque ad consummationem mundi,* et nunc loquatur :
me autem non semper habebitis. Sed mihi uidetur in hoc
90 loco de praesentia dicere corporali, quod nequaquam
cum eis ita futurus sit post resurrectionem, quomodo
nunc in omni conuictu et familiaritate. Cuius rei memor
apostolus ait : *Et si noueramus Iesum Christum secundum
carnem, sed nunc iam non nouimus eum.*

95 12. Mittens enim haec hoc unguentum in corpus

69. Cf. Jn 12, 4-7 ‖ 76. Hébr. 11, 37 ‖ 88. Matth. 28, 20 ‖ 94. II Cor.
5, 16

57. Σύλληψις : c'est le terme utilisé par Jérôme (cf. encore *infra*
27, 44). En fait, nous appelons synecdoque cette figure de style qui

que seul Judas s'indigna, du fait qu'il tenait la bourse et, dès le début, était un voleur, alors que, selon Matthieu, tous les apôtres s'indignèrent. Ils ignorent la figure nommée *syllepsis*[57] : elle consiste à dire tous au lieu d'un et un au lieu de beaucoup. Ainsi, dans sa lettre aux Hébreux — bien que beaucoup de Latins doutent de son authenticité —, après la description des souffrances et des mérites des saints, Paul ajoute : « ils ont été lapidés, éprouvés, sciés, tués à coups d'épée », alors qu'il n'y eut, aux dires des Juifs, que le seul prophète Isaïe à être scié. Nous pouvons aussi répondre autrement : l'indignation des apôtres en faveur des pauvres était sincère, alors que Judas n'avait en vue que son profit. Et c'est pourquoi ses murmures sont présentés comme coupables, parce qu'il n'avait cure des pauvres et voulait pourvoir à ses vols.

10.11. Jésus s'en aperçut et leur dit : « Pourquoi tracassez-vous cette femme ? C'est une bonne œuvre qu'elle a accompli à mon égard, car les pauvres, vous les avez toujours avec vous, tandis que moi vous ne m'aurez pas toujours. » Une autre question se pose : pourquoi, après sa résurrection, le Maître a-t-il dit à ses disciples : « Voici que je suis avec vous jusqu'à la consommation du monde », alors qu'il dit maintenant : « Moi, vous ne m'aurez pas toujours » ? Dans ce passage, me semble-t-il, c'est de sa présence corporelle qu'il parle : après sa résurrection, il ne sera nullement avec eux comme il l'est maintenant, dans un compagnonnage et une familiarité totale. En souvenir de cela, l'Apôtre affirme : « Même si nous connaissions Jésus-Christ selon la chair, maintenant ce n'est plus ainsi que nous le connaissons. »

12. « Si elle a répandu ce parfum sur mon corps, c'est

---

consiste à prendre la partie pour le tout ou le tout pour la partie. Cf. Introduction, p. 30.

meum ad sepeliendum me fecit. Quod uos putatis
perditionem esse unguenti, officium sepulturae est.
Nec mirum si mihi bonum odorem fidei suae dederit,
cum ego pro ea fusurus sim sanguinem meum.

100 **13.** Amen dico uobis : Vbicumque praedicatum fuerit
hoc euangelium in toto mundo, dicetur et quod haec fecit
in memoriam eius. In toto mundo non tam mulier
ista quam ecclesia praedicatur, quod sepelierit Saluatorem, quod unxerit caput eius. Et adtende notitiam
105 futurorum, quod passurus post biduum et moriturus
sciat euangelium suum toto orbe celebrandum.

15. Et ait illis : Quid uultis mihi dare et ego uobis eum
tradam ? At illi constituerunt ei tringinta argenteos.
Infelix Iudas ! Damnum quod ex effusione unguenti
110 se fecisse credebat, uult magistri pretio compensare.
Nec certam tamen postulat summam ut saltim lucrosa
uideretur proditio, sed quasi uile tradens mancipium
in potestate ementium posuit quantum uellent dare.
Qui constituerunt ei triginta argenteos. Ioseph non ut
115 multi putant iuxta LXX interpretes uiginti aureis
uenditus est, sed iuxta Hebraicam ueritatem uiginti
argenteis. Neque enim poterat pretiosior seruus esse
quam dominus.

17. Prima autem azimorum accesserunt discipuli ad
120 Iesum dicentes : Vbi uis tibi paremus comedere pascha ?
Prima azimorum quarta decima dies mensis primi
est, quando agnus immolatur et luna plenissima est
et fermentum abicitur. Inter eos autem discipulos
qui accesserunt ad Dominum interrogantes : *Vbi*
125 *uis paremus tibi comedere pascha ?* et Iudam fuisse
aestimo proditorem.

103. Cf. Matth. 24, 14 ‖ 116. Cf. Gen. 37, 28 ‖ 123. Cf. Ex. 12, 1-6

pour m'ensevelir. » Ce que vous considérez comme un gaspillage de parfum est un devoir de l'ensevelissement. Elle m'a donné le bon parfum de sa foi, ce n'est point étonnant puisque moi, je vais répandre mon sang pour elle.

13. « En vérité, je vous le dis, partout où sera prêché cet Évangile, dans le monde entier, on redira aussi à sa mémoire ce qu'elle vient de faire. » Dans le monde entier, c'est moins cette femme qu'on prêche que l'Église pour avoir enseveli le Seigneur et parfumé sa tête. Notez sa prescience de l'avenir : il va souffrir dans deux jours ; il va mourir, et il sait que son Évangile sera proclamé par toute la terre.

15. Et il leur dit : « Que voulez-vous me donner et moi je vous le livrerai ? » Ceux-ci lui fixèrent trente pièces d'argent. Malheureux Judas ! La perte qu'il croyait avoir subie pour le parfum répandu, il veut la compenser par le prix tiré de son maître. Et cependant il ne réclame pas un prix déterminé, ce qui donnerait à sa trahison l'apparence de lui avoir été tout au moins profitable, mais comme s'il livrait un vil esclave, il laisse l'offre à la discrétion des acheteurs. « Ils lui fixèrent trente pièces d'argent ». Joseph, contrairement à une interprétation fréquente qui se réclame des Septante, ne fut pas vendu vingt pièces d'or, mais, suivant la Bible hébraïque, vingt pièces d'argent : l'esclave ne pouvait valoir plus que le Maître.

17. Or, le premier jour des Azymes, les disciples vinrent dire à Jésus : « Où veux-tu que nous te préparions le repas pascal ? » Le premier jour des Azymes est le quatorzième jour du premier mois. Alors on immole l'agneau, à la pleine lune et on jette le levain. Parmi les disciples qui vinrent trouver Jésus et lui demandèrent : « Où veux-tu que nous te préparions le repas pascal ? » je pense qu'il y avait également Judas le traître.

18. At Iesus dixit : Ite in ciuitatem ad quendam.
Morem ueteris testamenti noua scriptura conseruat.
Frequenter legimus : Dixit ille illi ; et : In loco illo
130 et illo, quod hebraice dicitur phelmoni et helmoni,
et tamen nomen personarum locorumque non ponitur.
Et inuenietis, ait, *quendam portantem lagoenam aquae.*
Quorum idcirco uocabula praetermissa sunt ut omnibus
qui pascha facturi sunt libera festiuitatis occasio
135 panderetur.

**19. Et fecerunt discipuli sicut constituit eis Iesus et
parauerunt pascha.** In alio euangelista scriptum est
quod inuenerint cenaculum magnum, stratum atque
mundatum, et ibi parauerunt ei. Videtur autem mihi
140 cenaculum lex intellegi spiritalis, quae de angustiis
litterae egrediens in sublimi loco recipit Saluatorem,
Paulo id ipsum loquente, quod ea quae ante pro lucro
putabat, quasi purgamenta quisquiliasque contempserit,
ut dignum Domino hospitium praeparet.

145 **20. Vespere autem facto discumbebat cum duodecim
discipulis.** Omnia sic agit Iudas ut tollatur suspicio
proditoris.

**21. Et edentibus illis dixit : Amen dico uobis quia unus
uestrum me traditurus est.** Qui de passione praedixerat et
150 de proditore praedicit, dans locum paenitentiae, ut cum
intellexisset sciri cogitationes suas et occulta consilia,
paeniteret eum facti sui ; et tamen non designat specialiter, ne manifeste coargutus inpudentior fieret.
Mittit crimen in numero, ut agat conscius paenitentiam.

132. Mc. 14, 13 ǁ 139. Cf. Lc 22, 12 ǁ 143. Cf. Phil. 3, 7-8

58. Puisque le nom n'est pas précisé, explique Jérôme, cela signifie que nous pouvons célébrer la Pâque en n'importe quelle demeure.

18. Et Jésus dit : « Allez à la ville chez un tel. »
Le Nouveau Testament conserve la manière de parler de
l'Ancien. Nous lisons souvent : « un tel dit à un tel, et en tel et
tel lieu », en hébreu « phelmoni et helmoni », sans mention
cependant du nom des personnes et des lieux. « Et vous
trouverez, dit-il, un tel portant une cruche d'eau. » Leur
nom a été omis afin de laisser, à tous ceux qui se disposent
à faire la Pâque, la liberté dans la célébration de la fête[58].

19. Et les disciples firent comme Jésus l'avait prescrit et ils
préparèrent la Pâque. Chez un autre évangéliste, il est écrit
qu'ils trouvèrent un grand cénacle garni de coussins et nettoyé
et que, là, ils lui préparèrent la Pâque. A mon avis par
cénacle, comprenons la loi de l'esprit qui sort des bornes
étroites de la lettre pour recevoir le Sauveur en un lieu
élevé. C'est cela même que dit Paul : Ce qu'il regardait jadis
comme un gain, il l'a méprisé comme rebuts et ordures
pour préparer au Maître une demeure digne de lui.

20. Or le soir venu, il se trouvait à table avec ses douze
disciples. Judas, ainsi, fait tout pour ne pas être soupçonné de
trahison.

21. Et pendant qu'ils mangeaient, Jésus leur dit : « En
vérité, je vous le dis, l'un de vous va me livrer. » Lui qui avait
prédit sa passion, prédit aussi qu'il y aura un traître. Il lui
offre une occasion de repentir, afin qu'après avoir compris
que ses pensées et le secret de ses projets sont connus, il
se repente de son action. Et pourtant Jésus ne le désigne pas
expressément, de peur que, publiquement démasqué, il n'en
devienne plus effronté. Il formule son accusation en général
pour que celui qui se sait coupable fasse pénitence.

Dans la réalité, le nom propre a dû être prononcé par Jésus, mais il
a paru à l'évangéliste inutile de le reproduire.

155   22. Et contristati ualde coeperunt singuli dicere :
Numquid ego sum Domine ? Et certe nouerant undecim
apostoli quod nihil tale contra Dominum cogitarent,
sed plus credunt magistro quam sibi, et timentes
fragilitatem suam tristes interrogant de peccato cuius
160 conscientiam non habebant.

23. At ipse respondens ait : Qui intingit mecum manum
in parapside hic me tradet. O mira Domini patientia !
Primum dixerat : *Vnus uestrum me traditurus est.*
Perseuerat proditor in malo, manifestius arguit et tamen
165 nomen proprie non designat. Iudas, ceteris contristatis et
retrahentibus manum et interdicentibus cibos ori suo,
temeritate et inpudentia qua proditurus erat, etiam
manum cum magistro mittit in parapside ut audacia
bonam conscientiam mentiretur.

170   24. Filius quidem hominis uadit sicut scriptum est de
illo : uae autem homini illi per quem filius hominis
tradetur. Nec primo nec secundo correptus a proditione
retrahit pedem sed patientia Domini nutrit inpudentiam suam et thesaurizat sibi iram in die irae. Poena
175 praedicitur, ut quem pudor non uicerat corrigant
denuntiata supplicia. Quod autem sequitur :

Bonum erat illi si natus non fuisset homo ille,
non ideo putandus est ante fuisse quam nasceretur quia
nulli possit esse bene nisi ei qui fuerit, sed simpliciter
180 dictum est multo melius esse non subsistere quam male
subsistere.

25. Respondens autem Iudas qui tradidit eum dixit :
Numquid ego sum, rabbi ? Ait illi : Tu dixisti.
Quia ceteri tristes et ualde tristes interrogauerant :

174. Cf. Rom. 2, 5

22. Et très attristés, ils se mirent chacun à lui demander :
« Serait-ce moi Seigneur ? » Certes, onze apôtres savaient
qu'ils n'avaient point pareil dessein contre le Seigneur,
mais ils croient plus au Maître qu'à eux-mêmes et, craignant
leur propre fragilité, ils l'interrogent tristement sur un
péché dont ils n'avaient point conscience.

23. Mais il répondit : « Celui qui met avec moi la main
dans le plat, voilà celui qui me livrera. » Admirable patience du
Seigneur ! Il avait dit tout d'abord : « l'un de vous va me
livrer ». Le traître persévère dans sa malice. Jésus précise
son accusation, sans toutefois désigner personne en particulier.
Accablés de tristesse, les autres retirent leurs mains et cessent
de porter leurs aliments à leur bouche. Judas, avec la témérité
et l'impudence qu'il allait montrer dans sa trahison, va
jusqu'à mettre la main au plat avec le Maître pour feindre
une bonne conscience par ce trait d'audace.

24. « Le Fils de l'homme s'en va selon ce qu'il est écrit de lui,
mais malheur à cet homme par qui le Fils de l'homme sera
livré. » Ni la première, ni la seconde accusation n'ont arrêté
Judas et ne l'ont fait reculer dans la voie de la trahison, mais
la patience du Maître nourrit son impudence. Il amasse un
trésor de colère pour le jour de la colère. Jésus lui prédit le
châtiment pour que, celui que la honte n'avait pas vaincu,
l'annonce des supplices le remît dans le droit chemin. Quant à
la suite : « Il eût mieux valu pour cet homme qu'il ne fût
pas né », il ne faut pas croire qu'il a existé avant de naître,
parce qu'il ne peut y avoir du bien que pour qui existe déjà.
Il dit tout simplement qu'il vaut beaucoup mieux ne pas
vivre que vivre mal.

25. Mais Judas, celui qui le livra, lui demanda : « Serait-ce
moi, Rabbi ? » Il lui dit : « Tu l'as dit. » Tristement, bien
tristement, tous les autres lui avaient demandé : « Serait-ce

185 *Numquid ego sum, Domine ?* ne tacendo se prodere
uideretur, et ipse similiter interrogat, quem conscientia
remordebat, qui manum audacter miserat in parapside :
Numquid ego sum, rabbi ? et blandientis iungit affectum
siue incredulitatis signum. Ceteri enim qui non erant
190 praedituri dicunt : *Numquid ego sum, Domine ?* iste qui
proditurus erat non dominum sed magistrum uocat,
quasi excusationem habeat si domino denegato saltim
magistrum prodiderit. *Et ait illi : Tu dixisti.* Eadem
responsione confutatus est proditor qua Pilato postea
195 responsurus est.

26.27. Cenantibus autem eis, accepit Iesus panem et
benedixit ac fregit, deditque discipulis suis et ait :
Accipite et comedite, hoc est corpus meum. Et accipiens calicem gratias egit et dedit illis dicens,
200 et reliqua. Postquam typicum pascha fuerat impletum
et agni carnes cum apostolis comederat, adsumit
panem qui confortat cor hominis et ad uerum paschae
transgreditur sacramentum ut, quomodo in praefigu-
ratione eius Melchisedech summi Dei sacerdos panem
205 et uinum offerens fecerat, ipse quoque in ueritate
sui corporis et sanguinis repraesentaret. In Luca legimus
duos calices quibus discipulis propinaret, unum primi
mensis et alterum secundi, ut qui inter sanctos primo
mense agnum comedere non potuerit, secundo mense
210 inter paenitentes haedum comedat.

29. Dico autem uobis : Non bibam a modo de hoc
genimine uitis usque in diem illum cum illud bibam
uobiscum nouum in regno Patris mei. De carnalibus

195. Cf. Matth. 27, 11 ‖ 202. Cf. Ps. 103, 15 ‖ 205. Cf. Gen. 14, 18 ‖
207. Cf. Lc 22, 17.20 ‖ 208. Cf. Nombr. 9, 5.11

59. Cf. *Matth.* 27, 11 : *Tu dicis.*

moi, Seigneur ? » Pour ne point sembler se trahir par son silence, il pose aussi la même question, lui que rongeaient les remords de sa conscience, lui qui avait eu l'audace de mettre la main au plat. « Serait-ce moi, Rabbi ? » Judas ajoute ce qui est une flatterie affectueuse ou une marque d'incrédulité. En effet les autres, qui ne devaient pas trahir, disent : « Serait-ce moi, Seigneur ? » mais lui qui se propose de le livrer l'appelle non Seigneur, mais Maître, comme si du moins ce refus de l'appeler Seigneur l'excusait d'avoir livré son Maître. « Et Jésus lui répondit : Tu l'as dit. » Même réponse pour confondre le traître que celle qui sera faite à Pilate[59].

26.27. Pendant qu'ils mangeaient, Jésus prit du pain, le bénit, le rompit, le donna à ses disciples en disant : « Prenez et mangez, ceci est mon corps. » Puis, prenant une coupe, il rendit grâces et la leur donna en disant, etc. La Pâque figurative avait été achevée, avec les apôtres il avait mangé la chair de l'agneau ; il prend alors le pain qui fortifie le cœur de l'homme et en vient au vrai mystère de la Pâque. Ce qu'avait fait en figure Melchisédech, prêtre du Très Haut, en offrant le pain et le vin, lui aussi le reprenait dans la réalité de son corps et de son sang. Dans Luc, nous lisons qu'il y avait deux coupes qu'il tendit à ses disciples, l'une du premier, l'autre du second mois, atin que celui qui n'aura pu manger l'Agneau avec les saints le premier mois, mange le chevreau le second mois avec les pénitents[60].

29. « Or, je vous le dis, je ne boirai plus désormais de ce produit de la vigne jusqu'à ce jour où je boirai avec vous le vin nouveau dans le royaume de mon Père. » Il passe du char-

---

60. Dans le livre des *Nombres*, Moïse permet aux enfants d'Israël qu'une impureté légale aurait empêchés de célébrer la Pâque au jour fixé, de la célébrer un mois plus tard (*Nombr.* 9, 1-14). Il s'agit d'impureté légale et la victime est un agneau. Mais le chevreau, sans défaut, peut être lui aussi choisi pour le repas pascal (*Ex.* 12, 5)

transit ad spiritalia. Quod uinea de Aegypto transplan-
215 tata populus Israhel sit, cui per Hieremiam Dominus
loquitur : *Ego te plantaui uineam ueram, quomodo*
mutata es in amaritudinem uitis alienae ? et Esaias propheta in cantico quod dilecto canit, et omnis sparsim
scriptura testatur. Dicit ergo se Dominus de hac uinea
220 nequaquam esse bibiturum nisi in regno Patris sui.
Regnum Patris, fidem puto esse credentium, apostolo
quoque id ipsum confirmante : *Regnum Dei intra uos est.*
Ergo cum Iudaei receperint regnum Patris (adtende quid
dicat, *Patris,* non Dei ; omnis Pater nomen est filii) cum,
225 inquam, crediderint in Deo Patre et adduxerit eos
Pater ad filium, tunc de uino eorum bibet Dominus
et in similitudinem Ioseph regnans in Aegypto inebria-
bitur cum fratribus suis.

30. Et hymno dicto exierunt in montem oliueti.
230 Hoc est quod in quodam psalmo legimus : *Manducaue-*
runt et adorauerunt omnes pingues terrae. Iuxta hoc
exemplum, qui pane Saluatoris et calice saturatus et
inebriatus fuerit, potest laudare Dominum et conscen-
dere montem oliueti, ubi laborum refectio dolorisque
235 solacium et ueri luminis notitia est.

31. Tunc dicit illis Iesus : Omnes uos scandalum
patiemini in me in ista nocte. Praedicit quod passuri
sunt, ut cum passi fuerint non desperent salutem, sed
agentes paenitentiam liberentur. Et signanter addidit :
240 *in ista nocte scandalum patiemini,* quia quomodo qui
inebriantur nocte inebriantur, sic et qui scandalum

215. Cf. Ps. 79, 9 ‖ 217. Jér. 2, 21 ‖ 218. Cf. Is. 5, 1-7 ‖ 222. Lc 17, 21
‖ 228. Cf. Gen. 43, 34 ‖ 231. Ps. 21, 30 ‖ 241. Cf. I Thess. 5, 7

nel au spirituel. Que cette vigne transplantée d'Égypte soit le
peuple d'Israël, à qui le Seigneur dit par la bouche de Jérémie :
« Moi je t'ai plantée comme une bonne vigne, comment
as-tu pris l'amertume du plant bâtard ? », le prophète Isaïe
dans le cantique qu'il chante à son ami, et toute l'Écriture
en divers passages en témoignent. Donc le Seigneur dit
qu'il ne boira plus du tout de cette vigne sinon dans le royaume
de son Père. Le royaume du Père, je pense, est la foi des
croyants et l'Apôtre le confirme également : « Le royaume de
Dieu est en vous. » Donc, lorsque les Juifs auront reçu le
royaume du Père — attention à ce qu'il dit : « du Père »
et non pas de Dieu, car dire Père, c'est toujours nommer
un fils[61] —, lorsque, dis-je, ils auront cru en Dieu le Père et que
le Père les aura conduits au Fils, alors le Seigneur boira de leur
vin et, comme Joseph, lorsqu'il régnait en Égypte, il s'enivrera
avec ses frères.

30. **Et après le chant des psaumes, ils s'en allèrent au Mont
des Oliviers.** C'est ce que nous lisons dans un psaume : « Tous
les riches de la terre ont mangé, puis adoré. » Suivant cet
exemple, celui qui s'est rassasié du pain du Sauveur et enivré
de sa coupe peut louer le Seigneur et monter au Mont des
Oliviers où se trouve le repos de la fatigue, l'apaisement
de la douleur et la connaissance de la vraie lumière.

31. **Alors Jésus leur dit : « Tous, vous souffrirez le scandale
à cause de moi cette nuit. »** Il leur prédit qu'ils vont souffrir,
afin qu'après avoir souffert ils ne désespèrent point du
salut, mais se sauvent en faisant pénitence. Il ajoute expressément : « Cette nuit, vous souffrirez le scandale. » Ceux qui
s'enivrent le font la nuit, de même ceux qui souffrent le
scandale attendent dans la nuit et les ténèbres. Nous, au

---

61. Sur cette formule qui est peut-être un adage juridique, cf. chap. 24,
l. 280.

patiuntur in nocte et in tenebris sustinent. Nos uero
dicamus : *Nox praeteriit, dies autem adpropinquauit.*

Scriptum est enim : Percutiam pastorem, et dispergen-
245 tur oues gregis. Hoc aliis uerbis in Zacharia propheta
scriptum est et, ni fallor, ex persona prophetae ad
Deum dicitur : *Percute pastorem et dispergantur oues,*
sexagesimo quoque octauo psalmo qui totus a Domino
canitur huic sensui congruente : *Quoniam quem tu*
250 *percussisti ipsi persecuti sunt.* Percutitur autem pastor
bonus, ut ponat animam pro ouibus suis et de multis
gregibus errorum fiat unus grex et unus pastor. De
hoc testimonio in libello quem de optimo genere inter-
pretandi scripsimus plenius dictum est.

255   33. Respondens autem Petrus ait illi : Etsi omnes
scandalizati fuerint, ego numquam scandalizabor. Non est
temeritas nec mendacium ; fides est apostoli Petri et
ardens affectus erga Dominum Saluatorem de quo
supra diximus.

260   34. Ait illi Iesus : Amen dico tibi quia in hac nocte
ante quam gallus cantet ter me negabis. Et Petrus
de ardore fidei promittebat, et Saluator quasi Deus
futura nouerat. Et nota quod Petrus in nocte neget,
et neget tertio ; postquam autem gallus cecinit et
265 decrescentibus tenebris, uicina lux nuntiata est, conuersus fleuit amariter, negationis sordes lacrimis lauans.

243. Rom. 13, 12 ‖ 247. Zach. 13, 7 ‖ 250. Ps. 68, 27 ‖ 252. Cf. Jn 10, 16

---

62. Il s'agit de la lettre 57 à Pammachius, 7 (Labourt III, p. 64),
où Jérôme rassemble plusieurs références inexactes faites par les évangiles
à l'Ancien Testament.

contraire, disons : « La nuit s'est écoulée et le jour est proche. »

« Car il est écrit : Je frapperai le pasteur et les brebis du troupeau seront dispersées. » C'est ce qui a été écrit en d'autres termes dans Zacharie. Si je ne me trompe, c'est le prophète lui-même qui dit à Dieu : « Frappe le pasteur et que les brebis du troupeau soient dispersées. » Le psaume 68, tout entier chanté par notre Seigneur, va dans le même sens : « Car celui que tu avais frappé, ils l'ont persécuté à leur tour. » Le bon pasteur est frappé afin qu'il donne sa vie pour ses brebis, pour que les nombreux troupeaux de l'erreur deviennent un seul troupeau avec un seul pasteur. Il a été parlé plus longuement de ce passage dans mon opuscule sur la meilleure méthode de traduction[62].

33. Pierre lui répondit et lui dit : « Quand tous seraient scandalisés à ton sujet, moi je ne le serai jamais. » Ce n'est point témérité ou mensonge, mais foi, chez l'apôtre Pierre, et ardent amour à l'égard du Seigneur, notre Sauveur. Nous en avons parlé plus haut[63].

34. Jésus lui répliqua : « En vérité, je te le dis, cette nuit-même, avant que le coq chante, tu me renieras trois fois. » Pierre promettait en l'ardeur de sa foi, mais le Sauveur, en tant que Dieu, connaissait l'avenir. Note-le, c'est dans la nuit que Pierre le renie et il le renie trois fois ; mais après le chant du coq, à la disparition des ténèbres qui annonce l'approche de la lumière, il fit un retour sur lui-même, pleura amèrement, lavant de ses larmes les souillures de son reniement.

---

63. En 14, 28 (t. I, p. 314).

36. Tunc uenit Iesus cum illis in uillam quae dicitur Gethsemani, et dixit discipulis suis : Sedete hic
donec uadam illuc et orem. Gethsemani interpretatur
270 uallis pinguissima, in qua iussit discipulos sedere
paulisper et exspectare redeuntem, donec pro cunctis
Dominus solus oraret.

37. Et adsumpto Petro et duobus filiis Zebedaei,
coepit contristari et maestus esse. Illud quod supra dixi-
275 mus de passione et propassione, etiam in praesenti
capitulo ostenditur, quod Dominus, ut ueritatem
adsumpti probaret hominis, uere quidem contristatus
sit sed, ne passio in animo illius dominaretur, per
propassionem coeperit contristari. Aliud est enim
280 contristari, et aliud incipere contristari. Contristabatur
autem non timore patiendi, qui ad hoc uenerat ut
pateretur et Petrum timidatis arguerat, sed propter infe-
licissimum Iudam, et scandalum omnium apostolorum,
et reiectionem populi Iudaeorum, et euersionem miserae
285 Hierusalem. Vnde et Ionas super ariditate cucurbitae
uel hederae contristatur, nolens perire quondam tabernaculum suum. Si autem tristitiam animi non affectum
Saluatoris erga perituros sed passionem heretici interpretantur, respondeant : quomodo exponunt illud quod
290 ex persona Dei per Hiezechielem dicitur : *Et in omnibus
istis contristabas me ?*

38. Tunc ait illis : Tristis est anima mea usque ad
mortem ; sustinete hic et uigilate mecum. Quae con-

286. Cf. Jonas 4, 8 ‖ 291. Éz. 16, 43

64. Cf. *De interpr. hebr. nom.*, p. 61, 22.
65. En 5, 28 (t. I, p. 118). La « pro-passio » ou « ante-passio » est
une émotion qui touche la sensibilité, mais n'affecte pas la volonté ;
sentir n'est pas consentir.

36. Alors Jésus vint avec eux en un domaine appelé Gethsémani et il dit à ses disciples : « Restez ici tandis que je m'en irai prier là-bas. » Gethsémani signifie « la vallée très grasse[64] ». C'est là que le Seigneur a ordonné à ses disciples de rester un moment, d'attendre son retour, tandis qu'il prierait tout seul pour tous.

37. Et ayant pris avec lui Pierre et les deux fils de Zébédée, il commence à s'attrister et à être accablé. Ce que nous avons dit précédemment[65] au sujet de la passion et de la propassion se retrouve dans ce verset. Pour prouver la réalité de la nature humaine qu'il a assumée, le Seigneur s'est véritablement attristé, mais, pour que la passion ne fût point maîtresse de son âme, il commence à s'attrister du fait de la propassion, car autre chose est de s'attrister, autre chose de commencer à s'attrister. Il s'attristait non point par peur de la souffrance, lui qui était venu précisément pour souffrir, lui qui avait reproché à Pierre ses craintes, mais à cause du malheur extrême de Judas, du scandale de tous ses apôtres, du rejet du peuple juif, de la destruction de la malheureuse Jérusalem. Ainsi également Jonas s'attriste de voir se dessécher la courge — ou le lierre[66] — et ne veut pas que ce qui fut son abri vienne à être détruit. Si des hérétiques attribuent la tristesse de son âme non à l'amour du Sauveur à l'égard de ceux qui allaient périr, mais à une passion, qu'ils répondent : comment expliquent-ils cette parole qu'Ézéchiel fait dire à Dieu : « En tout cela, tu m'attristais[67] » ?

38. Alors il leur dit : « Mon âme est triste jusqu'à la mort : restez ici et veillez avec moi. » C'est son âme qui est attristée ;

---

66. Courge ou lierre : cf. le *Commentaire sur Jonas* 4, 6 (*SC* 43, p. 109-113). Il s'agit en fait d'un ricin, mais les traducteurs n'avaient pas de terme latin pour cet arbrisseau.

67. *Contristabas me*, dit Dieu à Jérusalem. Dieu connaît donc la tristesse et celle de Jésus n'est pas une tristesse humaine, mais divine.

tristatur, anima est ; et non propter mortem, sed *usque*
295 *ad mortem* contristatur, donec apostolos sua liberet
passione. Quod autem praecipit : *sustinete hic et uigilate*
mecum, non a somno prohibet, cuius tempus non erat
inminente discrimine, sed a somno infidelitatis et
torpore mentis. Dicant qui inrationabilem Iesum
300 sumpsisse animam suspicantur, quomodo contristetur
et nouerit tempus tristitiae. Quamquam enim et bruta
maereant animalia, tamen non norunt nec causas
nec tempus usque ad quod debeant contristari.

39. Et progressus pusillum procidit in faciem suam,
305 adorans et dicens : Mi pater, si possibile est, transeat a me
calix iste ; uerumtamen non sicut ego uolo, sed sicut tu.
Dato apostolis praecepto ut sustinerent uigilarentque
cum Domino, paululum procedens ruit in faciem
suam, et humilitatem mentis habitu carnis ostendit,
310 dicitque blandiens : *Mi pater*, et postulat ut, si possibile
est, transeat ab eo passionis calix, de quo supra diximus.
Postulat autem non timore patiendi sed misericordia
prioris populi, ne ab illis bibat calicem propinatum.
Vnde et signanter non dixit : *transeat a me calix*, sed
315 *calix iste*, hoc est populi Iudaeorum, qui excusationem
ignorantiae habere non potest, si me occiderit, habens
legem et prophetas qui me cotidie uaticinantur. Attamen
reuertens in semet ipsum, quod ex hominis persona
trepidanter rennuerat, ex Dei filiique confirmat, *uerum-*
320 *tamen non sicut ego uolo sed sicut tu*. Non, inquit, hoc
fiat quod humano affectu loquor, sed propter quod
ad terras tua uoluntate descendi.

et il s'attriste non pas à cause de la mort mais « jusqu'à la mort », jusqu'à ce qu'il délivre les apôtres par sa passion. Lorsqu'il leur dit : « Restez ici et veillez avec moi », il ne leur interdit pas un sommeil dont ce n'était pas le moment à l'approche du péril, mais le sommeil de l'incrédulité, de la torpeur spirituelle. Que ceux qui soupçonnent Jésus d'avoir pris une âme dépourvue de raison disent comment il peut éprouver une tristesse et en connaître la durée. En effet, si les bêtes éprouvent aussi de la tristesse, elles n'en connaissent ni les causes, ni jusqu'à quand elles doivent l'éprouver.

39. Et étant allé un peu plus loin, il tomba la face contre terre en faisant cette prière : « Mon Père, s'il est possible, que ce calice passe loin de moi, cependant non pas comme je veux, mais comme tu veux. » Après avoir ordonné aux apôtres de rester et de veiller avec leur Seigneur, il va un peu plus loin, tombe face contre terre, manifestant par la posture de son corps l'humilité de son âme. Il dit affectueusement : « Mon Père », et demande, si cela est possible, que le calice de la Passion passe loin de lui. Nous en avons parlé plus haut[68]. Il demande cela non par peur de souffrir, mais par pitié à l'égard du peuple qui fut le sien, pour qu'il n'ait pas à boire le calice qu'ils lui offrent. Aussi est-ce expressément qu'il a dit non pas : « que le calice passe loin de moi », mais « que ce calice », c'est-à-dire celui du peuple juif : il ne saurait avoir l'excuse de l'ignorance s'il me fait périr, car il a la Loi et les prophètes qui me prophétisent chaque jour. Et cependant, rentrant en lui-même, ce que, en tant qu'homme, il avait refusé avec effroi, il y consent en tant que Dieu et Fils. « Mais cependant non comme je le veux, mais comme tu veux. » Que se fasse, dit-il, non point ce que je dis en mon cœur d'homme, mais ce pour quoi, de par ta volonté, je suis descendu sur la terre.

---

68. Cf. chap. 20, l. 117 s.

**40. Et uenit ad discipulos et inuenit eos dormientes, et
dicit Petro : Sic non potuistis una hora uigilare mecum ?**
325 Ille qui supra dixerat : *Etiam si omnes scandalizati
fuerint in te, ego numquam scandalizabor*, nunc tristitiae
magnitudine somnum uincere non potest.

41. Vigilate et orate ut non intretis in temptationem.
Inpossibile est humanam animam non temptari. Vnde et
330 in oratione dominica dicimus : *Ne nos inducas in
temptationem*, quam ferre non possumus, non temptationem penitus refutantes sed uires sustinendi in tempta-
tionibus deprecantes. Ergo et inpraesentiarum non ait :
Vigilate et orate ne temptemini, sed *ne intretis in tempta-*
335 *tionem*, hoc est ne temptatio uos superet et uincat et
intra suos casses teneat : uerbi gratia, martyr qui pro
confessione Domini sanguinem fudit, temptatus quidem
est sed temptationum retibus non ligatus. Qui autem
negat, in plagas temptationis incurrit.

340 **Spiritus quidem promptus est, caro autem infirma.**
Hoc aduersum temerarios qui quicquid crediderint
putant se posse consequi. Itaque quantum de ardore
mentis confidimus, tantum de carnis fragilitate timea-
mus. Sed tamen, iuxta apostolum, spiritu carnis opera
345 mortificantur.

**42. Iterum secundo abiit et orauit dicens : Pater mi,
si non potest calix iste transire nisi bibam illum, fiat**

331. Matth. 6, 13 ‖ 345. Cf. Rom. 8, 13

---

69. « Ne nous conduis pas en une tentation que nous ne pourrions
supporter. » Il est probable que la phrase entière faisait partie de certaines
formulations du *Pater*. Nous la retrouvons en effet chez Hilaire, Ambroise,
Chromace d'Aquilée, etc. et plusieurs fois chez Jérôme (cf. SABATIER III,
p. 34, note). Se rappelant la recommandation de S. Jacques (1, 13) :
Nemo cum tentatur dicat quoniam a Deo tentatur : Deus enim intentator

40. Et il revient à ses disciples ; il les trouve en train de dormir et il dit à Pierre : « Ainsi, vous n'avez pas pu veiller une heure avec moi ? » Celui qui avait dit plus haut : « quand tous seraient scandalisés à ton sujet, moi je ne le serai jamais », maintenant sous le coup d'une grande tristesse, ne peut vaincre le sommeil.

41. « Veillez et priez pour ne pas entrer en tentation. » Il est impossible qu'une âme humaine ignore la tentation. Aussi disons-nous dans l'oraison dominicale : « Ne nous induis pas en une tentation que nous ne pourrions suppor- ter[69] », non point que nous refusions absolument la tentation, mais nous implorons la force de tenir dans les tentations. Donc maintenant aussi il ne dit pas : « Veillez et priez » pour ne pas être tentés, mais « pour ne pas entrer en tenta- tion », c'est-à-dire pour que la tentation ne vous domine pas, qu'elle ne triomphe pas de vous, qu'elle ne vous tienne dans ses filets. Par exemple le martyr qui verse son sang pour confesser son Seigneur certes a été tenté, mais il n'a pas été pris par les filets de la tentation, tandis que celui qui renie sa foi se précipite sous les coups de la tentation.

« L'esprit est prompt mais la chair est faible. » Cela à l'adresse des téméraires qui pensent pouvoir réaliser tout ce qu'ils espèrent. Ainsi dans la mesure où nous avons confiance dans l'ardeur de notre esprit, nous devons craindre la fragilité de notre chair. Et pourtant, selon l'Apôtre, c'est l'esprit qui mortifie les œuvres de la chair.

42. A nouveau, pour la seconde fois, il s'en alla prier, disant : « Mon Père, si ce calice ne peut passer sans que je le boive,

---

malorum est, les chrétiens ont cherché à adoucir la rigueur de cette demande du *Pater.* La Vieille Latine traduit : « Ne souffre pas que nous soyons conduits en tentation. » L'ancienne traduction liturgique disait : « Ne nous laisse pas succomber à la tentation. »

uoluntas tua. Secundo orat ut, si Niniue aliter saluari
non potest nisi aruerit cucurbita, fiat uoluntas Patris,
350 quae non est contraria filii uoluntati, dicente ipso per
prophetam : *Vt facerem uoluntatem tuam Deus meus
uolui.*

43. Et uenit iterum et inuenit eos dormientes ; erant
enim oculi eorum grauati. Solus orat pro omnibus sicut
355 et solus patitur pro uniuersis. Languescebant autem et
opprimebantur apostolorum oculi negatione uicina.

45. Tunc uenit ad discipulos suos et dicit illis : Dormite
iam et requiescite ; ecce adpropinquauit hora. Postquam
tertio orauerat, ut in ore duorum et trium testium staret
360 omne uerbum, et apostolorum timorem sequenti paenitentia inpetrauerat corrigendum, securus de passione
sua pergit ad persecutores et ultro se interficiendum
praebet, dicitque discipulis suis :

46. Surgite, eamus ; ecce adpropinquauit qui me tradi-
365 turus est. Non nos inueniant quasi timentes et retractan-
tes, ultro pergamus ad mortem, ut confidentiam et
gaudium passuri uideant.

48. Qui autem tradidit eum dederat illis signum, dicens :
Quemcumque osculatus fuero ipse est, tenete eum.
370 Miser Iudas et tamen non miserabilis, eadem infidelitate
qua magistrum et Dominum tradidit, putabat signa quae

348. Cf. Jonas 4, 8 ‖ 352. Ps. 39, 9 ‖ 360. Cf. Matth. 18, 16 ; II Cor. 13, 1

---

70. Allusion à Jonas qui, lui, acceptait la mort des habitants de Ninive
et se lamentait de voir se dessécher le plant de ricin (cf. *supra*, l. 285)
qui l'abritait du soleil. Jésus au contraire accepte sa mort pour le salut
des pécheurs.

que ta volonté soit faite. » Il prie une seconde fois : si le salut de Ninive est impossible à moins que la citrouille ne se dessèche[70] que la volonté du Père soit faite. Elle n'est pas contraire à celle du Fils, qui dit lui-même par la bouche du prophète : « A faire ta volonté, mon Dieu, je me suis complu. »

43. Et il revint et les trouva à nouveau en train de dormir, car leurs yeux étaient appesantis. » Il prie seul pour tous, comme il souffre également seul pour tous. C'était leur proche reniement qui alanguissait et appesantissait les yeux des apôtres.

45. Alors il revient près de ses disciples et leur dit : « Dormez maintenant et reposez-vous, voici que l'heure est proche. » Après avoir prié une troisième fois pour que toute affaire se décide sur la parole de deux ou trois témoins[71], après avoir obtenu que la peur des apôtres fût rachetée par le repentir qui allait suivre, tranquille pour ce qui est de sa propre passion, il se dirige vers ses persécuteurs, s'offre lui-même à la mort et dit à ses disciples :

46. « Levez-vous, allons ! Voici tout proche celui qui va me livrer. » Qu'ils ne nous surprennent pas comme des gens qui ont peur et qui reculent. Allons de nous-mêmes au devant de la mort pour leur donner le spectacle de la confiance et de la joie de celui qui va souffrir.

48. Or le traître leur avait donné ce signe : « Celui que je baiserai, c'est lui, arrêtez-le. » Pitoyable Judas, pourtant indigne de pitié. Le même manque de foi qui lui a fait livrer son Maître et Seigneur lui faisait croire que les miracles

---

71. En *Deut.* 19, 15, Dieu exige le témoignage de deux ou trois personnes pour établir une cause. Ici les trois témoins sont les trois apôtres. Le texte du *Deut.* est repris par *Matth.* en 18, 16.

Saluatorem uiderat facientem, non maiestate diuina
sed magicis artibus facta, et quia eum forte
audierat in monte transfiguratum, timebat ne simili
375 transformatione elaberetur e manibus ministrorum.
Dat ergo signum ut sciant ipsum esse quem osculo
demonstraret.

49. Et confestim accedens ad Iesum, dixit : Aue rabbi,
et osculatus est eum. Inpudens quidem et scelerata
380 confidentia, magistrum uocare et osculum ei ingerere
quem tradebat. Tamen adhuc aliquid habet de uere-
cundia discipuli, cum non eum palam tradit persecutori-
bus sed per signum osculi. Hoc est signum quod posuit
Deus in Cain, ne quicumque inuenisset interficeret
385 eum.

50. Dixitque illi Iesus : Amice, ad quod uenisti ?
Verbum amice, uel κατὰ ἀντίφρασιν intellegendum, uel
certe iuxta illud quod supra legimus : Amice, quomodo
huc intrasti uestem non habens nuptialem ?

390 51. Et ecce unus ex his qui erant cum Iesu, extendens
manum exemit gladium suum, et percutiens seruum
principis sacerdotum amputauit auriculam eius. In alio
euangelio scriptum est quod Petrus hoc fecerit, eodem
mentis ardore quo cetera. Seruus quoque principis
395 sacerdotum Malchus appellatur ; auricula quae amputatur dextra est. Transitorie dicendum quod Malchus, id
est rex, quondam populus Iudaeorum, seruus factus sit
impietatis et deuorationis sacerdotum, dextramque
perdiderit auriculam ut totam litterae uilitatem audiat
400 in sinistra, sed Dominus in his qui ex Iudaeis credere

374. Cf. Matth. 17, 2 ‖ 385. Cf. Gen. 4, 15 ‖ 389. Matth. 22, 12 ‖ 396.
Cf. Jn 18, 10

accomplis sous ses yeux par le Sauveur étaient l'œuvre
non de la majesté divine mais d'un pouvoir magique. Ayant
peut-être entendu parler de sa transfiguration sur la montagne, il craignait qu'une transformation semblable ne
lui permît d'échapper aux mains des valets. Il leur donne
donc un signe de reconnaissance : qu'ils le sachent, ce sera
celui qu'il désignera par un baiser.

49. Et aussitôt il s'approcha de Jésus en disant : « Salut,
Rabbi », et il le baisa. Oui, effronterie cynique et crimi-
nelle ! Appeler Maître et embrasser celui qu'il livrait. Cependant, il garde encore quelque chose du respect du disciple,
car ce n'est pas ouvertement, mais par le signe d'un baiser
qu'il le livre à ses persécuteurs. Tel est le signe que Dieu
mit sur Caïn pour que quiconque le rencontrerait ne le tuât
pas.

50. Et Jésus lui dit : « Ami, pourquoi es-tu venu ? »
Le terme « ami » doit être compris soit par antiphrase, soit,
en tout cas, avec la nuance qu'il avait dans ce que nous
avons lu plus haut : « Ami, comment es-tu entré ici sans avoir
le vêtement de noce ? »

51. Et voici qu'un de ceux qui étaient avec Jésus, portant
la main à son glaive, le dégaina et, frappant un serviteur du
grand prêtre, lui trancha l'oreille. Chez un autre évangéliste,
il est écrit que c'est Pierre qui a fait cela, avec son impétuosité
habituelle. Le serviteur du grand prêtre s'appelle Malchus,
l'oreille tranchée est la droite. Voici ce qu'il faut dire en
passant : Malchus, c'est-à-dire le roi — ce que fut jadis le
peuple juif —, est devenu l'esclave de l'impiété et de la
voracité des prêtres. Il a perdu l'oreille droite si bien qu'il
n'entend plus, de la gauche, que la lettre dans toute sa
mesquinerie, mais le Seigneur a rendu l'oreille droite à ceux

uoluerunt, reddidit aurem dextram et fecit seruum genus regale et sacerdotale.

52. Tunc ait illi Iesus : Conuerte gladium tuum in locum suum ; omnes enim qui acceperint gladium gladio
405 peribunt. Etsi non frustra portat gladium qui ultor dominicae irae positus est in eum qui malum operatur, attamen quicumque gladium sumpserit gladio peribit. Quo gladio ? Illo nempe qui igneus uertitur ante paradisum, et gladio spiritus qui in Dei describitur
410 armatura.

53.54. An putas quia non possum rogare Patrem meum, ut exhibeat mihi modo plus quam duodecim legiones angelorum ? Quomodo ergo inplebuntur scripturae quia sic oportet fieri ? Non indigeo duodecim
415 apostolorum auxilio, etiam si omnes me defenderent, qui possum habere duodecim legiones angelici exercitus. Vna legio apud ueteres sex milibus complebatur hominum. Pro breuitate temporis, numerum non occurrimus explicare ; typum tantum dixisse sufficiat : septuaginta
420 duo milia angelorum (in quot gentes hominum lingua diuisa est) de duodecim legionibus fieri. Sequens sententia promptum ad patiendum demonstrat animum, quod frustra prophetae cecinerint, nisi Dominus eos uera dixisse passione sua adseruerit.

425 55. In illa hora dixit Iesus : Tamquam ad latronem existis cum gladiis et fustibus comprehendere me ? Cotidie apud uos sedebam docens in templo, et non me tenuistis.

---

402. Cf. I Pierre 2, 9 ‖ 406. Cf. Rom. 13, 4 ‖ 409. Cf. Gen. 3, 24 ‖ 410. Cf. Éphés. 6, 17

---

72. Jérôme se réfère ici à *Deut.* 32, 8, tel qu'on le lit dans le texte des LXX ; ce passage établit un rapport entre le nombre des anges et celui

des Juifs qui ont voulu croire et a fait de l'esclave, une race royale et sacerdotale.

52. Alors Jésus lui dit : « Rengaine ton glaive, car tous ceux qui prendront le glaive périront par le glaive. » Sans doute, ce n'est pas pour rien qu'il porte le glaive, celui qui a été chargé des vengeances de la colère du Seigneur sur celui qui fait le mal. Et cependant, quiconque prendra l'épée périra par l'épée. Par quelle épée ? Évidemment celle qui tournoie flamboyante devant le Paradis, le glaive de l'Esprit qui nous est décrit dans l'armure de Dieu.

53.54. « Penses-tu donc que je ne pourrais demander à mon Père de m'envoyer sur-le-champ plus de douze légions d'anges ? Comment s'accompliront alors les Écritures d'après lesquelles il en doit être ainsi ? » Je n'ai pas besoin de l'aide de douze apôtres, même si tous me défendaient, moi qui puis avoir douze légions de l'armée des anges. Une légion, chez les Anciens, comptait 6 000 hommes. Vu le peu de temps, nous ne nous lançons pas dans une explication du nombre. Qu'il suffise de dire que c'est un symbole : douze légions, cela fait 72 000 anges, autant qu'il y a de peuples parlant un langage différent[72]. La phrase qui suit témoigne de sa résolution devant la souffrance : vaines eussent été les prédictions des prophètes si, par sa passion, le Seigneur n'eût prouvé qu'ils avaient dit vrai.

55. Alors Jésus dit : « Vous êtes venus, comme pour un brigand, avec des glaives et des bâtons pour vous saisir de moi : chaque jour j'étais assis parmi vous dans le Temple à

des peuples de la terre : « Quand le Très-haut divisa les nations, ... il fixa les limites des peuples d'après le nombre des anges de Dieu. » — Sur cette tradition, cf. KITTEL, *Theol. Wörterb. z. N.T.*, II, p. 365, n. 13 ; *Targum du Pentateuque*, t. I (*SC* 245), p. 143-145.

Stultum est, inquit, eum cum gladiis et fustibus quaerere
qui ultro se uestris tradat manibus, et in nocte quasi
430 latitantem et uestros oculos declinantem per proditorem inuestigare qui cotidie in templo doceat. Sed ideo aduersum me in tenebris congregamini, quia potestas
uestra in tenebris est.

56. Hoc autem totum factum est ut implerentur scrip-
435 turae prophetarum. Quae sunt scripturae prophetarum ?
Foderunt manus meas et pedes ; et alibi : *Sicut ouis
ad uictimam ductus est* ; et in alio loco : *Ab iniquitati-
bus populi mei ductus est ad mortem.*

57. At illi tenentes Iesum duxerunt ad Caiphan princi-
440 pem sacerdotum, ubi scribae et seniores conuenerant.
Moyses Deo iubente praeceperat ut pontifices patribus
succederent et generationis in sacerdotibus series
texeretur. Refert Iosephus istum Caiphan unius tantum
anni pontificatum ab Herode pretio redemisse. Non
445 ergo mirum est, si iniquus pontifex inique iudicet.

58. Petrus autem sequebatur eum a longe. Longe sequebatur qui erat Dominum negaturus.

Et ingressus intro sedebat cum ministris ut uideret
finem. Vel amore discipuli, uel humana curiositate,
450 scire cupiebat quid iudicaret de Domino pontifex, utrum
eum neci addiceret, an flagellis caesum dimitteret.
Et in hoc diuersitas decem apostolorum et Petri ;
illi fugiunt, iste quamquam procul tamen sequitur
Saluatorem.

433. Cf. Lc 22, 53 ‖ 436. Ps. 21, 17 ‖ 437. Is. 53, 7 ‖ 438. Is. 53, 8
‖ 443. Cf. Ex. 29, 28-44

---

73. Il y a confusion. C'est Gratus, prédécesseur de Pilate, qui déposa
successivement les trois prédécesseurs de Caïphe, dont deux après un an
seulement de pontificat : JOSÈPHE, *Ant. Iud.* XVIII, II, 2 (cf. IV, 3).

enseigner et vous ne m'avez pas arrêté. » Sottise, dit-il, de venir chercher avec des glaives et des bâtons un homme qui, volontairement, se livre entre vos mains, d'avoir recours à un traître pour chercher en pleine nuit, comme s'il se cachait et se dérobait à vos regards, un homme qui chaque jour enseigne dans le Temple ; mais vous êtes réunis contre moi dans les ténèbres parce que votre puissance se trouve dans les ténèbres.

56. Or tout cela advint afin que fussent accomplies les Écritures des prophètes. Quelles sont les Écritures des prophètes ? « Ils ont percé mes mains et mes pieds », et ailleurs : « Comme une brebis, il fut conduit au sacrifice. » Ailleurs : « Les iniquités de mon peuple l'ont conduit à la mort. »

57. Mais, arrêtant Jésus, ils l'emmenèrent chez Caïphe le grand prêtre, où s'étaient réunis les scribes et les anciens. Sur l'ordre de Dieu, Moïse avait prescrit que les pontifes se succéderaient de père en fils et qu'on suivrait pour les prêtres l'ordre généalogique. Or Josèphe[73] raconte que ce Caïphe acheta à prix d'argent à Hérode le pontificat pour une seule année. Rien d'étonnant à ce qu'un pontife injuste prononce des jugements injustes.

58. Pierre le suivait de loin. Il suivait de loin, lui qui allait renier le Seigneur.

Pénétrant à l'intérieur, il s'assit avec les valets, voulant voir le dénouement. Poussé par son affection de disciple ou par une curiosité humaine, il voulait connaître le jugement du pontife au sujet du Seigneur : le condamnerait-il à mort ou le renverrait-il après l'avoir fait flageller ? Voilà la différence entre les dix apôtres et Pierre. Eux, ils s'enfuient ; lui, de loin sans doute, suit cependant le Sauveur.

455 **60.61. Nouissime autem uenerunt duo falsi testes,
et dixerunt : Hic dixit : Possum destruere templum Dei et
post triduum aedificare illud.** Quomodo falsi testes sunt,
si ea dicunt quae Dominum supra dixisse legimus ? Sed
falsus testis est qui non eodem sensu dicta intellegit
460 quo dicuntur. Dominus enim dixerat de templo corporis sui, sed et in ipsis uerbis calumniantur, et paucis
additis uel mutatis, quasi iustam calumniam faciunt.
Saluator dixerat : *Soluite templum hoc* ; isti commutant
et aiunt : *Possum destruere templum Dei.* Vos, inquit, *sol-*
465 *uite,* non ego, quia inlicitum est ut ipsi nobis inferamus
manus. Deinde illi uertunt : *et post triduum aedificare*
illud, ut proprie de templo Iudaico dixisse uideatur.
Dominus autem, ut ostenderet animale et spirans
templum, dixerat : *Et ego in triduo suscitabo illud.* Aliud
470 est aedificare, aliud suscitare.

**62.63. Exsurgens princeps sacerdotum ait illi : Nihil res-
pondes ad ea quae isti aduersum te testificantur ? Iesus
autem tacebat.** Ira praeceps et impatientia, non inue-
niens calumniae locum, excutit de solio pontificem ut
475 uesaniam mentis motu corporis demonstraret. Quanto
Iesus tacebat ad indignos responsione sua falsos testes
et sacerdotes impios, tanto magis pontifex, furore
superatus, eum ad respondendum prouocat, ut ex
qualibet occasione sermonis locum inueniat accusandi.
480 Nihilominus Iesus tacet. Sciebat enim quasi Deus,
quicquid respondisset torquendum ad calumniam.

458. Cf. Jn 2, 19 ‖ 461. Cf. Jn 2, 21 ‖ 463. Jn 2, 19 ‖ 469. Jn 2, 19

---

74. En réalité cette parole de Jésus ne se trouve pas dans S. Matthieu,
mais dans l'Évangile de S. Jean (2, 19).

75. *Suscitabo* : « je le ressusiterai. » Le texte de *Jn* 2, 19 est, dans
la Vulgate : *excitabo*. Nous avons dû traduire : « je le relèverai », car
le verbe doit expliquer la confusion faite par les Juifs et donc s'appliquer
soit au redressement d'un temple, soit à la résurrection du Fils de Dieu.

60.61. A la fin, il se présenta deux faux témoins qui déclarèrent : « Cet homme a dit : Je puis détruire le temple de Dieu et le rebâtir en trois jours. » Comment peuvent-ils être de faux témoins, eux qui redisent ce qu'a dit, nous l'avons lu plus haut[74], le Seigneur ? Mais celui-là est faux témoin qui interprète des paroles dans un autre sens que celui dans lequel elles sont dites. Or le Seigneur avait parlé du temple de son corps. Mais c'est aussi dans les termes eux-mêmes que leur déposition est fausse. Ils en ajoutent ou en changent quelques-uns et donnent une apparence de justice à leur accusation. Le Sauveur avait dit : « Détruisez ce temple. » Ils changent et disent : « Je puis détruire le temple de Dieu. » « Détruisez-le », avait-il dit, vous, pas moi, car il nous est interdit de porter la main sur nous-mêmes. Puis, ils transforment ses paroles, disant : « et le rebâtir en trois jours », de telle sorte qu'il semble avoir clairement parlé du temple juif. Mais pour désigner un temple vivant et qui respirait, le Seigneur avait dit : « Et moi en trois jours je le relèverai[75]. » Autre chose est de bâtir, autre chose de relever.

62.63. Se dressant alors, le grand prêtre lui dit : « Tu ne réponds rien à leur témoignage contre toi ? » Mais Jésus gardait le silence. La colère déchaînée, l'impatience de ne point trouver matière à fausse accusation font bondir de son trône le grand prêtre : ainsi l'agitation de son corps manifeste la folie de son esprit. Plus Jésus se taisait en présence de gens indignes d'une réponse de lui, de ces faux témoins, de ces prêtres impies, plus, sous l'empire de la fureur, le pontife le provoque à répondre pour trouver un prétexte d'accusation à propos du premier mot venu. Néanmoins Jésus se tait : quelle que fût sa réponse, il le savait en tant que Dieu, on la retournerait pour l'accuser faussement.

Suscitabo se retrouve dans plusieurs mss (cf. Jülicher) et dans des citations d'Ambroise, d'Augustin, etc.

Et princeps sacerdotum ait illi : Adiuro te per Deum
uiuum ut dicas nobis si tu es Christus filius Dei.
Quid adiuras, impiissime sacerdotum, ut accuses an ut
485 credas ? Si ut accuses, arguunt alii, condemna reticen-
tem ; si ut credas, quare confitenti credere noluisti ?

64. **Dicit illi Iesus : Tu dixisti.** Et aduersum Pilatum
et aduersum Caiphan similis responsio, ut propria
sententia condemnentur.

490 65. **Tunc princeps sacerdotum scidit uestimenta sua
dicens : Blasphemauit ; quid adhuc egemus testibus ?**
Quem de solio sacerdotali furor excusserat, eadem
rabies ad scindendas uestes prouocat. Scindit autem
uestimenta sua ut ostendat Iudaeos sacerdotii gloriam
495 perdidisse, et uacuam sedem habere pontifices. Sed
et consuetudinis Iudaicae est, cum aliquid blasphe-
mium et quasi contra Deum audierint, scindere uestimenta sua, quod Paulum quoque et Barnaban quando
in Lycaonia deorum cultu honorabantur fecisse legimus.
500 Herodes autem, quia non dedit honorem Deo sed
adquieuit inmoderato fauori populi, statim ab angelo
percussus est.

67. **Tunc expuerunt in faciem eius et colaphis eum ceciderunt.** Vt compleretur quod scriptum est : *Dedi maxillas*
505 *meas alapis et faciem meam non auerti a confusione*
sputorum.

67.68. **Alii autem palmas in faciem ei dederunt, dicentes : Prophetiza nobis, Christe, quis est qui te percussit ?**
Stultum erat uerberantibus respondere et prophetizare
510 caedentem, cum palam percutientis uideretur insania.

497. Cf. Matth. 27, 11 ‖ 499. Cf. Act. 14, 10-14 ‖ 502. Cf. Act, 12, 21-23
‖ 506. Lam. 3, 30

Et le grand prêtre lui dit : « Je t'adjure par le Dieu vivant de nous dire si tu es le Christ, le fils de Dieu. » Pourquoi l'adjures-tu, toi le plus impie des prêtres ? Pour accuser ou pour croire ? Si c'est pour accuser, d'autres le dénoncent : condamne-le, lorsqu'il se tait. Si c'est pour croire, pourquoi as-tu refusé de croire lorsqu'il affirmait ?

64. Jésus lui répond : « Tu l'as dit. » Face à Pilate, face à Caïphe, même réponse : ils sont condamnés par leurs propres paroles.

65. Alors le grand prêtre déchira ses vêtements en disant : « Il a blasphémé ! Qu'avons-nous encore besoin de témoins ? » Sa fureur l'avait arraché de son siège sacerdotal, la même rage l'excite à déchirer ses vêtements. Mais en les déchirant, il montre que les Juifs ont perdu la gloire du sacerdoce et que les pontifes occupent un siège vide. D'ailleurs, c'est une coutume juive : lorsqu'on entend un blasphème, une parole qui semble aller contre Dieu, on déchire ses vêtements. Ainsi, nous le lisons, firent Paul et Barnabé lorsqu'en Lycaonie, on les honorait du culte des dieux. Au contraire, pour n'avoir pas rendu gloire à Dieu, pour s'être abandonné aux flatteries sans mesure du peuple, Hérode fut aussitôt frappé par un ange.

67. Alors ils lui crachèrent au visage et le gifflèrent, pour que fût accomplie la parole : « J'ai livré ma mâchoire aux coups, je n'ai pas dérobé mon visage à l'outrage des crachats. »

67.68. D'autres le frappèrent au visage en lui disant : « Prophétise-nous, Christ, qui est celui qui t'a frappé ? » C'eût été sottise de répondre à ceux qui le battaient, de prophétiser qui donnait les coups, car la folie de celui qui

Sed sicut hoc uobis non prophetauit, sic illud manifestissime uaticinatus est quod circumdaretur Hierusalem ab exercitu et non relinqueretur lapis super
lapidem in templo.

515   **69. Petrus uero sedebat foris in atrio.** Foris sedebat, ut uideret exitum rei, et non adpropinquabat Iesu,
ne ministris aliqua suspicio nasceretur.

**72. Et iterum negauit cum iuramento : Quia non noui
hominem.** Scio quosdam pii affectus erga apostolum
520 Petrum locum hunc ita interpretatos ut dicerent Petrum
non Deum negasse sed hominem, et esse sensum :
Nescio hominem quia scio Deum. Hoc quam friuolum
sit prudens lector intellegit, sic defendentium apostolum
ut Dominum mendacii reum faciant. Si enim iste non
525 negauit, ergo mentitus est Dominus qui dixerat :
*Amen dico tibi quia hac nocte ante quam gallus cantet
ter me negabis.* Cerne quid dicat : *me negabis*, non
hominem.

**73. Vere et tu ex illis es, nam et loquella tua manifestum
530 te facit.** Non quod alterius sermonis esset Petrus
aut gentis externae, omnes quippe Hebraei erant
et qui arguebant et qui arguebatur, sed quo unaquaeque
prouincia et regio habeat proprietates suas et uerna-

514. Cf. Lc 19, 43-44 ‖ 527. Matth. 26, 34

---

76. Jérôme, ici, fait allusion au Commentaire de S. HILAIRE, *In Matth.*
32, 4 (*PL* 9, 1071 B), mais aussi à S. AMBROISE, *In Lucam* X, 82 : « Il
a bien fait de nier comme homme Celui qu'il savait être Dieu » (*SC* 52,
p. 184). Jérôme qualifie cette interprétation de « frivole ». Il n'aimait pas
le commentaire d'Ambroise. « Jérôme est le travailleur spécialisé, compé-
tent, que ne peuvent manquer d'exaspérer les improvisations, si brillantes
soient-elles, de l'ancien magistrat insuffisamment préparé faute de loisirs

le frappait se voyait ouvertement. **Mais s'il ne vous a pas pro-phétisé cela, il vous a prédit aussi très clairement qu'une armée investirait Jérusalem et que du Temple, il ne resterait pas pierre sur pierre.**

69. Cependant Pierre était assis dehors dans la cour. » Il était assis dehors pour voir l'issue de l'affaire. Il n'approchait pas de Jésus pour n'éveiller aucun soupçon chez les serviteurs.

72. Et, de nouveau, il nia avec serment : « Je ne connais pas l'homme. » Je le sais, dans un sentiment de piété à l'égard de l'apôtre Pierre, certains[76] ont donné de ce passage cette interprétation : Pierre, disent-ils, n'a pas renié le Dieu, mais l'homme. Il voulait dire : « Je ne connais pas l'homme, car je connais le Dieu. » Interprétation combien futile, un lecteur judicieux le comprend ! Ils défendent l'apôtre en accusant le Seigneur de mensonge ! Si celui-ci n'a pas renié, alors le Seigneur a menti, lui qui avait dit : « En vérité, je te le dis, cette nuit même, avant le chant du coq, tu me renieras trois fois. » Regarde ce qu'il dit : « tu me renieras » moi, et non pas l'homme.

73. « Vraiment tu en es, toi aussi, car même ta façon de parler te fait reconnaître. » Non que Pierre usât d'une autre langue ou qu'il fût d'un peuple étranger. Ils étaient tous juifs, ceux qui accusaient comme celui qui était accusé ; mais chaque province, chaque région a[77] ses particularités et ne

---

studieux comme le désert en avait fourni à son critique » (Dom G. Tissot, Introd. au *Traité sur l'évangile de S. Luc* d'Ambroise, SC 45 bis, p. 33).

77. La leçon *habebat* retenue par le *CCL* paraît bien difficile. On a préféré *habeat* (avec CGKEPB et Bède) en parallèle avec *possit* de la ligne suivante.

culum loquendi sonum uitare non possit. Vnde et
535 Ephrathei, in Iudicum libro, non possunt σύνθημα
dicere.

74. Tunc coepit detestari et iurare quia non nouis-
set hominem. Et continuo gallus cantauit. In alio
euangelio legimus quia post negationem Petri et cantum
540 galli respexit Saluator Petrum et intuitu suo eum ad
amaras lacrimas prouocarit ; nec fieri poterat ut
in negationis tenebris permaneret, quem lux respexerat
mundi.

75. Et egressus foras plorauit amare. In atrio Cai-
545 phae sedens, non poterat agere paenitentiam. Egreditur
foras de impiorum concilio, ut pauidae negationis
sordes amaris fletibus lauet.

27　　1.2. Mane autem facto, consilium inierunt omnes principes sacerdotum et seniores populi aduersus Iesum
ut eum morti traderent ; et uinctum adduxerunt et
tradiderunt Pontio Pilato praesidi. Non solum ad Pila-
5 tum, sed etiam ad Herodem ductus est, ut uterque
Domino inluderet. Et cerne sollicitudinem sacerdotum in
malum. Tota nocte uigilauerunt, ut homicidium facerent. Et uinctum tradiderunt Pilato. Habebant enim
hunc morem ut quem adiudicassent morti, ligatum
10 iudici traderent.

3.4. Tunc uidens Iudas, qui eum tradidit, quod
damnatus esset, paenitentia ductus, retulit triginta

---

536. Cf. Jug. 12, 6 ‖ 541. Cf. Lc 22, 60-62

---

78. Le « synthéma », c'est le signal convenu, le mot de passe. Il est
raconté dans le *Livre des Juges* (12, 6) que les Galaadites, pour reconnaître
les fuyards d'Éphraïm, leur demandaient de prononcer le mot hébreu

peut se défaire de son accent particulier. Ainsi, dans le livre des Juges, les Éphratéens ne peuvent prononcer le *sunthêma*[78].

74. **Alors il se mit à lancer des imprécations et à jurer qu'il ne connaissait pas l'homme. Et aussitôt le coq chanta.** Dans un autre évangile, nous lisons qu'après le reniement de Pierre et le chant du coq, le Sauveur jeta les yeux sur Pierre et par son regard lui fit verser des larmes amères. Il était impossible que restât dans les ténèbres du reniement celui sur lequel avait jeté les yeux la lumière du monde.

75. **Étant sorti, il pleura amèrement.** S'il était resté dans le palais de Caïphe, il n'aurait pu faire pénitence. Il sort de cette assemblée d'impies pour laver dans des larmes amères la souillure de sa peur et de son reniement.

CHAPITRE 27

1.2. **Le matin venu, tous les grands prêtres et les anciens du peuple tinrent conseil contre Jésus pour le faire mourir et, l'ayant ligoté, ils l'emmenèrent et le livrèrent à Pilate le gouverneur.** Il fut conduit non seulement à Pilate mais encore à Hérode pour que chacun d'eux se jouât du Seigneur. Considère l'application des prêtres au mal. Ils ont veillé toute la nuit pour commettre un homicide et « l'ayant ligoté, ils le livrèrent à Pilate » ; c'était leur coutume, en effet, de livrer ligoté au juge celui qu'ils avaient condamné à mort.

3.4. **Alors Judas, celui qui le livra, voyant que Jésus avait été condamné, sous l'effet du repentir rapporta les trente pièces**

Shibbolet, qui signifie « épi ». Ils ne savaient prononcer que *Sibbolet* et se trahissaient ainsi par leur prononciation. C'est le mot générique « synthema » qu'emploie l'*Alexandrinus* dans sa traduction grecque du texte hébreu.

argenteos principibus sacerdotum et senioribus, dicens :
Peccaui tradens sanguinem iustum. Auaritiae magnitu-
15 dinem impietatis pondus exclusit. Videns Iudas Dominum adiudicatum morti, pretium retulit sacerdotibus,
quasi in potestate sua esset persecutorum mutare
sententiam. Itaque licet mutauerit uoluntatem suam,
tamen uoluntatis primae exitum non mutauit. Si
20 autem peccauit ille qui tradidit sanguinem iustum,
quanto magis peccauerunt qui redimerant sanguinem
iustum et offerendo pretium ad proditionem discipulum
prouocarant. Qui diuersas naturas conantur intro-
ducere, et dicunt Iudam proditorem malae fuisse
25 naturae, nec electione apostolatus potuisse seruari,
respondeant quomodo mala natura egerit paenitentiam.

4.5. At illi dixerunt : Quid ad nos ? Tu uideris. Et
proiectis argenteis in templo, recessit et abiens laqueo se
suspendit. Nihil profuit egisse paenitentiam, per quam
30 scelus corrigere non potuit. Si quando sic frater peccat
in fratrem ut emendare ualeat quod peccauit, potest ei
dimitti ; sin autem permanent opera, frustra uoce
adsumitur paenitentia. Hoc est quod in psalmo de
eodem infelicissimo Iuda dicitur : Et oratio eius fiat
35 in peccatum, ut non solum emendare nequiuerit proditio-
nis nefas, sed ad prius scelus etiam proprii homicidii
crimen addiderit. Tale quid et apostolus in secunda
ad Corinthios epistula loquitur : Ne abundantiori
tristitia absorbeatur frater.

27, 35. Ps. 108, 7 ‖ 39. II Cor. 2, 7

---

79. Cette théorie des deux natures nie la liberté. Jérôme y a fait déjà
allusion en 7, 18 (t. I, p. 144 s.). C'est la thèse des manichéens, mais
aussi de certains gnostiques. Elle semblait se vérifier tout particulièrement

d'argent aux grands prêtres et aux anciens : « J'ai péché, dit-il, en livrant un sang innocent. » Le poids de son impiété n'a plus laissé place à sa grande cupidité. A la vue du Seigneur condamné à mort, Judas en rapporta le prix aux prêtres, comme s'il était en son pouvoir de changer la sentence des persécuteurs. Il a eu beau changer de décision, il n'a pas changé l'effet de sa décision première. Mais s'il a péché, celui qui livra un sang innocent, combien plus ont péché ceux qui avaient acheté le sang innocent, provoqué la trahison du disciple en lui en offrant le prix. Certains s'efforcent d'introduire ici la notion de natures opposées[79], ils disent que le traître Judas était d'une nature mauvaise, que son choix comme apôtre n'a pas pu le sauver. Qu'ils expliquent alors comment une nature mauvaise a pu se repentir.

4.5. Mais ils dirent : « Que nous importe, c'est ton affaire. » Alors ayant jeté les pièces d'argent dans le Temple, il se retira et alla se pendre. Inutile repentir qui ne lui permit pas de corriger (les effets de) son crime. Un frère pèche-t-il à l'égard d'un frère dans des conditions telles qu'il peut remédier aux conséquences de sa faute, on peut lui pardonner, mais si les effets demeurent, en vain sa voix exprime-t-elle du repentir. C'est ce que dit le psaume au sujet de ce même Judas si malheureux : « Et que sa prière devienne péché », si bien que non seulement il n'a pu effacer l'impiété de sa trahison, mais qu'à ce premier crime il a ajouté celui de son propre suicide. C'est à peu près ce que dit aussi l'Apôtre dans la seconde lettre aux Corinthiens[80] : « De peur que votre frère ne sombre dans un excès de tristesse. »

---

dans le cas de Judas. Parlant de ses apôtres, le Christ déclare : « J'ai veillé sur eux et aucun d'eux ne s'est perdu sauf le fils de perdition, pour que l'Écriture s'accomplisse » (*Jn* 17, 12).

80. Ce rapprochement avec la seconde *Épître* de Paul *aux Corinthiens* est emprunté à ORIGÈNE (*GCS* 38, *series* 117, p. 247, 9 s.).

40 **6. Principes autem sacerdotum acceptis argenteis dixerunt : Non licet mittere eos in corbanan** quia pretium
sanguinis est. Vere culicem liquantes et camelum
glutientes ! Si enim ideo non mittunt pecuniam in
corbanam, hoc est in gazophylacium, et dona Dei, quia
45 pretium sanguinis est, cur ipse sanguis effunditur ?

**7. Consilio autem inito, emerunt ex illis agrum figuli in
sepulturam peregrinorum.** Illi quidem fecerunt alia
uoluntate ut aeternum impietatis suae relinquerent
ex agri emptione monumentum. Ceterum nos, qui
50 peregrini eramus a lege et prophetis, praua eorum
studia suscepimus in salutem, et in pretio sanguinis
eius requiescimus. Figuli autem ager appellatur, quia
figulus noster est Christus.

9.10. Tunc impletum est quod dictum est per Hie-
55 remiam prophetam dicentem : Et acceperunt triginta argenteos, pretium adpretiati quem adpretiaue-
runt a filiis Israhel, et dederunt eos in agrum figuli,
sicut constituit mihi Dominus. Hoc testimonium in
Hieremia non inuenitur ; in Zacharia uero, qui paene
60 ultimus duodecim prophetarum est, quaedam similitudo fertur, et quamquam sensus non multum discrepet,
tamen et ordo et uerba diuersa sunt. Legi nuper, in
quodam hebraico uolumine quem Nazarenae sectae

43. Cf. Matth. 23, 24 ‖ 59. Cf. Zach. 11, 12

---

81. Le Christ potier : le Christ est celui par qui tout a été fait (*Jn* 1, 3 ;
Col. 1, 16). C'est donc lui qui a façonné l'homme au début de la création
avec la glaise du sol (*Gen.* 2, 7) comme le potier façonne un vase (*Is.* 45, 9).
82. *A filiis*, partitif sujet : (quelques-uns) parmi les fils.
83. Voici comment la Bible de Jérusalem explique cette attribution
de la citation à Jérémie : « Il s'agit en fait d'une citation libre de *Zach.*
11, 12-13, combinée avec l'idée de l'achat d'un champ suggérée par
Jér. 32, 6-15. Ceci, joint au fait que Jérémie parle des potiers (18, 2 s.)

6. Mais les princes des prêtres prirent les pièces d'argent et dirent : « Il n'est pas permis de les verser au trésor (*corbana*) puisque c'est le prix du sang. » Vraiment ils filtrent le moucheron et avalent le chameau. S'ils ne versent pas l'argent au « corbana », c'est-à-dire au trésor, parmi les offrandes faites à Dieu, parce que c'est le prix du sang, pourquoi ce sang lui-même est-il répandu ?

7. Après délibération, avec cet argent ils achetèrent le « champ du potier » pour la sépulture des étrangers. En agissant ainsi, leur intention n'était point de laisser par l'acquisition de ce champ l'éternel témoignage de leur impiété. Mais nous qui étions étrangers à la Loi et aux prophètes, nous avons reçu le fruit de leur iniquité pour notre salut et nous possédons le repos au prix de son sang. Le champ est dit « du potier » parce que notre potier est le Christ[81].

9.10. Alors fut accompli la parole du prophète Jérémie : « Ils prirent les trente pièces d'argent, prix de celui qui avait été mis à prix et que des enfants d'Israël[82] ont mis à prix, et ils les donnèrent pour le champ du potier, comme le Seigneur me l'a prescrit. » Cette citation ne se trouve point dans Jérémie[83], mais il y a dans Zacharie, l'avant-dernier des douze prophètes, quelque chose qui s'en rapproche. Le sens ne s'en éloigne pas beaucoup, mais l'ordre et les termes sont différents. J'ai lu naguère dans un ouvrage hébreu, que m'apporta un Hébreu[84] de la secte des Nazaréens, un texte

---

qui se trouvaient dans la région de Hageldama (19, 1 s.), explique que tout le texte ait pu lui être attribué par approximation. »

84. Cf. G. BARDY, « Jérôme et ses maîtres hébreux », *Rev. Bénéd.* 46 (1934), p. 161. Bardy doute que Jérôme ait vraiment vu cet apocryphe. Il s'appuierait sans doute uniquement sur ORIGÈNE, qui propose l'existence de cet apocryphe sous forme d'hypothèse : « Suspicor aut... errorem... aut esse aliquam secretam Hieremiae scripturam, in qua scribitur » (*GCS* 38, *series* 117, p. 249).

mihi Hebraeus obtulit, Hieremiae apocryphum, in
65 quo haec ad uerbum scripta repperi. Sed tamen mihi
uidetur magis de Zacharia sumptum testimonium,
euangelistarum et apostolorum more uulgato, qui uerborum ordine praetermisso, sensus tantum de ueteri
testamento proferunt in exemplum.

70 **11.** *Iesus autem stetit ante praesidem. Et interro-*
gauit eum praeses dicens : Tu es rex Iudaeorum ?
Pilato nihil aliud criminis interrogante nisi utrum rex
Iudaeorum sit, arguuntur impietatis Iudaei, quod
ne falso quidem inuenire potuerint quod obicerent
75 Saluatori.

Dicit ei Iesus : Tu dicis. Sic respondit ut et uerum
diceret et sermo eius calumniae non pateret. Et adtende
quod Pilato, qui inuitus promebat sententiam, aliqua
ex parte responderit, sacerdotibus autem et principibus
80 respondere noluerit, indignos suo sermone iudicans.

13. Tunc dicit illi Pilatus : Non audis quanta aduersum
te dicant testimonia ? Ethnicus quidem est qui condemnat Iesum, sed causam refert in populum Iudaeorum.
Non audis quanta aduersum te dicant testimonia ?
85 Iesus autem nihil respondere uoluit, ne crimen diluens
dimitteretur a praeside et crucis utilitas differretur.

16. Habebat autem tunc uinctum insignem, qui dicebatur Barabbas. Iste in euangelio quod scribitur iuxta

80. Cf. Matth. 26, 62-63

---

85. Même solution dans la lettre 57 à Pammachius, 7, à propos de
cette citation : « Le disciple du Christ s'est soucié non pas de donner
la chasse aux mots et aux syllabes, mais d'exprimer des maximes doc-

apocryphe de Jérémie où j'ai retrouvé ces termes, mot pour mot. Pourtant, à mon avis, c'est plutôt de Zacharie qu'a été tirée cette citation, selon une habitude courante des évangélistes et des apôtres qui, sans s'en tenir à l'ordre des termes, se réfèrent seulement aux sens dans leurs citations de l'Ancien Testament[85].

11. Jésus comparut devant le gouverneur et le gouverneur l'interrogea en ces termes : « Es-tu le roi des Juifs ? » Puisque l'interrogatoire de Pilate ne porte sur aucun autre chef d'accusation, et puisqu'il lui demande seulement s'il est roi des Juifs, les Juifs sont convaincus d'impiété puisqu'ils n'ont même pas pu trouver contre le Sauveur une accusation fausse.

Jésus lui répond : « Tu le dis. » Il fit cette réponse pour dire la vérité et en même temps pour n'offrir dans ses paroles aucune prise à une fausse accusation. Fais attention, c'est à Pilate qui rendait sa sentence à contrecœur, que le Seigneur a répondu en partie, tandis qu'aux prêtres et aux chefs il s'y est refusé, jugeant qu'ils étaient indignes d'entendre sa parole.

13. Alors Pilate lui dit : « Tu n'entends pas tout ce qu'ils attestent contre toi ? » Sans doute, celui qui condamne Jésus est païen, mais il s'en remet de l'accusation au peuple juif : « Tu n'entends pas tout ce qu'ils attestent contre toi ? » Mais Jésus ne voulut rien répondre : s'il réduisait à néant l'accusation, le gouverneur le relâcherait et les bienfaits de la croix seraient retardés.

16. Or il avait alors un prisonnier fameux appelé Barabbas. Dans l'Évangile selon les Hébreux, ce nom de Barabbas est

---

trinales » (Labourt III, p. 69).

Hebraeos, filius magistri eorum interpretatur, qui
90 propter seditionem et homicidium fuerat condemnatus.
Offert autem eis optionem Pilatus dimittendi quem
uelint, latronem an Iesum, non dubitans Iesum potius
eligendum, sciens eum propter inuidiam traditum.
Igitur causa crucis manifeste inuidia est.

95   19. Sedente autem illo pro tribunali, misit ad eum
uxor eius dicens : Nihil tibi et iusto illi ; multa enim
passa sum hodie per uisum propter eum. Nota quod
gentilibus saepe a Deo somnia reuelentur, et quod in
Pilato et uxore eius iustum Dominum confitentibus,
100 gentilis populi testimonium sit.

22.23. Dicit illis Pilatus : Quid igitur faciam de Iesu
qui dicitur Christus ? Dicunt omnes : Crucifigatur.
Ait illis praeses : Quid enim mali fecit ? At illi magis
clamabant dicentes : Crucifigatur. Multas liberandi Sa-
105 luatoris Pilatus occasiones dedit, primum latronem
iusto conferens ; deinde inferens : *Quid igitur faciam
de Iesu qui dicitur Christus ?* hoc est qui rex uester est ;
cumque responderent : *Crucifigatur*, non statim adquieuit sed iuxta suggestionem uxoris quae mandauerat :
110 *Nihil tibi et iusto illi*, ipse quoque respondens : *Quid
enim mali fecit ?* Hoc dicendo Pilatus absoluit Iesum.
At illi magis clamabant dicentes : Crucifigatur, ut
impleretur quod in uicesimo primo psalmo dixerat :
*Circumdederunt me canes multi, congregatio malignan-
115 tium obsedit me* ; et illud Hieremiae : *Facta est mihi
hereditas mea sicut leo in silua, dederunt super me uocem
suam* ; Esaia quoque in hac sententia congruente :

115. Ps. 21, 12 ‖ 117. Jér. 12, 8

---

86. Cette étymologie s'appuie sur les formes attestées « Barrabas »
ou « Barraban », où l'on a cru lire le mot « rabbân », forme intensive de
« rabbi », maître. — Jérôme lui-même s'en tient à l'étymologie la plus
naturelle, « filius patris » (*De interpr. hebr. nom.*, p. 66, 13).

traduit par « fils de leur maître[86] ». Il avait été condamné
pour sédition et meurtre. Pilate offre aux Juifs le choix
entre la libération du brigand et celle de Jésus, celui qu'ils
voudraient ; il ne doute pas qu'ils choisiront Jésus, car il sait
qu'on l'a livré par jalousie. Donc la cause de la croix est
manifestement la jalousie.

19. Pendant qu'il siégeait au tribunal, sa femme lui fit dire :
« Ne te mêle pas des affaires de ce juste, car j'ai été fort tour-
mentée en songe aujourd'hui à cause de lui. » Note-le, Dieu
envoie souvent des songes aux païens pour ses révélations
et, en la personne de Pilate et de sa femme confessant que
le Seigneur est un juste, s'exprime le témoignage du peuple des
Gentils.

22.23. Pilate leur dit : « Que ferai-je donc de Jésus qu'on
nomme le Christ ? » Tous disent : « Qu'il soit crucifié. »
Le gouverneur leur dit : « Qu'a-t-il donc fait de mal ? » Mais
eux criaient plus fort, disant : « Qu'il soit crucifié ! »
Pilate offrit bien des occasions de libérer le Sauveur, tout
d'abord en mettant en parallèle le brigand et le juste, puis en
ajoutant : « Que ferai-je donc de Jésus qu'on nomme le
Christ », c'est-à-dire qui est votre roi. Et comme ils répon-
daient : « Qu'il soit crucifié », il ne céda pas immédiatement,
il tient compte de l'avertissement de sa femme qui lui avait
fait dire : « Ne te mêle pas des affaires de ce juste » et il répond
lui aussi : « Qu'a-t-il donc fait de mal ? » Par ces mots, Pilate
a absout Jésus, mais les Juifs criaient plus fort et disaient :
« Qu'il soit crucifié ! » pour que fût vraiment réalisée la
parole prononcée au psaume 21 : « Je suis entouré d'un
grand nombre de chiens ; je suis assiégé par une foule de
méchants », et celle de Jérémie : « Mes héritiers sont devenus
pour moi comme un lion dans la forêt. Ils ont donné de
la voix contre moi. » Isaïe exprime la même idée : « J'ai

*Et exspectaui ut facerent iudicium, fecerunt autem
iniquitatem et non iustitiam sed clamorem.*

120   24. **Videns autem Pilatus quia nihil proficeret sed
magis tumultus fieret, accepta aqua lauit manus coram
populo, dicens : Innocens ego sum a sanguine iusti huius ;
uos uideritis.** Pilatus accepit aquam iuxta illud pro-
pheticum : *Lauabo inter innocentes manus meas*, ut in
125 lauacro manuum eius gentilium opera purgarentur, et ab
impietate Iudaeorum qui clamauerunt : *Crucifige
eum*, nos alienos faceret quodammodo, hoc contestans
et dicens : Ego quidem innocentem uolui liberare,
sed quoniam seditio oritur et perduellionis mihi contra
130 Caesarem crimen inpingitur : *Innocens ego sum a
sanguine iusti huius.* Iudex qui cogitur contra Dominum
ferre sententiam, non damnat oblatum sed arguit
offerentes, iustum esse pronuntians qui crucifigendus
est. *Vos*, inquit, *uideritis*, ego minister sum legum,
135 uestra uox sanguinem fundit.

25. **Et respondens uniuersus populus dixit : Sanguis
eius super nos et super filios nostros.** Perseuerat usque in praesentem diem haec inprecatio super Iudaeos,
et sanguis Domini non auferetur ab eis. Vnde per
140 Esaiam loquitur : *Si leuaueritis ad me manus, non
exaudiam uos ; manus enim uestrae sanguine plenae
sunt.* Optimam hereditatem Iudaei filiis reliquerunt,
dicentes : *Sanguis eius super nos et super filios nostros.*

26. **Tunc dimisit illis Barabban ; Iesum autem flagella-
145 tum tradidit eis ut crucifigeretur.** Barabbas latro, qui

119. Is. 5, 7 ‖ 124. Ps. 25, 6 ‖ 142. Is. 1, 15

---

87. Même rapprochement avec le texte d'*Is.* 1, 15, dans ORIGÈNE

attendu d'eux qu'ils fissent la justice, mais voici qu'ils ont fait l'iniquité, et voici non point la justice mais leur clameur. »

24. Or Pilate, voyant qu'il n'avançait à rien mais qu'il s'ensuivait plutôt du tumulte, prit de l'eau et se lava les mains en présence de la foule en disant : « Moi, je suis innocent du sang de ce juste, c'est votre affaire. » Pilate prit de l'eau conformément à la parole du prophète : « Je laverai mes mains dans la compagnie des innocents », afin qu'en se lavant les mains, il purifiât les œuvres des Gentils et nous rendît en quelque sorte étrangers à l'impiété des Juifs qui criaient : « Crucifie-le ! ». Il désavouait cela et disait : Moi, du moins, j'aurais voulu libérer un innocent, mais puisque s'élève la sédition et qu'on me jette l'accusation de haute trahison à l'égard de César, « Je suis innocent, moi, du sang de ce juste ». Juge, forcé de porter une sentence contre le Christ, il ne condamne pas celui qu'on a livré, mais accuse ceux qui le livrent en proclamant l'innocence de celui qui doit être crucifié. « C'est votre affaire », dit-il, moi je suis le serviteur des lois, c'est votre parole qui répand le sang.

25. Et tout le peuple répondit : « Que son sang retombe sur nous et sur nos enfants ! » Aujourd'hui encore, cette imprécation demeure sur les Juifs et le sang du Seigneur ne leur sera pas ôté. Aussi est-il dit par la bouche d'Isaïe[87]. « Quand même vous lèveriez les mains vers moi, je ne vous écouterais pas, car vos mains sont pleines de sang. » Fort bel héritage des Juifs à leurs enfants que ces mots : « Que son sang retombe sur nous et sur nos enfants ! »

26. Alors il leur fit remettre Barrabas. Quant à Jésus, après l'avoir fait flageller, il le leur livra pour qu'il fût crucifié. »

(*GCS* 38, *series* 124, p. 259, 28).

seditiones faciebat in turbis, qui homicidiorum auctor
erat, dimissus est populo Iudaeorum, id est diabolus
qui usque hodie regnat in eis, et idcirco pacem habere
non possunt ; Iesus autem, a Iudaeis traditus, absoluitur
150 ab uxore Pilati, et ab ipso praeside iustus appellatur,
et centurio confitetur quod uere Dei filius sit. Quaerat
eruditus lector quomodo sibi conueniat Pilatum lauisse
manus suas et dixisse : *Innocens sum ego a sanguine
iusti huius*, et postea flagellatum tradidisse Iesum
155 ut crucifigeretur ? Sed sciendum Romanis eum legibus
ministrasse, quibus sancitum est ut qui crucifigitur
prius flagellis uerberetur. Traditus est itaque Iesus
militibus uerberandus, et illud sacratissimum corpus
pectusque Dei capax flagella secuerunt. Hoc autem
160 factum est, ut quia scriptum erat : *Multa flagella
peccatorum*, illo flagellato, nos a uerberibus liberaremur,
dicente scriptura ad iustum uirum : *Flagellum non
adpropinquabit tabernaculo tuo.*

27-29. Tunc milites praesidis suscipientes Iesum in
165 praetorio congregauerunt ad eum uniuersam cohortem ; et exuentes eum, clamidem coccineam circumdederunt ei, et plectentes coronam de spinis posuerunt super
caput eius, et harundinem in dextera illius ; et genu flexo
ante eum, inludebant dicentes : Aue, rex Iudaeorum.
170 Milites quidem, quia rex Iudaeorum fuerat appellatus,
et hoc ei scribae et sacerdotes crimen obiecerant quod
sibi in populo Israhel usurparet imperium, inludentes
hoc faciunt ut nudatum pristinis uestibus induant
clamidem coccineam pro russo limbo quo reges ueteres
175 utebantur, et pro diademate ponant ei coronam spineam,

151. Cf. Matth. 27, 54 ‖ 161. Ps. 31, 10 ‖ 163. Ps. 90, 10

88. La leçon *adpropinquabit* avec R O K B, paraît préférable et plus

Barrabas le bandit, l'agitateur de la populace, le meur-
trier fut remis au peuple juif, comprenons : le diable qui,
aujourd'hui encore, règne sur eux, et voilà pourquoi ils
ne peuvent avoir la paix. Mais Jésus, livré par les Juifs,
est reconnu innocent par la femme de Pilate ; le procurateur
lui-même l'appelle juste, le centurion confesse qu'il est
véritablement le fils de Dieu. Le lecteur instruit pourrait
se demander comment concilier le fait que Pilate s'est lavé
les mains et a dit : « Je suis innocent du sang de ce juste »,
et qu'ensuite il a fait flageller Jésus et l'a livré pour être
crucifié. Sachons-le, il s'est conformé aux lois romaines qui
prescrivent que la crucifixion doit être précédée de la flagellation. Et voilà pourquoi Jésus fut livré aux coups des
soldats. Ce corps si sacré, cette poitrine qui renfermait
Dieu, les coups de fouet les ont déchirés. Cela fut fait afin
que, parce qu'il était écrit : « Nombreux les coups de fouet
réservés aux pécheurs », sa flagellation nous fît échapper
aux coups, car l'Écriture a dit à l'homme juste : « Le fouet
n'approchera[88] pas de ta demeure. »

27-29. Alors les soldats du gouverneur prirent avec eux
Jésus dans le prétoire et rassemblèrent autour de lui toute la
cohorte, et l'ayant dévêtu, ils lui mirent une chlamyde écarlate.
Ils tressèrent une couronne avec des épines et la posèrent sur sa
tête, ils mirent un roseau dans sa main droite et, ployant le
genou devant lui, ils se moquaient de lui en disant : « Salut,
roi des Juifs. » Il avait été appelé roi des Juifs ; scribes et
Pharisiens l'avaient accusé de vouloir s'arroger le pouvoir sur le peuple d'Israël, voilà pourquoi, pour se moquer de
lui, les soldats imaginent ceci : ils le dépouillent de ses vêtements précédents, le revêtent d'une chlamyde rouge en
guise de la robe écarlate que portaient les anciens rois ;
pour diadème ils lui mettent une couronne d'épines ; pour

---

cohérente avec l'idée de libération : *ut nos a uerberibus liberaremur.*

pro sceptro regali dent calamum, et adorent quasi
regem. Nos autem, omnia haec intellegamus mystice.
Quomodo enim Caiphas dixit : *Oportet unum hominem
mori pro omnibus*, nesciens quid diceret, sic et isti
180 quodcumque fecerunt licet alia mente fecerint, tamen
nobis qui credimus sacramenta tribuebant. In clamide
coccinea opera gentium cruenta sustentat, in corona
spinea maledictum soluit antiquum, in calamo uene-
nata occidit animalia ; siue calamum tenebat in manu
185 ut sacrilegium scriberet Iudaeorum.

30. **Et expuentes in eum, acceperunt harundinem, et
percutiebant caput eius.** Eo tempore completum est :
Non auerti faciem meam a confusione sputorum. Et
tamen cum caput eius percutiant harundine, sustinet
190 cuncta patienter, ut Esaiae uerum ostendat uaticinium
dicentis : *Harundinem quassatam non confringet.*

31. **Et postquam inluserunt ei, exuerunt eum clamide,
et induerunt eum uestimentis suis, et duxerunt ut crucifi-
gerent.** Quando flagellatur Iesus et conspuitur et
195 inridetur, non habet propria uestimenta, sed ea quae
propter nostra peccata sumpserat ; cum autem crucifigitur et inlusionis atque inrisionis pompa praeterierit,
tunc pristinas uestes recipit et proprium adsumit orna-
tum : statimque elementa turbantur, et creatori dat
200 testimonium creatura.

32. **Exeuntes autem inuenerunt hominem Cyreneum,
nomine Simonem ; hunc angariauerunt ut tolleret crucem**

179. Jn 11, 50 ‖ 188. Is. 50, 6 ‖ 191. Is. 42, 3

---

89. La malédiction antique par laquelle, après le péché d'Adam, Dieu
avait voué la terre à porter les épines : épines dont fut tressée la couronne

sceptre royal, ils lui donnent un roseau et ils l'adorent comme un roi. Mais nous, comprenons tout cela au sens mystique. De même que, lorsqu'il a dit : « il convient qu'un homme meure pour tous », Caïphe ne savait pas ce qu'il disait, de même en tous leurs actes, les soldats, bien qu'ils eussent agi dans une autre intention, nous apportaient à nous croyants des vérités mystérieuses : dans la chlamyde rouge, Jésus supporte le poids des crimes sanglants des Gentils ; dans la couronne d'épines, il nous délivre de l'antique malédiction[89] ; dans le roseau, il tue les bêtes venimeuses ; ou bien, il tenait le roseau à la main pour inscrire le sacrilège des Juifs.

30. « Et crachant sur lui, ils prirent le roseau et lui frappaient la tête. » Alors fut réalisée la parole : « Je n'ai point détourné mon visage de la honte des crachats. » Et pourtant, tandis qu'ils lui frappent la tête avec le roseau, il supporte tout avec patience pour montrer la vérité de la prophétie d'Isaïe : « Il ne brisera pas le roseau froissé. »

31. Et après s'être moqué de lui, ils lui ôtèrent la chlamyde, le revêtirent de ses vêtements et l'emmenèrent pour le crucifier. » Quand il est flagellé, couvert de crachats, objet de dérision, Jésus ne porte pas ses propres vêtements, mais ceux qu'il avait pris à cause de nos péchés. Pour sa crucifixion, lorsqu'il a été mis fin à ce spectacle de moquerie et de dérision, alors il reprend ses premiers vêtements et revêt sa propre parure. Aussitôt les éléments sont troublés et la création rend témoignage au Créateur.

32. En sortant, ils trouvèrent un homme de Cyrène nommé Simon, ils le requirent pour porter la croix de Jésus.

de Jésus. Cf. ORIGÈNE (*GCS* 38, *series* 125, p. 261, 28) : *ut iam non sint spinae nostrae antiquae.*

eius. Ne quis putet huic loco Iohannis euangelistae
historiam esse contrariam. Ille enim dicit exeuntem
205 Dominum de praetorio portasse crucem suam, Matheus
autem refert quod inuenerint hominem Cyreneum
nomine Simonem quem angariantes inposuerunt ei crucem Iesu. Sed hoc intellegendum quod egrediens
de praetorio Iesus ipse portauerit crucem suam ;
210 postea obuium habuerit Simonem, cui portandam
crucem imposuerunt. Iuxta anagogen uero, crucem
Iesu suscipiunt nationes, et peregrinus oboediens portat
ignominiam Saluatoris.

33. Et uenerunt in locum qui dicitur Golgotha, quod est
215 Caluariae locus. Audiui quendam exposuisse Caluariae
locum in quo sepultus est Adam et ideo sic appellatum
quia ibi antiqui hominis sit conditum caput, et hoc
esse quod apostolus dicat : *Surge qui dormis et exsurge
a mortuis, et inluminabit te Christus*. Fauorabilis inter-
220 pretatio et mulcens aurem populi, nec tamen uera.
Extra urbem enim et foras portam loca sunt in quibus
truncantur capita damnatorum, et Caluariae, id est
decollatorum, sumpsere nomen. Propterea autem ibi
crucifixus est Dominus, ut ubi prius erat area damna-
225 torum, ibi erigerentur uexilla martyrii ; et quomodo
pro nobis maledictum crucis factus est et flagellatus
et crucifixus, sic pro omnium salute quasi noxius inter
noxios crucifigitur. Sin autem quispiam contendere

---

205. Cf. Jn 19, 17 ‖ 219. Éphés. 5, 14

---

90. Simon signifie « obéissant ». Cf. *De interpr. hebr. nom.*, p. 71, 4.
91. Il s'agit là encore d'Origène (*GCS* 38, *series* 127, p. 265, 1-11).
Cette tradition était assez répandue. Écrivant à Marcella, Paule et Eustochium font le panégyrique de leur nouvelle patrie : « C'est dans cette
ville (Jérusalem) ou plutôt en ce lieu même tel qu'il était alors, qu'Adam,
assure-t-on, aurait habité et serait mort. De là, le lieu où a été crucifié
Notre-Seigneur s'appelle Calvaire, parce que là-même aurait été enterré

Qu'on ne pense pas que le récit de Jean, l'évangéliste, contredise ce passage. Jean dit que c'est le Seigneur qui, à sa sortie du prétoire, a porté sa croix, tandis que, selon Matthieu, ils trouvèrent un homme de Cyrène du nom de Simon, le requirent et lui firent porter la croix de Jésus. Voici ce qu'il faut comprendre. A sa sortie du prétoire, Jésus a porté lui-même sa croix, ensuite il a rencontré Simon à qui on la fit porter. Selon l'interprétation mystique, ce sont les Gentils qui prennent la croix de Jésus, c'est l'étranger qui porte docilement[90] l'ignominie du Sauveur.

33. Et ils vinrent en un lieu nommé Golgotha, c'est-à-dire le lieu du crâne (calvaire). » J'ai entendu dire que quelqu'un[91] a soutenu que le lieu du crâne était celui où fut enterré Adam. Il aurait été ainsi nommé parce que la tête du premier homme y aurait été ensevelie. Tel serait le sens des paroles de l'Apôtre : « Réveille-toi, toi qui dors, lève-toi d'entre les morts et le Christ t'illuminera. » Interprétation séduisante, qui flatte l'oreille du peuple, mais qui n'est pas exacte. En effet, c'est en dehors de la ville, hors des portes que se trouvent les endroits où l'on tranche la tête des condamnés et ils ont pris le nom de Calvaire, c'est-à-dire la place des décapités. C'est là que fut crucifié le Seigneur pour que, là où précédemment se trouvait l'aire des condamnés, se dressât l'étendard du martyre, et de même que, pour nous il s'est fait malédiction de la croix, qu'il a été flagellé, crucifié, ainsi pour le salut de tous il est crucifié comme un coupable parmi les coupables. Veut-on soutenir que le Seigneur a été

le crâne de l'homme ancien... le sang du Christ, tombé goutte à goutte de la croix, aurait lavé les péchés du premier Adam », *Ep*. 46, 3 (Labourt II, p. 102-103). Jérôme lui-même rapporte qu'il a entendu cette tradition exposée dans une église, et Bardy soupçonne qu'il pourrait bien s'agir d'un sermon d'Épiphane ; cf. JÉRÔME, *In Ephes*. 5, 14 (PL 26, 526) et BARDY, « S. Jérôme et ses maîtres hébreux », *Rev. Bénéd*. 46, 1934, p. 162 s.

uoluerit ideo ibi Dominum crucifixum, ut sanguis ipsius
230 super Adam tumulum distillaret, interrogemus eum
quare et alii latrones in eodem loco crucifixi sint.
Ex quo apparet Caluariae non sepulchrum primi hominis, sed locum significare decollatorum, ut ubi abundauit peccatum superabundet gratia. Adam uero
235 sepultum iuxta Chebron et Arbe in Iesu filii Naue
uolumine legimus.

34. **Et dederunt ei uinum bibere cum felle mixtum, et
cum gustasset noluit bibere.** Deus loquitur ad Hierusalem : *Ego te plantaui uineam ueram, quomodo facta es
240 in amaritudinem uitis alienae ?* Amara uitis amarum
uinum facit, quod propinat Domino Iesu ut impleatur
quod scriptum est : *Dederunt in cibum meum fel et
in siti mea potauerunt me aceto.* Quod autem dicitur :
cum gustasset noluit bibere, hoc indicat quod gustauerit
245 quidem pro nobis mortis amaritudinem, sed tertia die
resurrexit.

35. **Postquam autem crucifixerunt eum, diuiserunt
uestimenta eius, sortem mittentes.** Et hoc in eodem psalmo fuerat prophetatum : *Diuiserunt sibi uestimenta mea
250 et super uestimentum meum miserunt sortem.*

36. **Et sedentes seruabant eum.** Diligentia militum et
sacerdotum nobis proficit, ut maior et apertior resurgentis uirtus appareat.

---

234. Cf. Rom. 5, 20 ‖ 236. Cf. Jos. 14, 15 ‖ 240. Jér. 2, 21 ‖ 243. Ps.
68, 22 ‖ 250. Ps. 21, 19

---

92. Jérôme place le tombeau d'Adam près d'Hébron : cf. *Qu. in Gen.* 32
(*PL* 23, 862, 972) ; *Ep.* 108 (Or. funèbre de Ste Paule, 11, Labourt VI,
p. 171). Il s'appuie sur le texte de *Josué* 14, 15 d'après la LXX : « Le

crucifié là précisément pour que son propre sang arrosât le tombeau d'Adam ? Alors demandons pourquoi d'autres brigands furent également crucifiés en ce même lieu. C'est donc évident, Calvaire ne signifie pas « sépulcre du premier homme », mais « place des décapités », pour que là où abonda le péché, surabonde la grâce. Quant à Adam, nous lisons dans le livre de Josué fils de Navé qu'il fut enterré près d'Hébron et d'Arbé[92].

34. Ils lui donnèrent à boire du vin mêlé de fiel et, l'ayant goûté, il n'en voulut point boire. » Dieu dit à Jérusalem : « Je t'ai plantée comme une vraie vigne, comment t'es-tu changée en l'amertume d'une vigne bâtarde ? » La vigne amère produit le vin amer qu'elle tend au Seigneur Jésus pour que se réalise ce qui fut écrit : « Ils m'ont donné du fiel pour nourriture et, dans ma soif, ils m'ont abreuvé de vinaigre. » Quant à cette parole : « Et l'ayant goûté, il n'en voulut point boire », elle montre qu'il a bien goûté pour nous l'amertume de la mort, mais qu'il est ressuscité le troisième jour.

35. Et après qu'ils l'eurent crucifié, ils se partagèrent ses vêtements qu'ils tirèrent au sort. » Cela aussi avait été prophétisé dans le même psaume : « Ils ont partagé mes vêtements et tiré au sort ma tunique. »

36. Et s'étant assis, ils le gardaient. Vigilance des soldats et des prêtres, qui sert à nous faire paraître plus grande et plus manifeste la puissance du Ressuscité.

---

nom d'Hébron était auparavant Cariath-Arbé. Adam se trouve là, le plus grand des Enacim. » Mais le texte hébreu a été mal traduit et signifie : « Hébron s'appelait autrefois Cariath-Arbé ; (Arbé) était l'homme (Adam en hébreu) le plus grand parmi les Enacim » (*Suppl. Dict. Bibl.* I, col. 100). En fait l'Écriture ne dit pas en quel lieu Adam fut enterré.

37. **Et inposuerunt super caput eius causam ipsius**
255 **scriptam : Hic est Iesus rex Iudaeorum.** Non possum digne admirari pro rei magnitudine, quod redemptis
falsis testibus et ad seditionem clamoremque infelici
populo concitato, nullam aliam inuenerit causam
interfectionis eius, nisi quod rex Iudaeorum esset.
260 Et illi forsitan inludentes ridentesque hoc fecerint.
Ceterum Pilatus etiam nolentibus respondit : *Quod
scripsi scripsi.* Velitis nolitis, o Iudaei, omnis uobis
gentium turba respondit : Iesus rex Iudaeorum est,
hoc est imperator credentium et confitentium.

265 38. **Tunc crucifixi sunt cum eo duo latrones, unus a
dextris et unus a sinistris.** Si Golgotha tumulus est Adam
et non damnatorum locus, et ideo Dominus ibi crucifigitur ut suscitet Adam, duo latrones quare in loco
eodem crucifiguntur ?

270 39. **Praetereuntes autem blasphemabant eum, mouen-
tes capita sua.** Blasphemabant, quia praetergredieban-
tur uiam et in uero itinere scripturarum ambulare
nolebant. Mouebant capita, quia iam ante mouerant
pedes et non stabant super petram. Id ipsum autem
275 insultans dicit fatuus populus quod falsi testes confinxe-
rant.

42. **Alios saluos fecit, se ipsum non potest saluum facere.**
Etiam nolentes confitentur scribae et Pharisaei quod
alios saluos fecerit. Itaque uestra uos condemnat
280 sententia. Qui enim alios saluos fecit, utique si uellet
et se ipsum saluare poterat.

---

93. Cf. ORIGÈNE, *series* 130, p. 267, 9.
94. Cf. ORIGÈNE, citant le *Ps.* 39, 3 : *statuisti supra petram pedes meos*
(*series* 132, p. 268, 18).
95. Jérôme fait allusion au verset suivant (*Matth.* 27, 40) : Les passants

37. Et ils placèrent au-dessus de sa tête le motif de sa condamnation ainsi libellé : « Celui-ci est Jésus, le roi des Juifs. » Je ne puis assez m'étonner de l'énormité de la chose : ils ont payé de faux témoins, déchaîné la révolte et les clameurs d'un peuple infortuné, et ils n'ont trouvé aucune autre raison[93] de l'exécuter, sinon qu'il était roi des Juifs. Peut-être, eux, l'ont-ils fait par moquerie et dérision, mais Pilate, même lorsqu'ils protestaient, leur a répondu : « Ce que j'ai écrit, je l'ai écrit. » Que vous le vouliez ou non, Juifs, toute la foule des Gentils vous a répondu : Jésus est le roi des Juifs, c'est-à-dire le Maître suprême de ceux qui croient en lui et le confessent.

38. Alors avec lui furent crucifiés deux brigands, l'un à droite, l'autre à gauche. Si le Golgotha est le tombeau d'Adam et non le lieu d'exécution des condamnés, si le Seigneur y est crucifié pour ressusciter Adam, pourquoi deux brigands sont-ils crucifiés en ce même lieu ?

39. Et ceux qui passaient à côté de lui blasphémaient contre lui en remuant la tête. » Ils blasphémaient parce qu'ils passaient à côté de la Voie et refusaient de suivre le vrai chemin, celui des Écritures. Ils bougeaient la tête parce que leurs pieds avaient déjà bougé et qu'ils ne se tenaient plus sur la Pierre[94]. Dans ses insultes, ce peuple stupide ne fait que répéter précisément ce qu'avaient imaginé les faux témoins[95].

42. « Il en a sauvé d'autres et il ne peut se sauver lui-même. » Même malgré eux, les scribes et les Pharisiens reconnaissent qu'il en a sauvé d'autres. Vos propres paroles vous condamnent donc. De toute manière, qui a sauvé les autres eût pu se sauver également lui-même s'il l'avait voulu.

---

disaient : « Toi qui détruis le Temple et en trois jours le rebâtis, sauve-toi toi-même... » Cf. *Matth*, 26, 61.

Descendat nunc de cruce, et credimus ei. Fraudulenta promissio ! Quid est plus de cruce adhuc uiuentem
descendere, an de sepulchro mortuum surgere ? Resur-
285 rexit, et non creditis. Ergo etiam si de cruce descenderit,
similiter non crederetis. Sed mihi uidetur hoc daemones
inmittere. Statim enim ut crucifixus est Dominus,
senserunt uirtutem crucis et intellexerunt fractas esse
uires suas, et hoc agunt ut de cruce descendat. Sed
290 Dominus sciens aduersariorum insidias, permanet in
patibulo ut diabolum destruat.

44. Id ipsum autem et latrones qui fixi erant cum eo
inproperabant ei. Hic per tropum, qui appellatur
σύλληψις, pro uno latrone uterque inducitur blasphe-
295 masse. Lucas uero adserit quod, altero blasphemante,
alter confessus sit et e contrario increpuerit blaspheman-
tem ; non quod discrepent euangelia, sed quo primum
uterque blasphemauerit, dehinc sole fugiente, terra
commota, saxisque disruptis, et ingruentibus tenebris,
300 unus crediderit in Iesum et priorem negationem sequenti confessione emendauerit. In duobus latronibus
uterque populus et gentilium et Iudaeorum primum
Dominum blasphemauit, postea signorum magnitudine
alter exterritus egit paenitentiam et usque hodie
305 Iudaeos increpat blasphemantes.

45. A sexta autem hora tenebrae factae sunt super
uniuersam terram usque ad horam nonam. Qui scrip-
serunt contra euangelia, suspicantur deliquium solis,
quod certis statutisque temporibus accidere solet, disci-

297. Lc 23, 39-40

96. Jérôme vise Celse et Porphyre. Voir *Contre Celse* II, 33 (*SC* 132,
p. 367). Pour expliquer l'obscurité du Calvaire, Celse propose soit une
éclipse mystérieuse, puisque la lune était en opposition avec le soleil,
soit des nuées très denses qui auraient intercepté la lumière du soleil.

« Qu'il descende maintenant de sa croix et nous croyons en lui. » Promesse mensongère. Qu'y a-t-il de plus convaincant ? Descendre vivant de la croix, ou, mort, ressusciter du tombeau ? Il est ressuscité et vous ne croyez pas. Donc, alors même qu'il descendrait de la croix, vous ne croiriez pas davantage. A mon avis, ce sont les démons qui leur inspirent ces paroles. En effet, dès que le Seigneur eut été crucifié, ils sentirent la vertu de la Croix et comprirent que leur puissance était brisée. Ils font cela pour qu'il descende de la croix, mais, connaissant les ruses de ses adversaires, le Seigneur reste sur son gibet pour détruire le diable.

44. Les brigands crucifiés avec lui l'accablaient aussi des mêmes outrages. Ici, par une figure nommée syllepse, au lieu d'un brigand, on laisse entendre que tous deux ont blasphémé. Mais, selon Luc, tandis que l'un blasphémait, l'autre proclama sa foi et, au contraire, réprimanda celui qui blasphémait. Il n'y a point contradiction entre les Évangiles. Tout d'abord, tous deux ont blasphémé, puis lorsque le soleil disparut, que la terre trembla, que les rochers se fendirent et que les ténèbres s'épaissirent, alors l'un crut en Jésus et il effaça sa première incrédulité par la profession de foi qui la suivit. En ces deux brigands, ce sont les deux peuples, celui des Gentils et celui des Juifs qui ont tout d'abord outragé le Seigneur ; mais ensuite, épouvanté par la grandeur des miracles, l'un d'eux fit pénitence et, de nos jours encore, réprimande les Juifs blasphémateurs.

45. A partir de la sixième heure, l'obscurité se fit sur tout le pays jusqu'à la neuvième heure. Selon des insinuations des détracteurs des Évangiles[96], c'est par ignorance que les disciples du Christ ont interprété en fonction de la résurrection

---

Cf. Origène, *GCS* 38, *series* 134, p. 272 : lui aussi rejette l'hypothèse d'une éclipse.

310 pulos Christi ob imperitiam super resurrectione Domini
interpretatos : cum defectus solis numquam nisi ortu
lunae fieri soleat. Nulli autem dubium est paschae tempore lunam fuisse plenissimam. Et ne forsitan uideretur
umbra terrae uel orbis lunae soli oppositus breues et
315 ferrugineas fecisse tenebras, trium horarum spatium
ponitur, ut omnis causantium occasio tolleretur. Et
hoc factum reor ut compleretur prophetia dicens :
*Occumbet sol meridie, et contenebrabitur super terram
in die lux,* et alio loco : *Occubuit sol cum adhuc media*
320 *esset dies.* Videturque mihi clarissimum lumen mundi,
hoc est luminare maius, retraxisse radios suos ne aut
pendentem uideret Dominum aut impii blasphemantes
sua luce fruerentur.

46. Et circa horam nonam clamauit Iesus uoce
325 magna dicens : Heli Heli lema sabacthani hoc est :
Deus meus, Deus meus, quare me dereliquisti ? Principio
uicesimi primi psalmi abusus est, illudque quod in
medio uersiculo legitur : Respice me, superfluum
est. Legitur enim in hebraeo : Deus meus, Deus meus,
330 quare me dereliquisti ? Ergo impii sunt qui psalmum ex
persona Dauid, siue Hester et Mardochei dictum
putant, cum etiam euangelistae testimonia ex eo
sumpta super Saluatore intellegant, ut est illud :
Diuiserunt sibi uestimenta mea et super uestimentum
335 *meum miserunt sortem ;* et aliud : *Foderunt manus*
meas et pedes meos. Nec mireris uerborum humilitatem
et querimonias derelicti, cum formam serui sciens,
scandalum crucis uideas.

---

319. Amos 5, 9 ‖ 320. Jér. 15, 9 ‖ 328. Ps. 21, 1 ‖ 335. Ps. 21, 19 ‖
336. Ps. 21, 17

du Seigneur une éclipse du soleil, phénomène qui se produit
à époques fixes et déterminées : alors qu'une éclipse de
soleil ne se produit jamais qu'à la nouvelle lune. Or, personne
n'en doute, au temps de Pâque la lune était dans son plein.
Pour qu'on ne puisse croire que l'ombre de la terre ou un
passage du globe de la lune devant le soleil avaient produit
des ténèbres brèves et rousses, la durée est spécifiée : trois
heures, pour exclure tout prétexte aux chicaneurs. J'en
suis persuadé, cela se fit pour que fût accomplie la prophétie :
« Le soleil se couchera en plein midi et, pendant le jour,
la lumière sera obscurcie sur terre », de même dans un autre
passage : « Le soleil s'est couché alors qu'on était encore
au milieu du jour. » A mon avis, la lumière la plus éclatante
du monde, c'est-à-dire le « grand luminaire », retira ses rayons
pour ne pas voir le Seigneur suspendu au gibet ou pour
priver du bienfait de sa lumière les impies blasphémateurs.

46. Et vers la neuvième heure, Jésus cria d'une voix forte :
« Heli, Heli, lema sabacthani ? » c'est-à-dire : « Mon Dieu,
mon Dieu, pourquoi m'as-tu abandonné ? » Il a pris à son
compte le début du psaume 21, et ce qu'on lit au milieu du
verset : « Jette tes regards sur moi » est de trop. On lit en
effet dans le texte hébreu : « Mon Dieu, mon Dieu, pourquoi m'as-tu abandonné ? » Impies par conséquent ceux qui
pensent que le psaume est mis sur les lèvres de David ou
d'Esther et de Mardochée[97], alors que déjà les évangélistes
aussi comprennent que les citations qui en sont tirées s'appliquent au Sauveur, par exemple ceci : « Ils se sont partagé
mes vêtements et ont tiré au sort ma tunique », et ailleurs :
« Ils ont percé mes mains et mes pieds. » Ne t'étonne pas
de l'humilité des paroles et des plaintes de l'abandonné,
toi qui, sachant qu'il a pris « la forme d'esclave », contemples
le scandale de la croix.

---

97. Cf. le commentaire de Jérôme sur le *Ps.* 21 (*CCL* 72, p. 198 s.).

47. Quidam autem illic stantes et audientes dicebant :
340 **Heliam uocat iste.** Non omnes sed quidam, quos arbitror
milites fuisse Romanos, non intellegentes sermonis
hebraici proprietatem, sed ex eo quod dixit : *Heli Heli*,
putantes Heliam ab eo inuocatum. Sin autem Iudaeos
qui hoc dixerint intellegere uolueris, et hoc more sibi
345 solito faciunt, ut Dominum imbecillitatis infament,
qui Heliae auxilium deprecetur.

48. Et continuo currens unus ex eis acceptam spongiam
impleuit aceto, et imposuit harundini, et dabat ei bibere.
Et haec facta sunt ut compleretur prophetia : *In*
350 *siti mea potauerunt me aceto*. Vsque hodie Iudaei et
omnes increduli dominicae resurrectionis, aceto et felle
potant Iesum, et dant ei uinum murratum ut eum
consopiant, et mala eorum non uideat.

50. Iesus autem iterum clamans uoce magna, emisit
355 **spiritum.** Diuinae potestatis indicium est emittere
spiritum, ut ipse quoque dixerat : *Nemo potest tollere*
animam meam a me, sed ego pono eam a me ipso ut
rursum accipiam eam.

51. Et uelum templi scissum est in duas partes a summo
360 **usque deorsum.** Velum templi scissum est, et omnia
legis sacramenta quae prius tegebantur prodita sunt
atque ad gentilium populum transierunt. In euangelio
cuius saepe facimus mentionem, superliminare templi
infinitae magnitudinis fractum esse atque diuisum

350. Ps. 65, 22 ‖ 358. Jn 10, 18

---

98. Rendre l'esprit dans un grand cri, c'est, pour Jésus, montrer qu'il

47. Quelques-uns qui se tenaient là et qui l'entendirent disaient : « Il appelle Élie. » Pas tous, mais quelques-uns, des soldats romains, je pense, qui ne comprenaient pas le sens du mot hébreu. Comme il a dit : Héli, Héli, ils pensent qu'il invoque Élie. Mais si on veut comprendre que cela fut dit par des Juifs, là encore ils usent de leur procédé habituel pour accuser le Seigneur de faiblesse, lui qui invoque le secours d'Élie.

48. Et aussitôt l'un d'eux courut prendre une éponge qu'il imbiba de vinaigre et, l'ayant mise au bout d'un roseau, il lui donnait à boire. » Cela aussi se fit pour que s'accomplît la prophétie : « Dans ma soif, ils m'ont abreuvé de vinaigre. » Aujourd'hui encore, les Juifs et tous ceux qui ne croient pas à la résurrection du Seigneur abreuvent Jésus de vinaigre et de fiel et ils lui donnent du vin mêlé de myrrhe pour l'endormir et l'empêcher de voir leurs méfaits.

50. Mais Jésus jetant à nouveau un grand cri rendit l'esprit. Voilà une marque de sa puissance divine que de rendre l'esprit[98] ainsi que lui l'avait dit aussi : « Personne ne peut me prendre la vie, c'est moi qui la quitte de moi-même et je la reprendrai. »

51. Et le rideau du Temple se déchira en deux du haut jusqu'au bas. Le voile du Temple se déchira, tous les mystères de la Loi auparavant tenus cachés furent dévoilés et passèrent au peuple des Gentils. Dans l'Évangile que nous citons souvent[99], nous lisons que l'immense linteau du Temple

---

donne volontairement sa vie. « C'est un indice du pouvoir divin de Jésus que de quitter sa vie quand il veut et de la reprendre » (*Ep*. 120 à Hédybia, 8. Labourt VI, p. 138). Voir aussi plus bas au v. 54.

99. Il s'agit de l'évangile des Nazaréens.

365 legimus. Iosephus quoque refert uirtutes angelicas,
praesides quondam templi, tunc pariter conclamasse :
Transeamus ex his sedibus.

**51.52. Terra mota est, et petrae scissae sunt, et monu-
menta aperta sunt.** Nulli dubium est quid significet
370 iuxta litteram magnitudo signorum, ut crucifixum
Dominum suum et caelum et terra et omnia demons-
trarent. Sed mihi uidetur terrae motus et reliqua
typum ferre credentium, quod, pristinis errorum
uitiis derelictis et cordis emollita duritia, qui prius
375 similes erant tumulis mortuorum, postea agnouerint
creatorem.

**52.53. Et multa corpora sanctorum qui dormierunt sur-
rexerunt, et exeuntes de monumentis post resurrectionem
eius, uenerunt in sanctam ciuitatem, et apparuerunt mul-
380 tis.** Quomodo Lazarus mortuus resurrexit, sic et multa
corpora sanctorum resurrexerunt, ut Dominum ostenderent resurgentem. Et tamen cum monumenta aperta
sint, non ante resurrexerunt quam Dominus resurgeret,
ut esset primogenitus resurrectionis ex mortuis. Sanctam
385 autem ciuitatem in qua uisi sunt resurgentes, aut
Hierusalem caelestem intellegamus, aut hanc terrenam
quae ante sancta fuerit. Sicut et Matheus appellatur
publicanus, non quo et apostolus adhuc permaneat
publicanus, sed quo pristinum uocabulum teneat,
390 sancta appellabatur ciuitas Hierusalem propter tem-

---

380. Cf. Jn 11, 44 ‖ 384. Cf. Col. 1, 18 ‖ 388. Cf. Matth. 10, 3 ‖ 390.
Cf. Is. 52, 1

---

100. Cf. JOSÈPHE, *De bello Iudaico* VI, v, 3. Même référence dans
l'*Ep*. 46, de Paule et Eustochium à Marcella, 4 : « Josèphe lui-
même, l'historien national des juifs, affirme qu'à cette époque où fut
crucifié le Seigneur, des profondeurs secrètes du Temple éclata le cri

fut brisé et se partagea en deux. De plus, selon Josèphe[100], les Vertus angéliques, jadis maîtresses du Temple, crièrent toutes alors : « Sortons de cette demeure. »

51.52. Et la terre trembla et les rochers se fendirent et les tombeaux s'ouvrirent. Personne n'hésite sur le sens littéral de ces grands prodiges : le ciel, la terre et tous les éléments témoignaient que leur Seigneur avait été crucifié. Mais, à mon avis, le tremblement de terre et les autres prodiges figurent les croyants : après avoir renoncé aux vices de leurs anciennes aberrations, adouci la dureté de leur cœur, ceux qui auparavant ressemblaient à des sépulcres de morts, ont ensuite reconnu le Créateur.

52.53. Et de nombreux corps de saints qui s'étaient endormis ressuscitèrent. Ils sortirent de leurs tombeaux et, après sa résurrection, vinrent dans la Ville sainte et se firent voir à bien des gens. Tout comme Lazare mort ressuscita, ainsi, pour manifester la résurrection du Christ, ressuscitèrent de nombreux corps de saints. Cependant, bien que les tombeaux se fussent ouverts, ils ne ressuscitèrent pas avant que le Seigneur ne ressuscitât, pour qu'il fût le premier-né de la résurrection d'entre les morts[101]. Quant à la sainte Cité où on les vit lors de leur résurrection, comprenons par là la Jérusalem céleste ou la nôtre, la terrestre, jadis sainte. Ainsi, Matthieu est appelé publicain, non parce qu'il demeure encore publicain tout en étant apôtre, mais parce qu'il garde son ancien nom : de même Jérusalem était appelée

---

des armées célestes : « Émigrons de ces lieux-ci ! » (Labourt II, p. 104). Voir aussi la Lettre 120 à Hédybia, 8 (Labourt VI, p. 138-139). En réalité Josèphe place le prodige peu avant la destruction de Jérusalem (70 ap. J.-C.). Induit en erreur par la *Chronique* d'Eusèbe, Jérôme ne rectifiera que plus tard, dans son *Commentaire sur Isaïe*. Cf. P. COURCELLE : *Lettres grecques en Occident*, p. 73.

101. Cf. ORIGÈNE, series 139, p. 288, 2.

plum et sancta sanctorum, et ob distinctionem aliarum
urbium in quibus idola colebantur. Quando uero dicitur
apparuerunt multis, ostenditur non generalis fuisse
resurrectio quae omnibus appareret, sed specialis ad
395 plurimos, ut hi uiderent qui cernere merebantur.

54. **Centurio autem et qui cum eo erant custo-
dientes Iesum, uiso terrae motu et his quae fiebant,
timuerunt ualde, dicentes : Vere Dei filius erat iste.**
In alio euangelio post terrae motum manifestior causa
400 miraculi centurionis exponitur quod, cum uidisset eum
spiritum dimisisse, dixerit : *Vere Dei filius erat iste.*
Nullus enim habet potestatem dimittendi spiritum,
nisi ille qui animarum conditor est. Spiritum autem
hoc loco pro anima intellegamus, seu quod spiritale
405 et uitale corpus faciat, seu quod animae ipsius substantia spiritus sit, iuxta illud quod scriptum est : *Auferes
spiritum eorum, et deficient.* Et hoc considerandum quod
centurio ante crucem in ipso scandalo passionis uere
Dei filium confiteatur, et Arrius in ecclesia praedicet
410 creaturam.

55. **Erant autem ibi mulieres multae a longe, quae
secutae fuerant Iesum a Galilea, ministrantes ei.**
Consuetudinis Iudaicae fuit, nec ducebatur in culpam
more gentis antiquo, ut mulieres de substantia sua
415 uictum atque uestitum praeceptoribus ministrarent.
Hoc, quia scandalum facere poterat in nationibus,
Paulus abiecisse se memorat : *Numquid non habemus
potestatem sorores mulieres circumducendi sicut et ceteri
apostoli faciunt ?* Ministrabant autem Domino de
420 substantia sua, ut meteret eorum carnalia, cuius illae

400. Cf. Mc 15, 37-39 ‖ 407. Ps. 103, 29 ‖ 419. I Cor. 9, 5

sainte à cause du Temple et du Saint des Saints et pour la distinguer des autres villes où l'on vénérait les idoles. Ces paroles : « Ils se firent voir à bien des gens » nous montrent que cette résurrection ne fut pas générale, visible à tous, mais réservée à un grand nombre, pour que vissent ceux-là qui méritaient de voir.

54. Le centurion et ceux qui, avec lui, gardaient Jésus, à la vue du tremblement de terre et de tout ce qui se passait, furent saisis d'une grande frayeur. Ils dirent : « Vraiment celui-ci était fils de Dieu. » Un autre évangile expose plus clairement la cause de cet étonnement du centurion après le tremblement de terre. C'est après avoir vu Jésus rendre l'esprit qu'il dit : « Celui-là était vraiment le fils de Dieu », car nul n'a le pouvoir de rendre l'esprit sauf le Créateur des âmes. Ici, par esprit, comprenons l'âme, soit parce qu'elle donne au corps l'esprit et la vie, soit parce que l'esprit est la substance de l'âme elle-même, ainsi qu'il est écrit : « Tu leur ôteras l'esprit et ils expireront. » Considérons ce fait : devant la croix, en plein scandale de la Passion, le centurion confesse qu'il est vraiment fils de Dieu, alors que, dans l'Église, Arius affirme que c'est une créature.

55. Or, se tenaient à distance de nombreuses femmes qui avaient suivi Jésus depuis la Galilée pour le servir. C'était une coutume juive et les mœurs antiques n'étaient point choquées de voir des femmes procurer sur leurs biens nourriture et vêtement aux maîtres. Paul rappelle qu'il a renoncé à cet usage parce que cela pouvait faire scandale chez les Gentils : « N'avons-nous pas le pouvoir, comme le font les autres apôtres, d'amener avec nous des femmes qui soient nos sœurs ? » Elles assistaient le Seigneur de leurs biens, pour que récoltât leurs biens matériels celui dont elles

metebant spiritalia ; non quod indigeret cibis Dominus
creaturarum, sed ut typum ostenderet magistrorum,
quod uictu atque uestitu ex discipulis deberent esse
contenti. Sed uideamus quales comites habuerit :
425 Mariam Magdalenam a qua septem daemonia eiecerat,
et Mariam Iacobi et Ioseph matrem, materteram suam,
sororem Mariae matris Domini, et matrem filiorum
Zebedaei quae paulo ante regnum liberis postularat,
et alias quas in ceteris euangeliis legimus.

430   57. Cum sero factum esset, uenit homo quidam diues ab
Arimathia, nomine Ioseph, qui et ipse discipulus erat Iesu.
Diues refertur non de iactantia scriptoris quo uirum
nobilem atque ditissimum referat Iesu fuisse discipulum,
sed ut ostendat causam quare a Pilato corpus Iesu
435 potuerit impetrare. Pauperis enim et ignoti non erat ad
Pilatum praesidem Romanae potestatis accedere et
crucifixi corpus inpetrare. In alio euangelista Ioseph iste
βουλευτής appellatur, id est consiliarius, et de ipso quidam putant primum psalmum esse compositum : *Beatus*
440 *uir qui non abiit in consilio impiorum*, et reliqua.

   59. Et accepto corpore Iesu, inuoluit illud in sindone
munda. Ex simplici sepultura Domini ambitio diuitum
condemnatur, qui ne in tumulis quidem possunt carere
diuitiis. Possumus autem iuxta intellegentiam spiri-

---

425. Cf. Mc 16, 9 ‖ 428. Cf. Matth. 20, 21 ‖ 438. Cf. Lc 23, 50 ‖ 440.
Ps. 1, 1

---

102. Cet échange des biens temporels contre la nourriture spirituelle
des prédicateurs se trouve déjà exposé dans les mêmes termes au chap. 10,
l. 101 s. (t. I, p. 192). Incontestablement Jérôme, dans ces passages,
répond au reproche qu'on lui avait fait de se complaire dans la société
des femmes, particulièrement dans le milieu de l'Aventin. Cf. *Ep.* 45
à Asella (Labourt II, p. 96 s.).

récoltaient les biens spirituels[102]. Non point que le Seigneur eût besoin des aliments de ses créatures, mais il voulait présenter la figure des maîtres[103] : ils devaient se contenter de la nourriture et des vêtements fournis par leurs disciples. Mais voyons quelles étaient ses compagnes : Marie-Magdeleine qu'il avait délivrée de sept démons, Marie, mère de Jacques et de Joseph, la tante maternelle du Seigneur sœur de Marie, sa mère, et la mère des fils de Zébédée qui, peu auparavant, lui avait demandé le royaume pour ses fils, et d'autres que nous trouvons citées dans les autres évangiles.

57. Le soir venu, vint un homme riche d'Arimathie, nommé Joseph, qui, lui aussi, était disciple de Jésus. Il est signalé qu'il était riche, non point par vanité du rédacteur pour signaler que Jésus avait pour disciple un homme connu et très riche, mais pour montrer pourquoi il a pu obtenir de Pilate le corps de Jésus. Un pauvre, un inconnu ne pouvait avoir accès auprès de Pilate, représentant de la puissance romaine, et en obtenir le corps du crucifié. Chez un autre évangéliste, ce Joseph est appelé *bouleutès*, c'est-à-dire membre du conseil. Certains[104] pensent que c'est pour lui qu'a été composé le premier psaume : « Bienheureux celui qui ne va pas au conseil des impies » etc.

59. Ayant pris le corps de Jésus, il l'enveloppa dans un linceul blanc. La simplicité de la sépulture du Seigneur condamne les prétentions des riches qui, même dans leurs tombeaux, ne peuvent se passer des richesses. Voici ce que nous pouvons aussi comprendre au sens spirituel : le

---

103. Sur le Seigneur comme modèle des maîtres, cf. chap. 15, l. 220 s. (t. I, p. 336).

104. Au moins TERTULLIEN (*De spectaculis*, 3, 4) qui applique le *Ps.* 1 à Joseph d'Arimathie, en s'appuyant sur le texte de *Luc* 23, 50 : « Joseph, homme droit et juste, qui ne s'était associé ni au dessein ni aux actes des autres (membres du conseil) ».

445 talem et hoc sentire quod corpus Domini non auro,
non gemmis et serico, sed linteamine puro obuoluendum
sit, quamquam et hoc significet quod ille in sindone
munda inuoluat Iesum, qui pura eum mente susceperit.

60. Et posuit illud in monumento suo nouo, quod exci-
450 derat in petra ; et aduoluit saxum magnum ad ostium
monumenti, et abiit. In nouo ponitur monumento ne
post resurrectionem, ceteris corporibus remanentibus,
surrexisse alius fingeretur. Potest autem et nouum
sepulchrum Mariae uirginalem uterum demonstrare ;
455 saxumque ostio adpositum, et saxum magnum, ostendere non absque auxilio plurimorum sepulchrum potuisse
reserari.

61. Erat autem ibi Maria Magdalenae et altera Maria
sedentes contra sepulchrum. Ceteris relinquentibus Do-
460 minum, mulieres in officio perseuerant, exspectantes
quod promiserat Iesus, et ideo meruerunt primae
uidere resurgentem, quia *qui perseuerauerit usque
in finem hic saluus erit.*

64. Iube ergo custodire sepulchrum usque in diem ter-
465 tium, ne forte ueniant discipuli eius et furentur eum.
Non sufficerat principibus sacerdotum et scribis ac
Pharisaeis crucifixisse Dominum Saluatorem, nisi sepulchrum custodirent, cohortem acciperent, signarent lapidem et quantum in illis est manum opponerent resur-
470 genti, ut diligentia eorum nostrae fidei proficeret ;
quantum enim amplius seruatur, tanto magis resurrectionis uirtus ostenditur. Vnde et in monumento nouo
quod excisum fuerat in petra conditus est ne, si ex

463. Matth. 10, 22 ; 24, 13

corps du Seigneur doit être enveloppé non dans l'or, les perles et la soie, mais dans un linge pur. Cependant il est une autre signification possible. Celui qui enveloppe Jésus dans un linceul blanc, c'est celui qui l'a reçu dans un cœur pur.

60. Et il le déposa dans le sépulcre neuf qu'il s'était fait tailler dans le roc, puis il roula une grande pierre à l'entrée du tombeau et s'en alla. Il est placé dans un sépulcre neuf pour éviter que, si, après sa résurrection, d'autres corps y restaient, on s'imaginât que c'était un autre qui était ressuscité. Ce sépulcre neuf peut aussi figurer le sein virginal de la Vierge Marie. Quant à la pierre placée à l'entrée, une grande pierre, elle est là pour démontrer que le sépulcre n'a pu être ouvert sans l'aide de beaucoup de personnes.

61. Or, il y avait là Marie-Magdeleine et l'autre Marie assises en face du sépulcre. Les autres ont abandonné le Seigneur, mais les femmes continuent à lui rendre leurs devoirs. Elles attendent la réalisation de la promesse de Jésus. Voilà pourquoi elles ont mérité de le voir les premières ressuscité parce que « c'est celui qui aura persévéré jusqu'à la fin, qui sera sauvé ».

64. « Ordonne donc que le sépulcre soit gardé jusqu'au troisième jour de peur que ses disciples ne viennent dérober son corps. » Il n'aurait pas suffi aux princes des prêtres, aux scribes et aux Pharisiens d'avoir crucifié le Seigneur et Sauveur, il leur fallait faire garder son sépulcre, requérir une cohorte, sceller la pierre, s'opposer, autant qu'il dépendait d'eux, à sa résurrection, pour que leurs soins minutieux fussent profitables à notre foi. En effet, plus il est pris de précautions, plus se manifeste la puissance de la résurrection. Voilà pourquoi également il fut enseveli dans un tombeau neuf creusé dans la pierre de peur que, s'il avait été constitué

multis lapidibus aedificatum esset, suffossis tumuli
475 fundamentis ablatus furto diceretur. Quod autem in
sepulchro ponendus esset, prophetae testimonium est
dicentis : *Hic habitabit in excelsa spelunca petrae fortis-*
simae, statimque post duos uersiculos sequitur : *Regem*
cum gloria uidebitis.

28 1. **Vespere autem sabbati, quae lucescit in prima sab-**
bati, uenit Maria Magdalenae et altera Maria uidere sepul-
chrum. Quod diuersa tempora istarum mulierum in
euangeliis describuntur, non mendacii signum est ut
5 impii obiciunt, sed sedulae uisitationis officia, dum
crebro abeunt ac recurrunt, et non patiuntur a sepulchro
Domini diu abesse uel longius.

2.3. **Et ecce terrae motus factus est magnus ; angelus**
enim Domini descendit de caelo, et accedens reuoluit
10 **lapidem, et sedebat super eum ; erat autem aspectus**
eius sicut fulgor, et uestimentum eius sicut nix.
Dominus noster unus atque idem filius Dei et filius
hominis, iuxta utramque naturam, diuinitatis et
carnis, nunc magnitudinis suae, nunc humilitatis signa
15 demonstrat. Vnde et in praesenti loco, quamquam
homo sit qui crucifixus est, qui sepultus, qui clausus
tumulo, quem lapis oppositus cohibet, tamen quae
foris aguntur ostendunt filium Dei : sol fugiens, tene-

478. Is. 33, 16 ‖ 479. Is. 33, 17

105. Dans la citation d'Isaïe, il s'agit de celui qui se conduit avec
justice : « Tes yeux contempleront un Roi dans sa splendeur. »
106. La difficulté à laquelle veut répondre Jérôme vient de la traduction
latine qui juxtapose le soir du sabbat et l'aube du premier jour de la
semaine qui correspond à notre dimanche. Il y a en grec : « *Après* le
sabbat, à l'aube du premier jour de la semaine. » C'est un problème
sur lequel Jérôme est revenu longuement dans sa lettre 120 à Hédybia,
3 et 4 : « Comment, d'après Matthieu, est-ce au soir du sabbat, et, selon
Jean, le dimanche matin que Marie-Magdeleine entend la parole du

d'un grand nombre de pierres, on pût dire qu'on avait percé par-dessous les fondements du tombeau et enlevé furtivement le corps. Qu'il dût être déposé dans un sépulcre, le prophète en témoigne : « Il habitera dans une caverne profonde taillée dans un rocher très dur » et deux versets plus loin, il est ajouté aussitôt : « Vous verrez le roi dans sa gloire[105]. »

CHAPITRE 28

1. Au soir du sabbat, à l'aube du premier jour de la semaine, Marie de Magdala et l'autre Marie vinrent visiter le sépulcre. Les Évangiles indiquent pour les visites de ces femmes des moments différents. Ce n'est point une preuve de mensonge comme l'objectent les impies, c'est qu'elles se font un devoir de visiter avec empressement le sépulcre : elles s'en vont et reviennent sans cesse, sans souffrir de s'écarter longtemps ou loin du tombeau du Seigneur[106].

2.3. Et voilà qu'il se fit un grand tremblement de terre. L'Ange du Seigneur descendit du ciel et vint rouler la pierre sur laquelle il s'assit. Il avait l'aspect de l'éclair et sa robe était blanche comme neige. Notre Seigneur qui est en même temps fils de Dieu et fils de l'homme, conformément à sa double nature divine et charnelle, manifeste tantôt sa grandeur, tantôt son humilité. Aussi en cet endroit est-il sans doute l'homme qui fut crucifié, enseveli, enfermé dans le tombeau, retenu sous la pierre, et pourtant ce qui se passe au dehors montre qu'il est fils de Dieu : le soleil dis-

---

Seigneur : Ne me touche pas ?... Pour nous la réponse paraît simple et évidente : les saintes femmes, ne supportant pas l'absence du Christ, ont durant toute la nuit, non pas une fois ou deux, mais fréquemment, couru au tombeau du Seigneur... » (Labourt VI, p. 133). Cette lettre est postérieure au *Comm. sur Matthieu* et Cavallera la date de 407. La question avait déjà été longuement traitée par Eusèbe. Cf. le résumé qui nous reste dans *PG* 22, 938 s.

brae ingruentes, terra commota, uelum scissum, saxa dis-
20 rupta, mortui suscitati, angelorum ministeria quae et ab
initio natiuitatis eius Deum probabant. Ad Mariam
Gabrihel uenit, cum Ioseph angelus loquitur, idem
pastoribus nuntiat, angelorum postea auditur chorus :
Gloria in excelsis Deo et super terram pax in hominibus
25 *bonae uoluntatis*, temptatur in solitudine et post uictoriam statim seruiunt angeli. Nunc quoque angelus
uenit custos sepulchri dominici, et in uestitu candido
signat gloriam triumphantis, nec non ascendente ad
caelos Domino, duo angeli in oliueti monte cernuntur,
30 pollicentes apostolis secundum Saluatoris aduentum.

4.5. Prae timore autem eius exterriti sunt custodes
et facti sunt uelut mortui ; respondensque angelus
dixit mulieribus : Nolite timere uos ; scio enim quod
Iesum qui crucifixus est quaeritis. Custodes timore per-
35 territi instar mortuorum stupefacti iacent, et tamen
angelus non illos, sed mulieres consolatur. *Nolite*
timere uos. Illi, inquit, timeant, in his perseueret pauor,
in quibus permanent incredulitas ; ceterum uos, quia
Iesum quaeritis crucifixum, audite quod resurrexerit
40 et promissa perfecerit.

6.7. Venite et uidete ubi positus erat, ut si meis
uerbis non creditis uacuo credatis sepulchro, et gradu
concito pergite ac nuntiate discipulis eius quia surrexe-
rit. Et praecedit uos in Galileam, hoc est in uoluta-
45 brum gentium, ubi ante error erat et lubricum, et
firmo ac stabili pede uestigium non ponebat.

28, 21. Cf. Lc 1, 26 ‖ 22. Cf. Matth. 1, 20 ‖ 25. Lc 2, 14 ‖ 26. Cf.
Matth. 4, 11 ‖ 30. Cf. Act. 1, 11

---

107. La Galilée, bourbier des gentils : Jérôme joue sur l'étymologie du
mot. Cf. *De interpr. hebr. nom.* 64, 25 : *Galilaea, uolutabilis aut transmi-*
gratio perpetrata. De uolutabilis, il est passé à *uolutabrum. Le nom de

paraît, les ténèbres s'épaississent, la terre tremble, le voile du Temple se déchire, les rochers s'entr'ouvrent, les morts ressuscitent, les anges viennent le servir, eux qui, dès le début de sa nativité, témoignaient de sa divinité. Gabriel vient trouver Marie, un ange parle à Joseph, un ange encore annonce le Christ aux bergers et ensuite on entend le chœur des anges : « Gloire à Dieu au plus haut des cieux et sur la terre, paix aux hommes de bonne volonté. » Est-il tenté dans le désert, voici qu'aussitôt après sa victoire, les anges viennent le servir. Maintenant encore, un ange vient garder la sépulture du Seigneur, et par son vêtement éclatant manifeste la gloire du Seigneur triomphant. De même, lorsque le Seigneur s'élève dans les cieux, deux anges apparaissent sur le Mont des Oliviers et promettent aux apôtres le second avènement du Sauveur.

4.5. Les gardes tressaillirent d'effroi devant lui et devinrent comme morts. Mais l'Ange prit la parole et dit aux femmes : « Vous, ne craignez point, je sais bien que vous cherchez Jésus le Crucifié. » Épouvantés, les gardes restent étendus, frappés de stupeur, comme morts. Pourtant, ce n'est pas eux, mais les femmes que l'Ange rassure : « Vous, ne craignez point. » Eux, qu'ils craignent, dit-il, que l'effroi persévère chez ceux en qui demeure l'incrédulité ; mais vous, puisque vous cherchez Jésus crucifié, apprenez qu'il est ressuscité et qu'il a réalisé ses promesses.

6.7. « Venez voir le lieu où il était déposé » pour que, si vous ne croyez pas mes paroles, vous croyiez ce sépulcre vide. Courez annoncer à ses disciples qu'il est ressuscité. Et qu'il vous précède en Galilée, c'est-à-dire, dans le bourbier des païens[107], jadis séjour de l'erreur et de la lubricité où il ne pouvait poser un pied ferme et sûr.

Galilée se rattache en effet à la racine *gâlal*, rouler.

8. **Et exierunt cito de monumento cum timore et
gaudio magno currentes nuntiare discipulis eius.** Duplex mentes mulierum tenebat affectus, timoris et
50 gaudii : alter de miraculi magnitudine, alter ex desiderio
resurgentis, et tamen uterque femineum concitabat
gradum. Pergebant ad apostolos, ut per illos fidei
seminarium spargeretur.

9. **Et ecce Iesus occurrit illis dicens : Auete.** Quae sic
55 quaerebant, quae ita currebant, merebantur obuium
habere Dominum resurgentem et primae audire :
Auete, ut maledictum Euae mulieris in mulieribus
solueretur.

**Illae autem accesserunt et tenuerunt pedes eius et
60 adorauerunt eum.** Istae accedunt et tenent pedes eius,
quia adorauerunt eum. Ceterum illa quae quaerebat
uiuentem cum mortuis, et nesciebat adhuc Dei filium
surrexisse, merito audit : *Ne tangas me, nondum enim
ascendi ad Patrem meum.*

65 10. **Tunc ait illis Iesus : Nolite timere.** Et in ueteri et in nouo instrumento hoc semper obseruandum
est, quod quando augustior aliqua apparuerit uisio,
primum timor pellitur, ut sic mente placata possint
quae dicuntur audiri.

70 **Ite nuntiate fratribus meis ut eant in Galileam, ibi me
uidebunt.** His fratribus de quibus et in alio loco dixit :
Adnuntiabo nomen tuum fratribus meis, qui Saluatorem

62. Cf. Lc 24, 5 ‖ 64. Jn 20, 17 ‖ 72. Ps. 21, 23

---

108. L'idée se trouve déjà dans HILAIRE : *Ut, quia a sexu isto coepta
mors esset, ipsi primum resurrectionis gloria et uisus et fructus et nuntius
redderetur. In Matth., PL* 9, 1076 B.

8. Et quittant vite le tombeau, tout effrayées et pleines de joie, elles coururent porter la nouvelle à ses disciples. Deux sentiments se partageaient le cœur de ces femmes, la peur et la joie, provoquées l'une par la grandeur du miracle, l'autre par le désir de voir le ressuscité, et pourtant les deux sentiments faisaient courir ces femmes. Elles allaient vers les apôtres pour qu'ils répandissent la semence de la foi.

9. Et voici que Jésus vint à leur rencontre en disant : « Salut » : celles qui cherchaient ainsi, qui couraient ainsi, méritaient de rencontrer le Seigneur ressuscité, d'entendre les premières : « Salut ». Ainsi les femmes étaient délivrées de la malédiction héritée d'Ève, la femme[108].

Et elles s'approchèrent, étreignirent ses pieds et l'adorèrent. Ces femmes s'approchent et étreignent ses pieds, parce qu'elles l'ont adoré. Mais celle qui cherchait le vivant parmi les morts, ignorant encore la résurrection du Fils de Dieu, s'entend dire à juste titre[109] : « Ne me touche pas, car je ne suis pas encore remonté vers mon Père. »

10. Alors Jésus leur dit : « Ne craignez point » : dans l'Ancien comme dans le Nouveau Testament, observons-le toujours : lorsqu'une apparition se présente avec plus de majesté, elle commence par calmer notre peur pour qu'ainsi, l'esprit apaisé, on puisse écouter ce qui est dit.

« Allez annoncer à mes frères qu'ils aillent en Galilée, et là ils me verront. » A ces frères dont il est dit ailleurs : « J'annoncerai ton nom à mes frères. » Ce n'est nullement en Judée

---

109. *Merito audit* : cf. *Ep.* 120 à Hebydia, 5 : « Celui que tu cherches mort, tu ne mérites pas de le toucher vivant » (Labourt VI, p. 135).

nequaquam in Iudea conspiciunt, sed in gentium
multitudine.

75 **12-14. Et congregati cum senioribus, consilio accepto,
pecuniam copiosam dederunt militibus, dicentes : Dicite
quia discipuli eius nocte uenerunt, et furati sunt eum
nobis dormientibus ; et si hoc auditum fuerit a praeside, nos suadebimus ei, et securos uos faciemus.**
80 Custodes miraculum confitentur, ad urbem conciti
redeunt, nuntiant principibus sacerdotum quae uiderint,
quae facta conspexerint. Illi qui debuerant conuerti ad
paenitentiam et Iesum quaerere resurgentem, perseuerant in malitia et pecuniam quae ad usus templi data
85 fuerat uertunt in redemptionem mendacii, sicut ante
triginta argenteos Iudae dederant proditori. Omnes
igitur qui stipe templi et his quae conferuntur ad
usus ecclesiae abutuntur in aliis rebus, quibus suam
expleant uoluntatem, similes sunt scribarum et sacer-
90 dotum redimentium mendacium et sanguinem Saluatoris.

**16. Vndecim autem discipuli abierunt in Galileam,
in montem ubi constituerat illis Iesus.** Post resurrectionem Iesus in Galileae monte conspicitur, ibique
95 adoratur, licet quidam dubitent et dubitatio eorum
nostram augeat fidem. Tunc manifestius ostenditur
Thomae, et latus lancea uulneratum et manus fixas
demonstrat clauis.

95. Cf. Matth. 28, 17 ‖ 98. Cf. Jn 20, 27

110. C'est parce que Thomas, lui aussi, a douté, que Jérôme le rapproche
des disciples de Galilée. En fait cette apparition (*Jn* 20, 27) se passe
à Jérusalem. Jérôme s'est expliqué ailleurs sur les divergences dans
le lieu des apparitions ; cf. *Ep.* 120, 7 : « Dans le premier cas (à Jérusalem),

qu'ils voient le Sauveur, mais dans la multitude de la gentilité.

12-14. **Et ceux-ci tinrent une réunion avec les anciens et, après avoir délibéré, ils donnèrent une forte somme aux soldats avec cette consigne : « Racontez que ses disciples sont venus pendant la nuit et qu'ils l'ont dérobé pendant que vous dormiez. Que si l'affaire arrive aux oreilles du gouverneur, nous, nous le persuaderons et nous vous épargnerons tout ennui. »** Les gardiens reconnaissent le miracle. Ils retournent en toute hâte à la ville, annoncent aux princes des prêtres ce qu'ils ont vu, les faits qui se sont passés sous leurs yeux ; mais eux, qui auraient dû se tourner vers la pénitence, rechercher Jésus ressuscité, persévèrent dans leur malice. L'argent donné pour l'entretien du Temple, ils le détournent pour acheter un mensonge. Ainsi avaient-ils donné auparavant trente pièces d'argent à Judas le traître. Tous ceux qui emploient à des fins étrangères, pour la satisfaction de leurs propres désirs, les revenus du temple et ce qui leur est apporté pour les besoins de l'Église, ressemblent donc aux scribes et aux Prêtres qui achètent le mensonge et le sang du Sauveur.

16. Les onze disciples s'en allèrent en Galilée sur la montagne où Jésus leur avait donné rendez-vous. » C'est après sa résurrection que Jésus apparaît sur une montagne de Galilée : il y est adoré et cependant quelques-uns doutent encore, mais leur doute affermit notre foi. C'est alors qu'il se manifeste plus clairement à Thomas[110], qu'il lui montre son côté ouvert par la lance et ses mains transpercées par les clous.

---

il se montrait pour consoler les cœurs, ses apparitions étaient brèves et de nouveau il échappait à leurs yeux. Dans l'autre cas (en Galilée), sa familiarité était telle, ainsi que la persistance des apparitions, qu'il prenait son repas en même temps qu'eux » (Labourt VI, p. 138).

18. Accedens Iesus locutus est eis, dicens : Data
100 est mihi omnis potestas in caelo et in terra. Illi potestas data est qui paulo ante crucifixus, qui sepultus
in tumulo, qui mortuus iacuerat, qui postea resurrexit.
In caelo autem et in terra potestas data est, ut qui
ante regnabat in caelo, per fidem credentium regnet in
105 terris.

19. Euntes ergo docete omnes gentes, baptizantes
eos in nomine Patris, et Filii, et Spiritus sancti.
Primum docent omnes gentes, deinde doctas intingunt
aqua. Non enim potest fieri ut corpus baptismi recipiat
110 sacramentum, nisi ante anima fidei susceperit ueritatem. Baptizantur autem in nomine Patris, et Filii,
et Spiritus sancti, ut quorum est una diuinitas, sit
una largitio ; nomenque trinitatis unus Deus est.

20. Docentes eos seruare omnia quaecumque mandaui
115 uobis. Ordo praecipuus. Iussit apostolis ut primum
docerent uniuersas gentes, deinde fidei tinguerent
sacramento, et post fidem ac baptisma quae essent
obseruanda praeciperent. Ac ne putemus leuia esse
quae iussa sunt, et pauca addidit : *omnia quaecumque*
120 *mandaui uobis*, ut qui crediderint, qui in trinitate
fuerint baptizati, omnia faciant quae praecepta sunt.

Et ecce ego uobiscum sum omnibus diebus usque ad
consummationem saeculi. Vsque ad consummationem

---

111. *Vna diuinitas, una largitio* : cf. ORIGÈNE : εἰς ὁ σῴζων, μία ἡ
σωτηρία, *In Matth.* 28, 18-20 (*GCS* 41, fragm. 572, p. 235).
112. Jérôme, dans son commentaire, s'attache toujours à l'enchaînement
des idées, à la cohérence de la pensée. Cf. en 10, 40 : *Ordo pulcherrimus*

18. Et venant à eux, Jésus leur dit : « Tout pouvoir m'a été donné au ciel et sur la terre. » La puissance a été donnée à celui qui venait d'être crucifié, enseveli dans un tombeau, qui gisait mort, et qui ressuscita ensuite. Le pouvoir lui a été donné à la fois au ciel et sur la terre pour que celui qui, auparavant, régnait dans le ciel, régnât sur la terre par la foi de ses fidèles.

19. « Allez donc, enseignez toutes les nations, les baptisant au nom du Père, du Fils et du Saint-Esprit. » Tout d'abord ils enseignent toutes les nations, puis, après les avoir enseignées, ils les baptisent dans l'eau. En effet, il est impossible que le corps reçoive le sacrement du baptême si l'âme n'a reçu auparavant la vérité de la foi. Ils sont baptisés au nom du Père, du Fils et du Saint-Esprit : ainsi de ceux dont la divinité est une, unique sera le don[111] ; nommer la Trinité, c'est nommer le Dieu unique.

20. « Enseignez-leur à observer tout ce que je vous ai prescrit ». Enchaînement remarquable[112]. Il a ordonné aux apôtres d'enseigner d'abord tous les peuples, puis de les baptiser du Sacrement de la foi, puis, après leur avoir donné la foi et le baptême, de leur enseigner les prescriptions à observer. Pour que nous ne pensions pas que ces prescriptions sont sans importance et peu nombreuses, il a ajouté : « tout ce que je vous ai prescrit », afin que ceux qui ont cru, qui ont été baptisés dans la Trinité, accomplissent toutes les prescriptions.

« Et moi, je suis avec vous tous les jours jusqu'à la fin du monde. » Il promet d'être avec ses disciples jusqu'à la fin

---

(t. I, p. 208). On trouvera d'autres exemples dans P. ANTIN, *Recueil sur S. Jérôme*, chap. 17, « *Ordo* dans S. Jérôme », p. 235 s.

saeculi cum discipulis se futurum esse promittit, et illos
125 ostendit semper esse uicturos, et se numquam a credentibus recessurum. Qui autem usque ad consummationem
mundi sui praesentiam pollicetur, non ignorat eam
diem in qua se scit futurum cum apostolis.

du monde et il leur dit qu'ils seront toujours vainqueurs
et qu'il ne s'éloignera jamais de ses fidèles[113]. Mais celui
qui leur promet sa présence jusqu'à la fin du monde, n'en
ignore pas le jour, ce jour où il sait qu'il sera avec ses apôtres.

---

113. Sur ce même texte, dans son *Ep.* 21 à Damase, 7, Jérôme écrivait :
« Ce n'est pas en vertu d'une localisation spatiale, mais par le cœur que
nous sommes avec Dieu ou que nous nous en éloignons. C'est en ce sens
qu'il dit à ses disciples : Voici que je suis avec vous tous les jours jusqu'à
la fin du monde. » (Labourt I, p. 90).

I. — INDEX SCRIPTURAIRE

Dans les colonnes de droite, les chiffres romains renvoient aux tomes (I ou II), les chiffres arabes aux pages de ces tomes.

Les chiffres en italique désignent les citations proprement dites.

Les versets de S. Matthieu commentés par Jérôme figurent dans les titres courants et n'ont pas été repris ici.

NOUVEAU TESTAMENT

II. — INDEX DES NOMS DE PERSONNES

A. Noms bibliques

Les chiffres gras renvoient aux chapitres ; ceux qui les suivent aux lignes de ces chapitres.

Les astérisques désignent des noms qui se trouvent dans les versets commentés.

Les noms divins : *Deus, Christus, Iesus* (sauf *Saluator*) n'ont pas été relevés. Pour quelques noms très fréquents (*Iudaei, Pharisaei, Saluator*), il a seulement été fait mention du nombre des emplois.

Aaron **12**, 167
Abel **23**, 265*, 268, 303
Abraham Praef. 62 ; **1**, 7*, 8, 9, 12 ; **3**, 31* ; **8**, 62*, 63, 64 ; **13**, 89, 94 ; **19**, 189 ; **20**, 34, 35 ; **22**, 207*, 217, 229*, 283, 286, 289, 294
Absalon **5**, 286
Achab **11**, 126 ; **14**, 26
Achaz **17**, 42
Achimelech **12**, 18, 28, 48, 59
Achior **7**, 73
Adam **13**, 113 ; **17**, 259 ; **20**, 33, 106 ; **27**, 216, 230, 234, 266, 268. — Filius Adam **16**, 66, 68
Aeman **13**, 273
Aetham **13**, 273
Agabus **11**, 106
Agar **6**, 174
Amessias **1**, 28
Ananias **7**, 3 ; **19**, 172
Andreas **10**, 17*, 24 ; **13**, 368
Anna **6**, 29
Apollo (amicus Pauli) **15**, 79, 83
Archelaus **2**, 70*, 75
Asaph **13**, 265, 267, 268, 273
Assyri **4**, 86 ; **12**, 286

Athalia **1**, 27
Azarias **1**, 29

Babylonii **23**, 39
Balaam **2**, 3, 43 ; **7**, 112
Barabbas **27**, 88*, 144*, 145
Barnabas **26**, 498
Bartholomeus Praef. 8 ; **10**, 27
Beniamin **2**, 48, 53, 56
Bethsabe **1**, 20 ; **7**, 69

Cain **23**, 269, 321 ; **26**, 384
Caiphas **7**, 112 ; **26**, 31*, 439*, 443, 488, 544 ; **27**, 178
Cananaea **15**, 139, 141, 159
Cananitis **15**, 170, 175
Chore (filii) **13**, 274

Danihel **23**, 317, 320 ; **24**, 71*, 74, 106
Dauid **1**, 7*, 9, 13, 94*, 99 ; **5**, 198, 258, 286 ; **7**, 69 ; **10**, 290, 340 ; **11**, 159 ; **12**, 13*, 18, 27, 36, 48, 59 ; **13**, 271 ; **17**, 238 ; **22**, 263*, 264*, 273, 275, 279 ; **27**, 331. — Filius Dauid Praef. 61 ; **9**, 181*, 186*, 195*, 201*,

B. Autres noms anciens

Les chiffres gras renvoient aux chapitres ; ceux qui les suivent aux lignes.

Les noms qui ne figurent que dans les notes sont donnés sous leur forme française, avec renvoi au tome (I ou II) et à la page.

III. — INDEX ANALYTIQUE

Les chiffres en gras renvoient aux chapitres ; ceux qui les suivent aux lignes.

Cet index ne contient qu'un choix de mots ; pour les mots retenus on n'a pas relevé tous leurs emplois, mais seulement ceux qui présentaient un intérêt particulier ; les expressions plus caractéristiques ont été citées.

Les quelques références données au tome et à la page renvoient à des notes.

TABLE DES MATIÈRES

SOURCES CHRÉTIENNES

LISTE COMPLÈTE DE TOUS LES VOLUMES PARUS

N. B. — L'ordre suivant est celui de la date de parution (n° 1 en 1942) et il n'est pas tenu compte ici du classement en séries : grecque, latine, byzantine, orientale, textes monastiques d'Occident ; et série annexe : textes para-chrétiens.

Sauf indication contraire, chaque volume comporte le texte original, grec ou latin, souvent avec un apparat critique inédit.

La mention *bis* indique une seconde édition. Quand cette seconde édition ne diffère de la première que par de menues corrections et des *Addenda et Corrigenda* ajoutés en appendice, la date est accompagnée de la mention « réimpression avec supplément ».

27 bis. **Homélies Pascales**, t. I. P. Nautin. *En préparation.*
28 bis. JEAN CHRYSOSTOME : Sur l'incompréhensibilité de Dieu. J. Daniélou, A.-M. Malingrey, R. Flacelière (1970).
29 bis. ORIGÈNE : **Homélies sur les Nombres.** A. Méhat. *En préparation.*
30 bis. CLÉMENT D'ALEXANDRIE : **Stromate I.** *En préparation.*
31. EUSÈBE DE CÉSARÉE : **Histoire ecclésiastique,** t. I. G. Bardy (réimpression, 1965).
32 bis. GRÉGOIRE LE GRAND : **Morales sur Job,** t. I. Livres I-II. R. Gillet, A. de Gaudemaris (1975).
33 bis. **A. Diognète.** H. I. Marrou (réimpr. avec suppl., 1965).
34. IRÉNÉE DE LYON : **Contre les hérésies, livre III.** F. Sagnard. *Remplacé par les n⁰ˢ 210 et 211.*
35 bis. TERTULLIEN : **Traité du baptême.** F. Refoulé. *En préparation.*
36 bis. **Homélies Pascales,** t. II. P. Nautin. *En préparation.*
37 bis. ORIGÈNE : **Homélies sur le Cantique.** O. Rousseau (1966).
38 bis. CLÉMENT D'ALEXANDRIE : **Stromate II.** *En préparation.*
39 bis. LACTANCE : **De la mort des persécuteurs.** 2 vol. *En préparation.*
40. THÉODORET DE CYR : **Correspondance,** t. I. Y. Azéma (1955).
41. EUSÈBE DE CÉSARÉE : **Histoire ecclésiastique,** t. II. G. Bardy (réimpression, 1965).
42. JEAN CASSIEN : **Conférences,** t. I. E. Pichery (réimpression, 1966).
43. JÉRÔME : **Sur Jonas.** P. Antin (1956).
44. PHILOXÈNE DE MABBOUG : **Homélies.** E. Lemoine. Trad. seule (1956).
45. AMBROISE DE MILAN : **Sur S. Luc,** t. I. G. Tissot (réimpr. avec suppl., 1971).
46. TERTULLIEN : **De la prescription contre les hérétiques.** P. de Labriolle et F. Refoulé (1957).
47. PHILON D'ALEXANDRIE : **La migration d'Abraham.** R. Cadiou (1957).
48. **Homélies Pascales,** t. III. F. Floëri et P. Nautin (1957).
49 bis. LÉON LE GRAND : **Sermons,** t. II. R. Dolle (1969).
50 bis. JEAN CHRYSOSTOME : **Huit Catéchèses baptismales inédites.** A. Wenger (réimpr. avec suppl., 1970).
51 bis. SYMÉON LE NOUVEAU THÉOLOGIEN : **Chapitres théologiques, gnostiques et pratiques.** J. Darrouzès. *En préparation.*
52 bis. AMBROISE DE MILAN : **Sur S. Luc,** t. II. G. Tissot (réimpr. avec suppl., 1976).
53 bis. HERMAS : **Le Pasteur.** R. Joly (réimpr. avec suppl., 1968).
54. JEAN CASSIEN : **Conférences,** t. II. E. Pichery (réimpression, 1966).
55. EUSÈBE DE CÉSARÉE : **Histoire ecclésiastique,** t. III. G. Bardy (réimpression, 1967).
56. ATHANASE D'ALEXANDRIE : **Deux apologies.** J. Szymusiak (1958).
57. THÉODORET DE CYR : **Thérapeutique des maladies helléniques.** 2 volumes. P. Canivet (1958).
58 bis. DENYS L'ARÉOPAGITE : **La hiérarchie céleste.** G. Heil, R. Roques, M. de Gandillac (réimpr. avec suppl., 1970).
59. **Trois antiques rituels du baptême.** A. Salles. Trad. seule. *Épuisé.*
60. AELRED DE RIEVAULX : **Quand Jésus eut douze ans.** A. Hoste, J. Dubois (1958).
61 bis. GUILLAUME DE SAINT-THIERRY : **Traité de la contemplation de Dieu.** J. Hourlier (1968).
62. IRÉNÉE DE LYON : **Démonstration de la prédication apostolique.** L. Froidevaux. Nouvelle trad. sur l'arménien. Trad. seule (réimpr. 1971).
63. RICHARD DE SAINT-VICTOR : **La Trinité.** G. Salet (1959).
64. JEAN CASSIEN : **Conférences.** t. III. E. Pichery (réimpr., 1971).
65. GÉLASE Iᵉʳ : **Lettre contre les Lupercales et dix-huit messes du sacramentaire léonien.** G. Pomarès (1960).
66. ADAM DE PERSEIGNE : **Lettres,** t. I. J. Bouvet (1960).
67. ORIGÈNE : **Entretien avec Héraclide.** J. Scherer (1960).
68. MARIUS VICTORINUS : **Traités théologiques sur la Trinité.** P. Henry, P. Hadot. Tome I. Introd., texte critique, traduction (1960).
69. Id. — Tome II. Commentaire et tables (1960).

70. Clément d'Alexandrie : Le Pédagogue, t. I. H. I. Marrou, M. Harl (1960).

71. Origène : Homélies sur Josué. A. Jaubert (1960).

72. Amédée de Lausanne : Huit homélies mariales. G. Bavaud, J. Deshusses, A. Dumas (1960).

73 bis. Eusèbe de Césarée : Histoire ecclésiastique, t. IV. Introd. générale de G. Bardy et tables de P. Périchon (réimpr. avec suppl., 1971).

74 bis. Léon le Grand : Sermons, t. III. R. Dolle (1976).

75. S. Augustin : Commentaire de la 1re Épître de S. Jean. P. Agaësse (réimpression, 1966).

76. Aelred de Rievaulx : La vie de recluse, Ch. Dumont (1961).

77. Defensor de Ligugé : Le livre d'étincelles, t. I. H. Rochais (1961).

78. Grégoire de Narek : Le livre de Prières. I. Kéchichian, Trad. seule (1961).

79. Jean Chrysostome : Sur la Providence de Dieu. A.-M. Malingrey (1961).

80. Jean Damascène : Homélies sur la Nativité et la Dormition. P. Voulet (1961).

81. Nicétas Stéthatos : Opuscules et lettres. J. Darrouzès (1961).

82. Guillaume de Saint-Thierry : Exposé sur le Cantique des Cantiques, J.-M. Déchanet (1962).

83. Didyme l'Aveugle : Sur Zacharie. Texte inédit. L. Doutreleau. Tome I. Introduction et livre I (1962).

84. Id. — Tome II. Livres II et III (1962).

85. Id. — Tome III. Livres IV et V, Index (1962).

86. Defensor de Ligugé : Le livre d'étincelles, t. II. H. Rochais (1962).

87. Origène : Homélies sur S. Luc, H. Crouzel, F. Fournier, P. Périchon (1962).

88. Lettres des premiers Chartreux, tome I : S. Bruno, Guigues, S. Anthelme. Par un Chartreux (1962).

89. Lettre d'Aristée à Philocrate. A. Pelletier (1962).

90. Vie de sainte Mélanie. D. Gorce (1962).

91. Anselme de Cantorbéry : Pourquoi Dieu s'est fait homme. R. Roques (1963).

92. Dorothée de Gaza : Œuvres spirituelles. L. Regnault, J. de Préville (1963).

93. Baudouin de Ford : Le sacrement de l'autel. J. Morson, É. de Solms, J. Leclercq. Tome I (1963).

94. Id. — Tome II (1963).

95. Méthode d'Olympe : Le banquet. H. Musurillo, V.-H. Debidour (1963).

96. Syméon le Nouveau Théologien : Catéchèses. B. Krivochéine, J. Paramelle. Tome I. Introduction et Catéchèses 1-5 (1963).

97. Cyrille d'Alexandrie : Deux dialogues christologiques. G. M. de Durand (1964).

98. Théodoret de Cyr : Correspondance, t. II. Y. Azéma (1964).

99. Romanos le Mélode : Hymnes. J. Grosdidier de Matons. Tome I. Introduction et Hymnes I-VIII (1964).

100. Irénée de Lyon : Contre les hérésies, livre IV. A. Rousseau, B. Hemmerdinger, Ch. Mercier, L. Doutreleau. 2 vol. (1965).

101. Quodvultdeus : Livre des promesses et des prédictions de Dieu. R. Braun. Tome I (1964).

102. Id. — Tome II (1964).

103. Jean Chrysostome : Lettre d'exil. A.-M. Malingrey (1964).

104. Syméon le Nouveau Théologien : Catéchèses. B. Krivochéine, J. Paramelle. Tome II, Catéchèses 6-22 (1964).

105. La Règle du Maître. A. de Vogüé. Tome I. Introduction et chap. 1-10 (1964)·

106. Id. — Tome II. Chap. 11-95 (1964).

107. Id. — Tome III. Concordance et Index orthographique J.-M. Clément, J. Neufville, D. Demeslay (1965).

108. Clément d'Alexandrie : Le Pédagogue, tome II. Cl. Mondésert, H. I. Marrou (1965).

109. Jean Cassien : Institutions cénobitiques. J.-C. Guy (1965).

110. Romanos le Mélode : Hymnes. J. Grosdidier de Matons. Tome II. Hymnes IX-XX (1965).

111. Théodoret de Cyr : Correspondance, t. III. Y. Azéma (1965).

112. Constance de Lyon : Vie de S. Germain d'Auxerre. R. Borius. (1965).

153. **Id.** — Tome II. Texte et traduction (1969).
154. Chromace d'Aquilée : **Sermons. Tome I. Sermons 1-17** A. J. Lemarié (1969)
155. Hugues de Saint-Victor : **Six opuscules spirituels.** R. Baron (1969).
156. Syméon le Nouveau Théologien : **Hymnes.** J. Koder, J. Paramelle. Tome I. Hymnes I-XV (1969).
157. Origène : **Commentaire sur S. Jean.** C. Blanc. Tome II. Livres VI et X (1970).
158. Clément d'Alexandrie : **Le Pédagogue. Livre III.** Cl. Mondésert, H. I. Marrou et Ch. Matray (1970).
159. Cosmas Indicopleustès : **Topographie chrétienne.** Tome II. Livre V. W. Wolska-Conus (1970).
160. Basile de Césarée : **Sur l'origine de l'homme.** A. Smets et M. Van Esbroeck (1970).
161. **Quatorze homélies du IXe siècle d'un auteur inconnu de l'Italie du Nord.** P. Mercier (1970).
162. Origène : **Commentaire sur l'Évangile selon Matthieu.** Tome I. Livres X et XI. R. Girod (1970).
163. Guigues II le Chartreux : **Lettre sur la vie complative (ou Échelle des Moines). Douze méditations.** E. Colledge, J. Walsh (1970).
164. Chromace d'Aquilée : **Sermons. Tome II. Sermons 18-41.** J. Lemarié (1971).
165. Rupert de Deutz : **Les œuvres du Saint-Esprit. Tome II. Livres III et IV.** J. Gribomont, É. de Solms (1970).
166. Guerric d'Igny : **Sermons.** Tome I. J. Morson, H. Costello, P. Deseille (1970).
167. Clément de Rome : **Épître aux Corinthiens.** A. Jaubert (1971).
168. Richard Rolle : **Le chant d'amour (Melos amoris).** F. Vandenbroucke et les Moniales de Wisques. Tome I (1971).
169. **Id.** — Tome II (1971).
170. Évagre le Pontique : **Traité pratique.** A. et C. Guillaumont. Tome I. Introduction (1971).
171. **Id.** — Tome II. Texte, traduction, commentaire et tables (1971).
172. **Épître de Barnabé.** R. A. Kraft, P. Prigent (1971).
173. Tertullien : **La toilette des femmes.** M. Turcan (1971).
174. Syméon le Nouveau Théologien : **Hymnes.** J. Koder, L. Neyrand. Tome II. Hymnes XVI-XL (1971).
175. Césaire d'Arles : **Sermons au peuple.** Tome I. Sermons 1-20. M.-J. Delage (1971).
176. Salvien de Marseille : **Œuvres.** Tome I. G. Lagarrigue (1971).
177. Callinicos : **Vie d'Hypatios.** G. J. M. Bartelink (1971).
178. Grégoire de Nysse : **Vie de sainte Macrine.** P. Maraval (1971).
179. Ambroise de Milan : **La Pénitence.** R. Gryson (1971).
180. Jean Scot : **Commentaire sur l'évangile de Jean.** É. Jeauneau (1972).
181. **La Règle de S. Benoît.** Tome I. Introduction et Chapitres I-VII. A. de Vogüé et J. Neufville (1972).
182. **Id.** — Tome II. Chapitres VIII-LXXIII, Tables et concordance. A. de Vogüé et J. Neufville (1972).
183. **Id.** — Tome III. Étude de la tradition manuscrite. J. Neufville (1972).
184. **Id.** — Tome IV. Commentaire (Parties I-III). A. de Vogüé (1971).
185. **Id.** — Tome V. Commentaire (Parties IV-VI). A. de Vogüé (1971).
186. **Id.** — Tome VI Commentaire (Parties VII-IX). Index. A. de Vogüé (1971).
187. Hésychius de Jérusalem, Basile de Séleucie, Jean de Béryte, Pseudo-Chrysostome, Léonce de Constantinople : **Homélies pascales.** M. Aubineau (1972).
188. Jean Chrysostome : **Sur la vaine gloire et l'éducation des enfants.** A.-M. Malingrey (1972).
189. **La chaîne palestinienne sur le psaume 118.** Tome I. Introduction, texte critique et traduction M. Harl (1972).
190. **Id.** — Tome II. Catalogue des fragments, Notes et Index. M. Harl (1972).
191. Pierre Damien : **Lettre sur la toute-puissance divine.** A. Cantin (1972).
192. Julien de Vézelay : **Sermons.** Tome I. Introduction et Sermons 1-16. D. Vorreux (1972).
193. **Id.** — Tome II. Sermons 17-27, Index. D. Vorreux (1972).

194. **Actes de la Conférence de Carthage en 411.** Tome I. Introduction. S. Lancel (1972).

195. **Id.** — Tome II. Texte et traduction de la Capitulation et des Actes de la première séance. S. Lancel (1972).

196. SYMÉON LE NOUVEAU THÉOLOGIEN : **Hymnes.** J. Koder, J. Paramelle, L. Neyrand. Tome III. Hymnes XLI-LVIII, Index (1973).

197. COSMAS INDICOPLEUSTÈS : **Topographie chrétienne,** t. III. Livres VI-XII, Index. W. Wolska-Conus (1973).

198. **Livre (cathare) des deux principes.** Ch. Thouzellier (1973).

199. ATHANASE D'ALEXANDRIE : **Sur l'incarnation du Verbe.** C. Kannengiesser (1973).

200. LÉON LE GRAND : **Sermons.** Tome IV. Sermons 65-98, Éloge de S. Léon, Index. R. Dolle (1973).

201. **Évangile de Pierre.** M.-G. Mara (1973).

202. GUERRIC D'IGNY : **Sermons.** Tome II. J. Morson, H. Costello, P. Deseille (1973).

203. NERSÈS SNORHALI : **Jésus, Fils unique du Père.** I. Kéchichian. Trad. seule (1973).

204. LACTANCE : **Institutions divines, livre V.** Tome I. Introd., texte et trad. P. Monat (1973).

205. **Id.** — Tome II. Commentaire et index. P. Monat (1973).

206. EUSÈBE DE CÉSARÉE : **Préparation évangélique, livre I.** J. Sirinelli, É. des Places (1974).

207. ISAAC DE L'ÉTOILE : **Sermons.** A. Hoste, G. Salet, G. Raciti. Tome II. Sermons 18-39 (1974).

208. GRÉGOIRE DE NAZIANZE : **Lettres théologiques.** P. Gallay (1974).

209. PAULIN DE PELLA : **Poème d'action de grâces et Prière.** C. Moussy (1974).

210. IRÉNÉE DE LYON : **Contre les hérésies, livre III.** A. Rousseau, L. Doutreleau. Tome I. Introduction, notes justificatives et tables (1974).

211. **Id.** — Tome II. Texte et traduction (1974).

212. GRÉGOIRE LE GRAND : **Morales sur Job.** Livres XI-XIV. A. Bocognano (1974).

213. LACTANCE : **L'ouvrage du Dieu créateur.** Tome I. Introduction, texte critique et traduction. M. Perrin (1974).

214. **Id.** — Tome II. Commentaire et index. M. Perrin (1974).

215. EUSÈBE DE CÉSARÉE : **Préparation évangélique, livre VII.** G. Schroeder, É. des Places (1975).

216. TERTULLIEN : **La chair du Christ.** Tome I. Introduction, texte critique et traduction. J. P. Mahé (1975).

217. **Id.** — Tome II. Commentaire et Index. J. P. Mahé (1975).

218. HYDACE : **Chronique.** Tome I. Introduction, texte critique et traduction. A. Tranoy (1975).

219. **Id.** — Tome II. Commentaire et index. A. Tranoy (1975).

220. SALVIEN DE MARSEILLE : **Œuvres.** T. II. G. Lagarrigue (1975).

221. GRÉGOIRE LE GRAND : **Morales sur Job.** Livres XV-XVI. A. Bocognano (1975).

222. ORIGÈNE : **Commentaire sur S. Jean.** Tome III. Livre XIII. C. Blanc (1975).

223. GUILLAUME DE SAINT-THIERRY : **Lettre aux Frères du Mont-Dieu (Lettre d'or).** J. Déchanet (1975).

224. **Actes de la Conférence de Carthage en 411.** Tome III. Texte et traduction des Actes de la 2e et de la 3e séance. S. Lancel (1975).

225. DHUODA : **Manuel pour mon fils.** P. Riché (1975).

226. ORIGÈNE : **Philocalie 21-27 (Sur le libre arbitre).** É. Junod (1976).

227. ORIGÈNE : **Contre Celse.** M. Borret. Tome V. Introduction et index (1976).

228. EUSÈBE DE CÉSARÉE : **Préparation évangélique.** Livres II-III. É. des Places (1976).

229. PSEUDO-PHILON : **Les Antiquités Bibliques.** D. J. Harrington, C. Perrot, P. Bogaert, J. Cazeaux. Tome I. Introduction critique, texte et traduction (1976).

230. **Id.** — Tome II. Introduction littéraire, commentaire et index (1976).

231. CYRILLE D'ALEXANDRIE : **Dialogues sur la Trinité.** Tome I. Introduction et Dial. I et II. G. M. de Durand (1976).

232. ORIGÈNE : **Homélies sur Jérémie**. P. Nautin et P. Husson. **Tome I**. Introduction et homélies I-XI (1976).

233. DIDYME L'AVEUGLE : **Sur la Genèse, t. I**. P. Nautin et L. Doutreleau (1976).

234. THÉODORET DE CYR : **Histoire des moines de Syrie. Tome I**. Introduction et **Histoire Philothée I-XIII**. P. Canivet et A. Leroy-Molinghen (1977).

235. HILAIRE D'ARLES : **Vie de S. Honorat**. M.-D. Valentin (1977).

236. **Rituel cathare**. Ch. Thouzellier (1977).

237. CYRILLE D'ALEXANDRIE : **Dialogues sur la Trinité. Tome II. Dial. III-V**. G. M. de Durand (1977).

238. ORIGÈNE : **Homélies sur Jérémie. Tome II. Homélies XII-XX** et homélies latines, index. P. Nautin et P. Husson (1977).

239. AMBROISE DE MILAN : **Apologie pour David**. P. Hadot et M. Cordier (1977).

240. PIERRE DE CELLE : **L'école du cloître**. G. de Martel (1977).

241. **Conciles gaulois du IVe siècle**. J. Gaudemet (1977).

242. S. JÉRÔME : **Commentaire sur S. Matthieu. Tome I. Livres I et II**. É. Bonnard (1977).

243. CÉSAIRE D'ARLES : **Sermons au peuple. Tome II. Sermons 21-55**. M.-J. Delage (1978).

244. DIDYME L'AVEUGLE : **Sur la Genèse. Tome II** (sur Genèse V-XVII). Index. P. Nautin et L. Doutreleau (1978).

245. **Targum du Pentateuque. Tome I : Genèse**. R. Le Déaut et J. Robert. Trad. seule (1978).

246. CYRILLE D'ALEXANDRIE : **Dialogues sur la Trinité. Tome III. Dial. VI-VII**, index. G. M. de Durand (1978).

247. GRÉGOIRE DE NAZIANZE : **Discours 1-3**. J. Bernardi (1978).

248. **La doctrine des douze apôtres**. W. Rordorf et A. Tuilier (1978).

249. S. PATRICK : **Confession et Lettre à Coroticus**. R. P. C. Hanson et C. Blanc (1978).

250. GRÉGOIRE DE NAZIANZE : **Discours 27-31** (Discours théologiques). P. Gallay (1978).

251. GRÉGOIRE LE GRAND : **Dialogues. Tome I**. A. de Vogüé (1978).

252. ORIGÈNE : **Traité des principes. Livres I et II. Tome I**. Introduction, texte, critique et traduction. H. Crouzel et M. Simonetti (1978).

253. **Id.** — **Tome II**. Commentaire et fragments. H. Crouzel et M. Simonetti (1978).

254. HILAIRE DE POITIERS : **Sur Matthieu. Tome I**. Introduction et chap. 1-13. J. Doignon (1978).

255. GERTRUDE D'HELFTA : **Œuvres spirituelles. Tome IV. Le Héraut. Livre IV**. J.-M. Clément, B. de Vregille et les Moniales de Wisques (1978).

256. **Targum du Pentateuque. Tome II. Exode et Lévitique**. R. Le Déaut et J. Robert. Trad. seule (1979).

257. THÉODORET DE CYR : **Histoire des moines de Syrie. Tome II. Histoire Philothée (XIV-XXX), Traité sur la Charité (XXXI)** et Index. P. Canivet et A. Leroy-Molinghen (1979).

258. HILAIRE DE POITIERS : **Sur Matthieu, t. II. Chap. 14-33**, appendice et index. J. Doignon (1979).

259. S. JÉRÔME : **Commentaire sur S. Matthieu. Tome II. Livres III et IV**, index. É. Bonnard (1979).

Hors série :

Directives pour la préparation des manuscrits (de « Sources Chrétiennes »). A demander au Secrétariat de « Sources Chrétiennes », 29, rue du Plat, 69002 Lyon.

La Règle de S. Benoît, Commentaire doctrinal et spirituel. A. de Vogüé (1977).

SOUS PRESSE

EUSÈBE DE CÉSARÉE : **Préparation évangélique, livres IV, 1 - V, 17.** O. Zink et
    É. des Places.
EUSÈBE DE CÉSARÉE : **Préparation évangélique, livres V, 18 - VI.** É. des Places.
GRÉGOIRE LE GRAND : **Dialogues.** P. Antin et A. de Vogüé. Tomes II et III.
JEAN CHRYSOSTOME : **Le sacerdoce.** A.-M. Malingrey.

PROCHAINES PUBLICATIONS

PSEUDO-MACAIRE : **Œuvres spirituelles.** t. I. V. Desprez.
IRÉNÉE DE LYON : **Contre les hérésies, livres I et II.** A. Rousseau et L. Doutreleau.
THÉODORET DE CYR : **Commentaire sur Isaïe.** J.-N. Guinot.
ROMANOS LE MÉLODE : **Hymnes,** t. V, J. Grosdidier de Matons.